dicionário escolar
INGLÊS

inglês · português
português · inglês

Klett

Martins Fontes
São Paulo 2005

Copyright ©: Ernst Klett Sprachen GmbH, Stuttgart, Federal Republic of Germany, 2005.
Copyright © for Brazil: Livraria Martins Fontes Editora Ltda., São Paulo, 2005.

1ª edição
maio de 2005

Gerente editorial
Drª Margaret Cop

Colaboradores
Ieda Maria Alves (Universidade de São Paulo), Maria Elisa C. R. Bittencourt,
Luciana Capisani, Helen 'Terry' Crispin, David G. Elliff, Alison Entrekin, Waldemar Ferreira
Netto, Elisabete P. Ferreira Köninger, Carla Finger, Glenn C. Johnston, Isa Mara Lando, Maria
do Carmo Massoni, Lynne Reay Pereira, Drª Cristina Stark Gariglio, Dr. Eric Steinbaugh,
William Steinmetz, Caroline Wilcox Reul, Carlota Frances Williams Lopes

Composição
Dörr und Schiller GmbH, Stuttgart

Processamento de dados
Andreas Lang, conText AG für Informatik und Kommunikation, Zürich

ISBN 85-336-2139-6

Todos os direitos desta edição para o Brasil reservados à
Livraria Martins Fontes Editora Ltda.
Rua Conselheiro Ramalho, 330 01325-000 São Paulo SP Brasil
Tel. (11) 3241.3677 Fax (11) 3101.1042
e-mail: info@martinsfontes.com.br http://www.martinsfontes.com.br

Contents

English Phonetic Symbols	IV
Phonetic Symbols for Brazilian Portuguese	V
How to use the dictionary	VI

English-Portuguese Dictionary — 1–434

Supplement I

Correspondence	435
Useful Expressions in Letters	447
Useful Phrases	449

Portuguese-English Dictionary — 1–602

Supplement II

English Irregular Verbs	603
Portuguese Regular and Irregular Verbs	608
False Friends	630
Numerals	636
Weights and Measures	641
United States of America	645
Canada	646
Australia	647
New Zealand	647
United Kingdom	648
Republic of Ireland	651

Índice

Símbolos fonéticos da língua inglesa	IV
Símbolos fonéticos do português do Brasil	V
Como utilizar o dicionário	VI

Dicionário Inglês-Português — 1–434

Apêndice I

Correspondência	435
Formas úteis para a correspondência	447
Expressões úteis	449

Dicionário Português-Inglês — 1–602

Apêndice II

Verbos ingleses irregulares	603
Os verbos portugueses regulares e irregulares	608
Falsos amigos	630
Os numerais	636
Pesos e medidas	641
Estados Unidos da América	645
Canadá	646
Austrália	647
Nova Zelândia	647
Reino Unido	648
Republica da Irlanda	651

Símbolos fonéticos da língua inglesa
English phonetic symbols

[ɑ:]	farm, father
[aɪ]	life
[aʊ]	house
[æ]	man, sad
[b]	been, blind
[d]	do, had
[ð]	this, father
[e]	get, bed
[eɪ]	name, lame
[ə]	ago better *(British pronunciation)*
[əʊ]	coat, low *(British pronunciation)*
[ɜ:]	bird, her
[eə]	there, care *(British pronunciation)*
[ʌ]	but, son
[f]	father, wolf
[g]	go, beg
[ŋ]	long, sing
[h]	house
[ɪ]	it, wish
[i]	lovely
[i:]	bee, me, beat, belief
[ɪe]	here (*British pronunciation*)
[j]	youth
[k]	keep, milk
[l]	lamp, oil, ill
[m]	man, am
[n]	no, manner
[ɒ]	not, long (*British pronunciation*)
[ɔ:]	more law (*British pronunciation*)
[ɔɪ]	boy, oil
[oʊ]	coat, low (*American pronunciation*)
[p]	paper, happy
[r]	red, dry better *(American pronunciation)*
[ʳ]	better (*British pronunciation*: "linking r")
[s]	stand, sand, yes
[ʃ]	ship, station
[t]	tell, fat
[t̬]	better *(American pronunciation)*
[tʃ]	church, catch
[ʊ]	push, look
[u:]	you, do
[ʊə]	poor, sure (*British pronunciation*)
[v]	voice, live
[w]	water, we, which
[z]	zeal, these, gaze
[ʒ]	pleasure
[dʒ]	jam, object
[θ]	thank, health
[x]	loch
[ã]	genre

Símbolos fonéticos do português do Brasil
Phonetic Symbols for Brazilian Portuguese

[a]	casa	[b]	bom
[ɜ]	cama, dano	[x]	rio, carro
[ɛ]	café, aberto	[d]	dormir
[e]	abelha, fortaleza	[dʒ]	cidade
[i]	disco	[f]	fazer
[j]	faculdade, realmente, acústica	[g]	golfo
[o]	coco, luminoso	[ʒ]	janela
[ɔ]	hora, luminosa	[k]	carro
[u]	madrugada, maduro	[l]	mala
[w]	quarto	[ʎ]	vermelho
[aj]	pai	[m]	mãe
[ɜj]	mãe	[n]	nata
[aw]	ausência, alface	[ɲ]	banho
[ɜ̃]	amanhã, maçã, campeã	[ŋ]	abandonar, banco
[ɜ̃ŋ]	dançar	[p]	pai
[ɜ̃w]	avião, coração	[ɾ]	parede, provar
[ej]	beira	[r]	pintar, fazer
[ẽj]	alguém, legenda, lente	[s]	solo
[ew]	deus, movel	[ʃ]	cheio
[ĩj]	jardim	[t]	total
[oj]	coisa, noite	[tʃ]	durante
[õj]	aviões	[v]	vida
[õw]	com, afronta	[z]	dose
[ũw]	acupuntura, comum		

Como utilizar o dicionário
How to use the dictionary

Todas as **entradas** (incluindo abreviações, palavras compostas, variantes ortográficas, referências) estão ordenadas alfabeticamente e destacadas em negrito.

caxinguelê m [kaʃĩjge'le] Brazilian squirrel
Cazaquistão [kazaks'tɜ̃w] m Kazakhstan
CBF [sebe'ɛfi] f abr de **Confederação Brasileira de Futebol** Brazilian Football Federation
CD [se'de] m abr de **compact disc** CD

Os verbos preposicionais (verbo + preposição) vêm logo após o verbo de base e estão assinalados com ◆.

bring [brɪŋ] <brought, brought> vt **1.** (*carry*) trazer… ◆ **bring about** vt provocar

Os algarismos arábicos sobrescritos indicam **palavras homógrafas** (palavras com grafias idênticas, mas significados diferentes).

era¹ ['ɛra] *imp de* **ser**
era² ['ɛra] f (*época*) era; ~ **glacial** ice age

Empregam-se os símbolos da IPA (International Phonetic Assotiation) para a transcrição da **pronúncia do inglês americano e britânico** e do **português do Brasil**. As indicações das **formas irregulares do plural** e das **formas irregulares de verbos e adjetivos** estão entre os símbolos "menor que" e "maior que" logo após a entrada.

harassment [hə'ræsmənt, *Brit:* 'hærəs-] n *no pl* **the ~ of unions** a importunação f dos sindicatos; (*sexual*) assédio m
backup [be'kapi] m INFOR backup; **fazer um ~ de um arquivo** to make a backup (file)
child [tʃaɪld] <children>…
bony ['boʊni, *Brit:* 'bəʊ-] adj <-ier, -iest>…
become [bɪ'kʌm] <became, become>…
abranger [abrɜ̃ɲ'ʒer] vt <g→j>…
aceitar [asej'tar] vt <pp aceito *ou* aceitado>…
gel <géis *ou* geles> ['ʒɛw, 'ʒɛjs, 'ʒɛʎis] m gel…

A forma feminina dos substantivos e adjetivos é indicada sempre que difira da forma masculina. Indica-se o gênero dos substantivos em português.

ator, atriz [a'tor, a'tris] <-es> m, f actor m, actress f
aconchegado, -a [akõwʃe'gadu, -a] adj comfortably settled

Os algarismos romanos indicam as **categorias gramaticais** distintas. Os algarismos arábicos indicam **acepções** diferentes.

guiar [gi'ar] I. *vt* (*uma pessoa*) to guide; (*um automóvel*) to drive; (*uma bicicleta*) to steer II. *vr:* ~-**se por a. c.** to go [*o* be guided] by sth
haste ['astʃi] *f* 1. (*de bandeira*) flagpole 2. BOT stem 3. (*dos óculos*) arm

O **til** substitui a entrada anterior nos exemplos ilustrativos, nas locuções e nos provérbios.

coração <-ões> [kora'sãw, -õjs] *m* heart; **abrir o ~ para alguém** to open one's heart to sb; **de cortar o ~** heartbreaking; **do fundo do ~** from the bottom of one's heart;...

Várias **indicações** são dadas para orientar o usuário na tradução correta.
• Indicações de **campo semântico**

afinar [afi'nar] I. *vt* 1. TEC (*motor*) to tune 2. (*tornar melhor*) ~ **as maneiras** to improve one's manners;... 3. MÚS to tune II. *vi inf* FUT (*time*) to be afraid of the opponent
acender [asẽj'der] <*pp* aceso *ou* acendido> I. *vt* (*cigarro, fogo, vela, fósforo*) to light; (*luz, forno, fogão*) to turn on; (*sentimento*) to ignite II. *vr:* ~-**se** (*discussão*) to heat up; (*desejo*) to be aroused
passing I. *adj* (*fashion*) passageiro, -a; (*remark*) fugaz II. *n* **in ~** de passagem

• **Definições** ou **sinônimos**, **complementos** ou **sujeitos** típicos da entrada

motorway *n Brit* auto-estrada *f*
auto-estrada ['autwis'trada] *f* (*estrada*) highway *Am,* motorway *Brit*

• Indicações de **uso regional** tanto na entrada como na tradução

abacaxi [abaka'ʃi] *m* 1. (*fruta*) pineapple 2. *inf* (*problema*) problem; **descascar um ~** to solve a problem
almighty [ɔːlˈmaɪti, *Brit:* -ti] I. *adj* 1. *inf* tremendo, -a 2. todo-poderoso, -a II. *n* **the Almighty** o Todo-Poderoso *m*

• Indicações de **estilo**

pavê [pa've] *m* GASTR ≈ trifle

Quando não é possível traduzir uma entrada ou um exemplo devido a diferenças culturais, é dada uma **explicação** ou uma **equivalência aproximada** (≈). No caso de uma tradução ambígua, acrescenta-se uma explicação entre parênteses.

Big Apple *n* **the ~** (*nome como é conhecida a cidade de Nova York*)
caatinga ['kaa'tʃĩjga] *f* caatinga (*shrubland vegetation common to the arid climate of Northeast Brazil*)

s.a. e *v.tb.* se referem a uma **entrada-modelo** para informações adicionais.

May [meɪ] *n* maio *m; s.a.* **March**
oitavo [oi'tavu] I. *m* eighth II. *num ord* eighth; *v.tb.* **segundo**

A

A, a [eɪ] *n* **1.** (*letter*) a *f*; **~ as in Abel** Am, **~ for Andrew** *Brit* a de amor; **to get from ~ to B** ir de um lugar a outro **2.** MUS lá *m* **3.** SCH (*mark*) excelente

a [ə, *stressed:* eɪ] *indef art before consonant*, **an** [ən, *stressed:* æn] *before vowel* **1.** (*in general*) um, uma; **~ car** um carro; **~ house** uma casa; **in ~ day or two** em uns dias; **she is ~ teacher** ela é professora; **he is an American** ele é americano **2.** (*to express rates*) por; **$6 ~ week** $6 por semana

A *n abbr of* **answer** R *f*

AA [ˌeɪˈeɪ] *abbr of* **Alcoholics Anonymous** AA *mpl*

aback [əˈbæk] *adv* **to be taken ~ (by sth)** ficar desconcertado (com a. c.)

abandon [əˈbændən] *vt* abandonar; **to ~ ship** abandonar o navio; **to ~ oneself to sth** entregar-se a a. c.

abandoned [əˈbændənd] *adj* abandonado, -a

abashed [əˈbæʃt] *adj* envergonhado, -a

abate [əˈbeɪt] *vi* abrandar

abbey [ˈæbi] *n* abadia *f*, mosteiro *m*

abbot [ˈæbət] *n* REL abade *m*

abbreviation [əˌbriːviˈeɪʃn] *n* abreviação *f*

abdicate [ˈæbdɪkeɪt] *vi* abdicar

abdication [ˌæbdɪˈkeɪʃn] *n no pl* abdicação *f*

abdomen [ˈæbdəmən] *n* abdome *m*

abdominal [æbˈdɑːmənl, *Brit:* -ˈdɒmɪ-] *adj* abdominal

abduct [æbˈdʌkt] *vt* seqüestrar

abduction [æbˈdʌkʃn] *n* seqüestro *m*

aberration [ˌæbəˈreɪʃn] *n* aberração *f*

abhor [æbˈhɔːr, *Brit:* əbˈhɔː] <-rr-> *vt* abominar

abhorrent *adj* abominável

abide [əˈbaɪd] <-d *o* abode, -d *o* abode> *vt* suportar

ability [əˈbɪlət̬i, *Brit:* -əti] <-ies> *n* capacidade *f*; (*talent*) aptidão *f*

abject [ˈæbdʒekt] *adj* **1.** (*miserable: conditions*) deplorável **2.** (*absolute: fear, poverty, failure*) absoluto, -a

ablaze [əˈbleɪz] *adj* em chamas

able [ˈeɪbl] *adj* capaz; **to be ~ to do sth** ser capaz de fazer a. c.

able-bodied [ˌeɪblˈbɑːdɪd, *Brit:* -ˈbɒd-] *adj* fisicamente apto, -a

abnormal [æbˈnɔːrml, *Brit:* -ˈnɔːml] *adj* anormal, anômalo, -a

abnormality [ˌæbnɔːrˈmæləti, *Brit:* -nəˈmælɪti] <-ies> *n* anomalia *f*, anormalidade *f*

aboard [əˈbɔːrd, *Brit:* əˈbɔːd] **I.** *adv* a bordo **II.** *prep* a bordo de

abode [əˈboʊd, *Brit:* əˈbəʊd] *n* **of no fixed ~** sem residência fixa; **this is my humble ~** este é meu humilde domicílio

abolish [əˈbɑːlɪʃ, *Brit:* -ˈbɒl-] *vt* abolir, revogar

abolition [ˌæbəˈlɪʃn] *n no pl* abolição *f*

abominable [əˈbɑːmɪnəbl, *Brit:* -ˈbɒm-] *adj* abominável

abomination [əˌbɑːmɪˈneɪʃn, *Brit:* -ˌbɒm-] *n no pl* aversão *f*

aboriginal [ˌæbəˈrɪdʒənl] *adj* aborígine

Aborigine [ˌæbəˈrɪdʒɪni] *n* aborígine *mf*

abort [əˈbɔːrt, *Brit:* əˈbɔːt] *vt*, *vi* cancelar

abortion [əˈbɔːrʃn, *Brit:* -ˈbɔːʃn] *n* aborto *m*; **to have an ~** fazer um aborto

abortive [əˈbɔːrt̬ɪv, *Brit:* əˈbɔːtɪv] *adj* (*attempt*) fracassado, -a

abound [əˈbaʊnd] *vi* abundar; **to ~ in** [*o* **with**] **sth** ser rico em a. c.

about [əˈbaʊt] **I.** *prep* **1.** (*on subject of*) sobre; **a book ~ football** um livro sobre futebol; **what is the movie ~?** sobre o que é o filme?; **how ~ that!** quem diria!; **what ~ going to the movies?** que tal irmos ao cinema?; **what ~ your new job?** e o seu novo emprego? **2.** (*surrounding*) ao redor de **3.** (*in and through*) por; **she walked ~ the room** ela andou pela sala **II.** *adv* **1.** (*approximately*) cerca de; **~ 5 years ago** cerca de 5 anos atrás; **~ twenty** uns vinte **2.** (*almost*) quase; **to be (just) ~ ready** estar quase pronto; **to be ~ to do sth** estar prestes a fazer a. c. **3.** (*around*) **to be out and ~** estar na ativa

above [əˈbʌv] **I.** *prep* **1.** (*on top of*) em cima de **2.** (*greater than*) acima de; **~ 3** mais de 3; **~ all** acima de tudo **3.** *fig* (*not subject to*) fora de; **~ suspicion** acima de suspeita **II.** *adv* acima; **the floor ~** o andar de cima

abrasion [əˈbreɪʒn] *n* MED escoriação *f*

abrasive [əˈbreɪsɪv] *adj* abrasivo, -a; (*style, criticism*) ofensivo, -a

abreast [əˈbrest] *adv* **three ~** três lado a lado; **to keep ~ of sth** manter-se a par de a. c.

abroad [ə'brɑːd, Brit: ə'brɔːd] adv to be ~ estar no exterior; **to go** ~ viajar para o exterior

abrupt [ə'brʌpt] adj **1.** (sudden: end, event) abrupto, -a, repentino, -a; **to come to an** ~ **end** ter um fim inesperado **2.** (brusque: person) brusco, -a

abscess ['æbses] n abscesso m

abscond [əb'skɑːnd, Brit: -'skɒnd] vi estar foragido

absence ['æbsəns] n no pl ausência f; **on leave of** ~ MIL de licença

absent ['æbsənt] adj **1.** (missing) ausente; **to be** ~ **from work/school** faltar no trabalho/na escola **2.** (distracted) distraído, -a

absentee [ˌæbsən'tiː] n ausente mf

absentee ballot n voto m em trânsito

absent-minded adj distraído, -a

absolute ['æbsəluːt] adj absoluto, -a

absolutely adv **1.** absolutamente, completamente; **I'm absolutely sure**, tenho certeza absoluta, **you're** ~ **right** você tem toda razão; **it's** ~ **essential that ...** é imprescindível que ... **2.** ~! inf com certeza!, claro que sim!; ~ **not!** de maneira nenhuma!

absolutism ['æbsəluːˌtɪzəm, Brit: -tɪz-] n no pl absolutismo m

absolve [əb'zɑːlv, Brit: -'zɒlv] vt absolver; **to** ~ **sb of** [o **from**] **sth** alsolver alguém de a. c.

absorb [əb'sɔːrb, Brit: -'sɔːb] vt absorver; **to be ~ed in sth** fig estar absorto em a. c.; **to be** ~ **into the bloodstream** ser absorvido pela corrente sangüínea

absorbent [əb'sɔːrbənt, Brit: -'sɔːb-] adj absorvente

absorbing adj (work, book) envolvente

absorption [əb'sɔːrpʃn, Brit: -'sɔːp-] n no pl absorção f

abstain [əb'steɪn] vi **to** ~ (**from doing sth**) abster-se (de fazer a. c.)

abstinence ['æbstɪnəns] n no pl abstinência f

abstract ['æbstrækt] adj abstrato, -a

abstraction [əb'strækʃn] n abstração f

absurd [əb'sɜːrd, Brit: -'sɜːd] adj (ridiculous) absurdo, -a; **don't be** ~! não seja ridículo!; (foolish) ridículo; **to look** ~ parecer ridículo

absurdity [əb'sɜːrdətɪ, Brit: -'sɜːdətɪ] <-ies> n no pl absurdo m

abundance [ə'bʌndəns] n no pl abundância f; **an** ~ **of sth** uma abundância de a. c.

abundant [ə'bʌndənt] adj abundante

abuse¹ [ə'bjuːs] n **1.** no pl (insults) insulto m, ofensa f; **verbal** ~ ofensa verbal **2.** no pl (mistreatment) maustratos mpl, abuso m; **sexual/physical** ~ abuso físico/sexual **3.** (improper use) **alcohol/drug** ~ abuso de drogas/álcool; ~ **of power** abuso de poder

abuse² [ə'bjuːz] vt **1.** (insult) insultar **2.** (mistreat) maltratar; (sexually) abusar **3.** (use improperly) **to** ~ **drugs/alcohol** abusar de drogas/álcool

abusive [ə'bjuːsɪv] adj ofensivo, -a, insultante

abysmal [ə'bɪzməl] adj péssimo, -a

abyss [ə'bɪs] n a. fig abismo m

AC [ˌeɪ'siː] n abbr of **alternating current** CA f

academic [ˌækə'demɪk] adj acadêmico, -a; (theoretical) teórico, -a

academy [ə'kædəmi] <-ies> n academia f

accelerate [ək'seləreɪt] vt, vi acelerar

acceleration [əkˌselə'reɪʃn] n no pl aceleração f

accelerator [ək'seləreɪtər, Brit: -eɪtə] n acelerador m; **to step on the** ~ pisar no acelerador

accent ['æksent, Brit: -sənt] n pronúncia f, sotaque m; **a foreign** ~ um sotaque estrangeiro

accentuate [ək'sentʃueɪt] vt enfatizar

accept [ək'sept] vt, vi aceitar

acceptable adj admissível; **to be** ~ **to do sth** ser admissível fazer a. c.; **that's** ~ **to me** é plausível para mim

acceptance [ək'septəns] n no pl aceitação f, aprovação f

access ['ækses] I. n no pl entrada f; a. INFOR acesso m; **to gain** ~ **to sth** ter acesso a a. c. II. vt (information, an account, a web site) acessar

accessibility [ækˌsesə'bɪləti, Brit: -əti] n no pl acessibilidade f

accessible [ək'sesəbl] adj acessível; **easily** ~ **by car** de fácil acesso de carro

accessory [ək'sesəri] <-ies> n FASHION acessórios mpl; LAW cúmplice mf; **to be an** ~ **to a crime** ser cúmplice de um crime

accident ['æksɪdənt] n acidente m; **by** ~ (not on purpose) sem querer; (by chance) por acaso

accidental [ˌæksɪ'dentl, Brit: -tl] adj acidental

acclaim [əˈkleɪm] *vt no pl* aclamar; **to receive critical ~** ser elogiado pela crítica

accommodate [əˈkɑːmədeɪt, *Brit:* -ˈkɒm-] *vt* (*in hotel*) hospedar; (*satisfy*) satisfazer

accommodating [əˈkɑːmədeɪtɪŋ, *Brit:* əˈkɒmədeɪtɪŋ] *adj* transigente

accommodation [əˌkɑːməˈdeɪʃn, *Brit:* -ˌkɒm-] *n Aus, Brit*, **accommodations** *npl Am* acomodações *fpl*

accompaniment [əˈkʌmpənɪmənt] *n* acompanhamento *m*

accompany [əˈkʌmpəni] <-ie-> *vt* acompanhar

accomplice [əˈkɑːmplɪs, *Brit:* -ˈkʌm-] *n* cúmplice *mf*

accomplish [əˈkɑːmplɪʃ, *Brit:* -ˈkʌm-] *vt* realizar, concluir

accomplished [-ˈkʌm-] *adj* consumado, -a, exímio, -a

accomplishment *n* 1. (*achievement*) realização *f* 2. (*skill*) dom *m*

accord [əˈkɔːrd, *Brit:* -ˈkɔːd] I. *n* 1. (*document*) tratado *m* 2. (*agreement*) **in ~ with** sth de acordo com a. c.; (*free will*) **of** [*o* **on**] **one's own ~** por sua livre vontade II. *vt form* conceder

accordance [əˈkɔːrdəns, *Brit:* -ˈkɔːd-] *n* **in ~ with** de acordo com

accordingly *adv* (*therefore*) assim

according to *prep* segundo; **~ the law** segundo as leis

accordion [əˈkɔːrdɪən, *Brit:* -ˈkɔːd-] *n* acordeão *m*

account [əˈkaʊnt] *n* 1. (*with bank*) conta *f* corrente 2. **~s** *pl* (*financial records*) contabilidade *f* 3. (*description*) relato *m*; **by all ~s** pelo o que dizem; **to take sth into ~** levar a. c. em consideração

♦ **account for** *vt* (*explain*) justificar

accountability [əˌkaʊntəˈbɪləti, *Brit:* -təˈbɪlɪti] *n no pl* responsabilidade *f*, dever *m* de prestar contas

accountable [əˈkaʊntəbl, *Brit:* -tə-] *adj* responsável; **to be ~ (to** sb**) for** sth ter que prestar contas (a alguém) por a. c.

accountancy [əˈkaʊntənsi] *n no pl, esp Brit* contabilidade *f*

accountant [əˈkaʊntənt] *n* contador(a) *m(f)*

accumulate [əˈkjuːmjəleɪt] I. *vt* acumular; **to ~ interest** acumular juros II. *vi* acumular-se

accumulation [əˌkjuːmjʊˈleɪʃn] *n* acúmulo *m*

accuracy [ˈækjərəsi] *n no pl* exatidão *f*

accurate [ˈækjərət] *adj* 1. (*shot, throw*) certeiro, -a 2. (*estimate, guess, report, measurement*) preciso, -a

accusation [ˌækjuːˈzeɪʃn] *n* acusação *f*

accuse [əˈkjuːz] *vt* acusar; **to ~ sb of** sth [*o* **of doing** sth] acusar alguém de (fazer) a. c.

accused [əˈkjuːzd] *n* **the ~** o acusado *m*, a acusada *f*

accustom [əˈkʌstəm] *vt* habituar

accustomed [əˈkʌstəmd] *adj* **to be ~ to (doing)** sth estar habituado a (fazer) a. c.

ace [eɪs] *n* ás *m*

ache [eɪk] I. *n* dor *f*; **~s and pains** mazelas II. *vi* doer

achieve [əˈtʃiːv] *vt* conseguir; (*objective, victory, success*) alcançar

achievement *n* realização *f*, avanço *m*

acid [ˈæsɪd] *n* ácido *m*

acidic [əˈsɪdɪk] *adj* ácido, -a; (*sour: taste*) azedo, -a

acknowledge [əkˈnɑːlɪdʒ, *Brit:* -ˈnɒl-] *vt* 1. (*admit: one's mistake, a shortcoming*) admitir, reconhecer 2. **to ~ receipt of a letter** acusar o recebimento de uma carta; **to ~ sb's presence** tomar conhecimento da presença de alguém

acknowledg(e)ment *n no pl* 1. (*admission*) admissão *f* 2. (*recognition*) reconhecimento *m*

acne [ˈækni] *n no pl* acne *f*

acorn [ˈeɪkɔːrn, *Brit:* -kɔːn] *n* BOT bolota *f*

acoustic [əˈkuːstɪk] *adj* acústico, -a

acoustic guitar *n* violão *m* acústico

acoustics [əˈkuːstɪks] *npl* acústica *f*

acquaint [əˈkweɪnt] *vt* **to be/become ~ed with** sb conhecer alguém

acquaintance [əˈkweɪntəns] *n* conhecido, -a *m, f*; **to make sb's ~** conhecer alguém

acquire [əˈkwaɪər, *Brit:* -əʳ] *vt* adquirir

acquisition [ˌækwɪˈzɪʃn] *n* aquisição *f*

acquit [əˈkwɪt] <-tt-> *vt* 1. LAW **to ~ sb of** sth absolver alguém de a. c. 2. **to ~ oneself well** sair-se bem

acquittal [əˈkwɪtl, *Brit:* -tl] *n no pl* absolvição *f*

acre [ˈeɪkər, *Brit:* -əʳ] *n* acre *m*

acrobat [ˈækrəbæt] *n* acrobata *mf*

across [əˈkrɑːs, *Brit*: -ˈkrɒs] **I.** *prep* **1.** (*on other side of*) no outro lado de; **just ~ the street** logo do outro lado da rua; **~ from** no lado oposto de **2.** (*from one side to other*) através de; **to walk ~ the bridge** atravessar a ponte; **to go ~ the border** atravessar a fronteira **II.** *adv* de um lado a outro; **to run/swim ~** atravessar correndo/a nado; **to be 2 m ~** ter 2 m de largura

act [ækt] **I.** *n* **1.** (*action*) ato *m*; **to catch sb in the ~** pegar alguém no ato **2.** (*performance*) número *m*; **to get one's ~ together** *fig* tomar jeito **3.** (*pretence*) fingimento *m*; **he's just putting on an ~** ele está apenas representando **4.** THEAT ato *m* **5.** LAW decreto *m* **II.** *vi* **1.** (*take action*) agir; **to ~ for sb** representar alguém **2.** (*take effect*) produzir efeito **3.** THEAT atuar; **to be just ~ing** (*pretending*) estar apenas representando
♦ **act out** *vt* representar
♦ **act up** *vi inf* aprontar

acting [ˈæktɪŋ] **I.** *adj* (*president, chairman*) interino, -a **II.** *n no pl* THEAT atuação *f*

action [ˈækʃn] *n* **1.** *no pl* (*activeness*) ação *f*; **to be out of ~** (*person*) estar parado; (*machine*) estar fora de funcionamento; **to put a plan into ~** pôr um plano em ação; **to take ~** tomar medidas; **~s speak louder than words** *prov* atos falam mais que palavras **2.** LAW ação *f* judicial

action film *n*, **action movie** *n* filme *m* de ação

activate [ˈæktɪveɪt] *vt* ativar

active [ˈæktɪv] *adj* (*person*) ativo, -a; (*volcano*) em atividade; **to be ~ in sth** participar de a. c.; **to take an ~ interest in sth** envolver-se ativamente em a. c.

activist [ˈæktɪvɪst] *n* POL ativista *mf*

activity [ækˈtɪvəti, *Brit*: -əti] <-ies> *n* atividade *f*

actor [ˈæktər, *Brit*: -əʳ] *n* ator *m*

actress [ˈæktrɪs] *n* atriz *f*

actual [ˈæktʃuəl] *adj* (*real: cost*) real; (*duration*) efetivo, -a; **in ~ fact** em realidade

actually [ˈæktʃuli] *adv* realmente, de fato; **though I wanted to run five miles, it actually was too much for me** embora eu quisesse correr cinco milhas, na verdade era muito para mim;

~, I saw her yesterday aliás, eu a vi ontem

acupuncture [ˈækjupʌŋktʃər, *Brit*: -əʳ] *n no pl* acupuntura *f*

acute [əˈkjuːt] *adj* (*illness*) agudo, -a; (*pain*) forte; (*shortage*) crítico, -a; (*observation*) perspicaz

ad [æd] *n inf abbr of* **advertisement** anúncio *m* publicitário

AD [ˌeɪˈdiː] *abbr of* **anno Domini** d. C.

adamant [ˈædəmənt] *adj* firme, inflexível; **to be ~ about sth** ser irredutível sobre a. c.

adapt [əˈdæpt] **I.** *vt* adaptar **II.** *vi* adaptar-se; **to ~ to sth** adaptar-se a a. c.

adaptable *adj* adaptável

adaptation [ˌædæpˈteɪʃn] *n no pl* adaptação *f*

adaptor [əˈdæptər, *Brit*: -əʳ] *n* ELEC adaptador *m*

add [æd] *vt* acrescentar; **to ~ sth to sth** adicionar a. c. a a. c.; MAT somar
♦ **add up I.** *vi* **to ~ to ...** significar ...
II. *vt* somar

adder [ˈædər, *Brit*: -əʳ] *n* víbora *f*

addict [ˈædɪkt] *n* viciado, -a *m, f*

addicted [əˈdɪktɪd] *adj* viciado, -a

addiction [əˈdɪkʃn] *n no pl* vício *m*

addictive [əˈdɪktɪv] *adj* viciante

addition [əˈdɪʃn] *n* **1.** *no pl* (*act of adding*) adição *f*; **in ~** além disso **2.** (*added thing*) acréscimo *m*

additional [əˈdɪʃənl] *adj* adicional

additionally *adv* em acréscimo

additive [ˈædətɪv, *Brit*: -ɪtɪv] *n* aditivo *m*

address I. [ˈædres, *Brit*: əˈdres] *n* **1.** *a.* INFOR endereço *m* **2.** (*speech*) discurso *m* **II.** [əˈdres] *vt* (*person*) dirigir-se a; (*letter, envelope*) endereçar

addressee [ˌædreˈsiː] *n* destinatário, -a *m, f*

adept [əˈdept, *Brit*: ˈædept] *adj* hábil, competente; **~ at** hábil em

adequate [ˈædɪkwət] *adj* (*sufficient*) suficiente; (*good enough*) adequado, -a

adhere [ədˈhɪr, *Brit*: -ˈhɪə] *vi* **to ~ to** (*rule*) cumprir; (*belief, principle*) manter-se fiel a

adherence [ədˈhɪrəns, *Brit*: -ˈhɪər-] *n no pl* cumprimento *m*; (*to belief*) adesão *f*

adhesive [ədˈhiːsɪv] *n no pl* adesivo *m*

adjacent [əˈdʒeɪsnt] *adj* adjacente; **her room was ~ to mine** o quarto dela era pegado ao meu

adjective [ˈædʒɪktɪv] *n* adjetivo *m*

adjoin [ə'dʒɔɪn] *vt* ser contíguo a
adjoining *adj* contíguo, -a
adjourn [ə'dʒɜːrn, *Brit*: -'dʒɜːn] **I.** *vt* adiar, suspender **II.** *vi* fazer uma pausa; **to ~ to another room** transferir-se a outra sala
adjust [ə'dʒʌst] **I.** *vt* ajustar, regular **II.** *vi* **to ~ to sth** ajustar-se a a. c.
adjustment *n* ajuste *m*
admin ['ædmɪn] *n abbr of* **administration** administração *f*
administer [əd'mɪnɪstər, *Brit*: -stə^r] (*manage*) administrar; (*punishment*) aplicar
administration [əd,mɪnɪ'streɪʃn] *n* **1.** *no pl* (*organization*) administração *f*, gerência *f* **2.** POL governo *m*
administrative [əd'mɪnɪstrətɪv] *adj* administrativo, -a
administrator [əd'mɪnɪstreɪtər, *Brit*: -tə^r] *n* administrador(a) *m(f)*
admirable ['ædmərəbl] *adj* admirável; **to do an ~ job** fazer um trabalho excelente
admiral ['ædmərəl] *n* almirante *m*
Admiralty ['ædmərəlti, *Brit*: -ti] *n* HIST *no pl, Brit* Ministério *m* da Marinha
admiration [,ædmə'reɪʃn] *n no pl* admiração *f*; **~ for sb** admiração por alguém
admire [əd'maɪər, *Brit*: əd'maɪə^r] *vt* admirar
admirer [əd'maɪərər, *Brit*: -ərə^r] *n* admirador(a) *m(f)*; **secret ~** admirador secreto
admission [əd'mɪʃn] *n* **1.** *no pl* (*entry: to building*) entrada *f*; (*to organization*) admissão *f*; (*to hospital*) internação *f* **2.** (*fee*) ingresso *m* **3.** (*acknowledgement*) reconhecimento *m*, confissão *f*; **by his own ~, ...** por confissão própria, ...
admit [əd'mɪt] <-tt-> **I.** *vt* admitir; (*permit*) permitir; (*acknowledge*) reconhecer **II.** *vi* **to ~ to sth** admitir a. c.
admittedly *adv* **~, ...** devo admitir que ...
admonish [əd'mɑːnɪʃ, *Brit*: -'mɒn-] *vt* repreender, advertir
ado [ə'duː] *n no pl* **without further ~** sem mais demora
adolescence [,ædə'lesns] *n no pl* adolescência *f*
adolescent [,ædə'lesnt] *n* adolescente *mf*
adopt [ə'dɑːpt, *Brit*: -'dɒpt] *vt* adotar

adoption [ə'dɑːpʃn, *Brit*: -'dɒp-] *n* adoção *f*
adore [ə'dɔːr, *Brit*: -'dɔː^r] *vt* adorar
adorn [ə'dɔːrn, *Brit*: -'dɔːn] *vt form* ornamentar
adrenaline [ə'drenəlɪn] *n, Brit also* **adrenalin** *n no pl* adrenalina *f*
Adriatic [,eɪdri'ætɪk] *n* **the ~ (Sea)** o Mar Adriático
adrift [ə'drɪft] *adv* à deriva; **to come ~** *fig* perder o rumo
adult [ə'dʌlt, *Brit*: 'ædʌlt] **I.** *n* adulto, -a *m, f* **II.** *adj* (*movie*) para adultos
adult education *n no pl* educação *f* de adultos
adultery [ə'dʌltəri] <-ies> *n no pl* adultério *m*; **to commit ~** cometer adultério
advance [əd'væːns, *Brit*: -'vɑːns] **I.** *vi* progredir; **after completing the test she ~d to the next level** depois de concluir o exame ela avançou para o nível seguinte **II.** *vt* **1.** (*move forward*) avançar **2.** (*money*) adiantar **III.** *n* **1.** (*movement*) avanço *m*, progresso *m*; **in ~** de antemão, antecipadamente; **unwelcome ~s** *fig* investidas *fpl* (sexuais) **2.** FIN adiantamento *m*
advanced [əd'væːnst, *Brit*: -'vɑːnst] *adj* avançado, -a, adiantado, -a
advantage [əd'væːntɪdʒ, *Brit*: -'vɑːntɪdʒ] *n* vantagem *f*; **to take ~ of sb** (*mistreat*) aproveitar-se de alguém; **to take ~ of sth** (*benefit from*) tirar proveito de a. c.
advantageous [,ædvæn'teɪdʒəs, *Brit*: -vən'-] *adj* vantajoso, -a
advent ['ædvənt] *n no pl* **1.** (*arrival*) advento *m*; **the ~ of the Internet** o advento da Internet **2.** REL **Advent** Advento *m*
adventure [əd'ventʃər, *Brit*: -ə^r] *n* aventura *f*
adventurous [əd'ventʃərəs] *adj* ousado, -a
adverb ['ædvɜːrb, *Brit*: -vɜːb] *n* advérbio *m*
adversary ['ædvəsəri, *Brit*: -vər-] <-ies> *n* adversário, -a *m, f*
adverse ['ædvɜːrs, *Brit*: -vɜːs] *adj* (*conditions, circumstances, weather*) adverso, -a, desfavorável; (*reaction, criticism*) hostil
adversity [əd'vɜːrsəti, *Brit*: -'vɜːsəti] <-ies> *n* adversidade *f*
advert ['ædvɜːrt, *Brit*: -vɜːt] *n esp Brit* s.

advertisement
advertise ['ædvərtaɪz, Brit: -vət-] I. vt anunciar II. vi fazer propaganda
advertisement [,ædvər'taɪzmənt, Brit: əd'vɜːtɪsmənt] n anúncio m publicitário, propaganda f; **job ~** anúncio m de empregos; **an ~ for detergent** uma propaganda de detergente
advertiser ['ædvərtaɪzər, Brit: -vətaɪzər] n anunciante mf
advertising ['ædvərtaɪzɪŋ, Brit: -vətaɪz-] n no pl publicidade f
advertising agency <-ies> n agência f de publicidade **advertising campaign** n campanha f publicitária
advice [əd'vaɪs] n no pl conselho m; **a piece of ~** um conselho

> **Grammar** **advice** com c é substantivo e não é usado no plural: "a piece of advice, some advice".
> **advise** com s é verbo: "Jane advised him to go to Oxford."

advisable [əd'vaɪzəbl] adj aconselhável, conveniente
advise [əd'vaɪz] I. vt 1. (give recommendation) aconselhar, recomendar; **to ~ sb against sth** aconselhar alguém para evitar a. c.; **to ~ sb to do sth** aconselhar alguém a fazer a. c. 2. form (inform) informar; **to ~ sb of sth** informar alguém sobre a. c. II. vi **to ~ against sth** desaconselhar a. c.
adviser [əd'vaɪzər, Brit: -ər] n, **advisor** n assessor(a) m(f), orientador(a) m(f)
advisory [əd'vaɪzəri] adj consultivo, -a; **~ board** comitê consultivo
advocate[1] ['ædvəkeɪt] vt defender, atuar a favor de; **to advocate a policy of** defender uma política de
advocate[2] ['ædvəkət] n defensor(a) m(f)
aegis ['iːdʒɪs] n no pl **under the ~ of ...** sob a égide de ...
aerial ['erɪəl, Brit: 'eər-] I. adj aéreo, -a II. n Brit antena f
aerobics [er'oʊbɪks, Brit: eə'rəʊ-] n + sing/pl vb ginástica f aeróbica
aeronautics [,erə'nɑːtɪks, Brit: ,eərə'nɔːtɪks] n + sing vb aeronáutica f
aeroplane ['eərəpleɪn] n Aus, Brit s. **airplane**
aerosol ['erəsɑːl, Brit: 'eərəsɒl] n aerossol m

aesthetic [es'θetɪk, Brit: iːs'θet-] adj estético, -a
aesthetics [es'θetɪks, Brit: iːs'θet-] n + sing vb estética f
afar [ə'fɑːr, Brit: -'fɑː'] adv form à distância; **to see sth from ~** ver a. c. de longe
affable ['æfəbl] adj amável
affair [ə'fer, Brit: -'feə'] n 1. (matter) assunto m; **current ~s** atualidades 2. (sexual) caso m (amoroso)
affect [ə'fekt] vt afetar, influenciar
affected [ə'fektɪd] adj (style) artificial, forçado, -a
affection [ə'fekʃn] n afeição f
affectionate [ə'fekʃənət] adj carinhoso, -a; **to be ~ towards sb** ser carinhoso com alguém
affidavit [,æfɪ'deɪvɪt] n LAW declaração f juramentada
affiliate [ə'fɪlieɪt] vt filiar a
affiliation [ə,fɪli'eɪʃn] n filiação f, associação f
affinity [ə'fɪnəti, Brit: -əti] <-ies> n afinidade f
affirm [ə'fɜːrm, Brit: -'fɜːm] vt afirmar; **to ~ a point of view** sustentar um ponto de vista
affirmation [,æfər'meɪʃn, Brit: -ə'-] n declaração f
affirmative [ə'fɜːrmətɪv, Brit: -'fɜːmətɪv] adj afirmativo, -a
affix [ə'fɪks] vt afixar, anexar
afflict [ə'flɪkt] vt afligir; **to be ~ed with sth** sofrer de a. c.
affliction [ə'flɪkʃn] n aflição f
affluence ['æfluəns] n no pl riqueza f
affluent ['æfluənt] adj rico, -a
afford [ə'fɔːrd, Brit: -'fɔːd] vt 1. (be able to pay for) ter condições de pagar, **I can't ~ to buy a new car** não tenho condições de comprar um carro novo 2. (be able to do) **we can't ~ that** não podemos nos dar ao luxo 3. (offer) **to ~ protection** dar proteção
affordable [ə'fɔːrdəbl, Brit: -'fɔːd-] adj acessível
affront [ə'frʌnt] I. n afronta f II. vt ofender; **to be ~ed by sth** ficar ofendido com a. c.
Afghan ['æfgæn] n, adj afegão, -ã m, f
Afghanistan [æf'gænəstæn, Brit: -nɪ-] n Afeganistão m
afield [ə'fiːld] adv **far ~** bem distante
afloat [ə'floʊt, Brit: -'fləʊt] adj à tona
afoot [ə'fʊt] adj **there's sth ~** há a. c.

aforementioned [əˌfɔːrˈmenʃnd, Brit: -ˌfɔːˈ-] adj form anteriormente mencionado, -a

afraid [əˈfreɪd] adj 1.(fear) **to be ~** ter medo; **to be ~ of doing sth** ter medo de fazer a. c.; **to be ~ of sb** ter medo de alguém 2.(sorry) **I'm ~ so** sinto muito; **I'm ~ not** infelizmente não; **I'm ~ I can't make it tomorrow** sinto muito mas amanhã não posso

afresh [əˈfreʃ] adv **to start ~** começar de novo

Africa [ˈæfrɪkə] n África f

African [ˈæfrɪkən] adj, n africano, -a

Afro-American [ˌæfroʊəˈmerɪkən, Brit: -rəʊ-] adj afro-americano, -a

after [ˈæftər, Brit: ˈɑːftə] I. prep 1.(at later time) depois; **~ two days** depois de dois dias 2.(behind) atrás; **to be ~ sb/sth** estar atrás de alguém/a. c.; **to run ~ sb** correr atrás de alguém 3.(following) em seguida 4.(about) por; **to ask ~ sb** perguntar por alguém 5.(despite) **~ all** afinal (de contas) II. adv depois; **soon ~** logo depois; **the day ~** o dia seguinte III. conj depois que +subj; **~ waiting two days, we left** depois de esperar dois dias, fomos embora

after-effects npl efeitos mpl secundários

afterlife [ˈæftərlaɪf, Brit: ˈɑːftə-] n no pl **the ~** o além

aftermath [ˈæftərmæθ, Brit: ˈɑːftəmɑːθ] n desfecho m, conseqüência f; **in the ~ of** logo depois de

afternoon [ˌæftərˈnuːn, Brit: ˌɑːftəˈ-] n tarde f; **this ~** esta tarde; **in the ~** à tarde; **tomorrow ~** amanhã à tarde; **good ~!** boa tarde!

after-shave n loção f pós-barba

aftershock n tremor m secundário

aftertaste n gosto m residual (na boca)

afterthought [ˈæftərθɔːt, Brit: ˈɑːftəθɔːt] n reflexão f posterior

afterward [ˈæftərwərd] adv Am, **afterwards** [ˈɑːftəwədz] adv Brit depois, posteriormente

again [əˈɡen] adv novamente; **oh no, not ~!** não, de novo não!; **never ~** nunca mais; **once ~** mais uma vez; **then ~** por outro lado; **yet ~** mais uma vez; **~ and ~** repetidas vezes

against [əˈɡenst] prep 1.(in opposition to) contra; **he's ~ war** ele é contra a guerra 2.(in contact with) contra; **we pushed the table ~ the wall** empurramos a mesa contra a parede

age [eɪdʒ] I. n 1.(of person, object) idade f; **old ~** velhice f; **what is your ~?** qual é a sua idade?; **when I was her ~** quando eu tinha a idade dela; **to be seven years of ~** ter sete anos (de idade) 2.(adulthood) **to be of ~** ser maior de idade; **to be under ~** ser menor de idade 3.(era) época f; **in this day and ~** naquela época; **I haven't seen you in ~s!** faz um tempão que eu não te vejo! II. vi, vt envelhecer

aged [eɪdʒd] adj **children ~ 8 to 12** crianças entre 8 e 12 anos

age group n faixa f etária

agency [ˈeɪdʒənsi] <-ies> n 1. agência f 2. POL órgão m

agenda [əˈdʒendə] n pauta m, agenda f; **what's on the ~?** qual é a programação?

agent [ˈeɪdʒənt] n 1. agente mf 2.(of artist) empresário, -a m, f

aggravate [ˈæɡrəveɪt] vt agravar, piorar; (annoy) irritar

aggravating adj irritante

aggravation [ˌæɡrəˈveɪʃn] n no pl, inf aborrecimento m

aggregate [ˈæɡrɪɡɪt] n conjunto m

aggression [əˈɡreʃn] n no pl agressão f

aggressive [əˈɡresɪv] adj agressivo, -a

aggressor [əˈɡresər, Brit: -əʳ] n agressor(a) m(f)

aghast [əˈɡæst, Brit: -ˈɡɑːst] adj horrorizado, -a

agile [ˈædʒl, Brit: -aɪl] adj ágil

agility [əˈdʒɪləti, Brit: -ti] n no pl agilidade f

agitate [ˈædʒɪteɪt] I. vt 1.(make nervous) agitar; **to become ~d** ficar nervoso 2.(shake) agitar II. vi **to ~ for sth** batalhar em favor de a. c.

agitated adj agitado, -a

agitation [ˌædʒɪˈteɪʃn] n no pl agitação f

AGM [ˌeɪdʒiːˈem] n abbr of **annual general meeting** reunião f geral anual

ago [əˈɡoʊ, Brit: -ˈɡəʊ] adv **a year ~** um ano atrás; **long ~** há muito tempo

agonize [ˈæɡənaɪz] vi atormentar-se; **to ~ over sth** atormentar-se com a. c.

agonizing [ˈæɡənaɪzɪŋ] adj (pain) atroz; (delay) angustiante

agony [ˈæɡəni] <-ies> n agonia f; **to be in ~** estar agoniado

agree [əˈɡriː] I. vi 1.(hold same

agreeable — 8 — **alarm**

opinion) concordar; **to ~ on sth** concordar com a. c.; **to ~ to do sth** concordar em fazer a. c. **2.** (*be good for*) **to ~ with sb** dar-se bem com alguém; **those beans didn't ~ with me** o feijão não me caiu bem **3.** (*match up: numbers, figures, stories*) bater **II.** *vt* **1.** (*concur*) convir; **to ~ that ...** convir que ... **2.** *Brit* (*accept: plan, proposal*) chegar a um acordo

agreeable *adj* **1.** *form* (*have positive attitude*) conforme; **to be ~ (to sth)** estar conforme (com a. c.) **2.** (*pleasant*) agradável

agreement *n* acordo *m;* **to be in ~ with sb** estar de acordo com alguém; **to reach ~** chegar a um acordo

agricultural [ˌægrɪˈkʌltʃərəl] *adj* agrícola

agriculture [ˈægrɪkʌltʃər, *Brit:* -ə'] *n no pl* agricultura *f*

agritourism [ˌægriˈtʊrɪzəm-] *n Am*, **agrotourism** [-rəʊˈtʊər-] *n Brit no pl* agroturismo *m*

ah [ɑː] *interj* ah

aha [ɑːˈhɑː] *interj* aha

ahead [əˈhed] *adv* adiante; **to go ~** ir em frente; **to look ~** olhar para frente; **to be ~ (of sb)** estar à frente (de alguém)

ahead of *prep* **1.** (*in front of*) à frente de; **to walk ~ sb** andar à frente de alguém; **to be ~ one's time** ser avançado para a própria época **2.** (*before*) antes; **~ the conference, we must ...** antes da reunião, precisamos ...

AI [ˌeɪˈaɪ] *n abbr of* **artificial intelligence** inteligência *f* artificial

aid [eɪd] *n no pl* auxílio *m;* **in ~ of sth** em auxílio a a. c.; **to come to the ~ of sb** prestar auxílio a alguém

aide [eɪd] *n* assistente *mf*, ajudante *mf*

AIDS [eɪdz] *n no pl abbr of* **Acquired Immune Deficiency Syndrome** aids *f*

ailing [ˈeɪlɪŋ] *adj* adoentado, -a, enfraquecido, -a

ailment [ˈeɪlmənt] *n* enfermidade *f*

aim [eɪm] **I.** *vi* **to ~ at sth** mirar para a. c.; **to ~ to do sth** tencionar fazer a. c. **II.** *vt* apontar; **to ~ sth at sb** apontar a. c. para alguém **III.** *n* **1.** *no pl* (*ability*) pontaria *f;* **to take ~** fazer pontaria **2.** (*goal*) meta *f*

aimless [ˈeɪmləs] *adj* sem rumo

aimlessly *adv* sem rumo

ain't [eɪnt] *sl* = **am not, are not, is not**, **s. be**

air [er, *Brit:* eəʳ] **I.** *n* **1.** *a.* MUS ária *f;* **by ~** AVIAT de avião; **to be on (the) ~** (*radio, TV*) estar no ar; (*issue, plan*) estar no ar; **the future of the company is still up in the ~** o futuro da empresa ainda está no ar **2.** *no pl* (*aura, quality*) ar *m;* **an ~ of confidence** um ar de segurança **II.** *vt* **1.** TV, RADIO transmitir **2.** (*expose to air*) arejar **3.** (*discuss*) **to ~ one's grievances** ventilar seus ressentimentos

air bag *n* air bag *m*

airborne *adj* (*disease, pollen*) transmitido pelo ar; (*airplane*) alçar vôo; **to be ~** ser transportado pelo ar **air conditioned** *adj* refrigerado, -a **air conditioner** *n* aparelho *m* de ar-condicionado **air conditioning** *n no pl* ar-condicionado *m*

aircraft [ˈerkræft, *Brit:* ˈeəkrɑːft] *n* aeronave *f* **aircraft carrier** *n* porta-aviões *m inv*

airfare *n* passagem *f* aérea

airfield *n* campo *m* de aviação **air force** *n* força *f* aérea **air gun** *n* pistola *f* de ar comprimido

airhead [ˈerhed] *n* cabeça-de-vento *mf;* **~ remark/behaviour** comentário/comportamento estúpido

airless *adj* mal ventilado, -a

airline *n* companhia *f* aérea **airliner** *n* avião *m* de passageiros **airmail** *n no pl* via *f* aérea **airplane** *n Am* avião *m* **air pollution** *n* poluição *f* do ar **airport** *n* aeroporto *m* **air raid** *n* ataque *m* aéreo **air sick** *adj* enjoado, -a (em viagem de avião); **to be ~** estar/ficar enjoado (em viagem de avião)

airtight [ˈertaɪt, *Brit:* ˈeə-] *adj* hermético, -a

airtime [ˈertaɪm] **I.** *n* (*of cell phone*) tempo *m* de uso **II.** *adj attr, inv* **~ minutes** minutos *mpl* de uso

air traffic *n no pl* tráfego *m* aéreo

airway [ˈerweɪ, *Brit:* ˈeəw-] *n* ANAT via *f* aérea

airy [ˈeri, *Brit:* ˈeəri] *adj* ARCHIT espaçoso, -a

aisle [aɪl] *n* corredor *m;* (*in church*) nave *f* lateral

ajar [əˈdʒɑːr, *Brit:* -ˈdʒɑːʳ] *adj* (*door*) entreaberto, -a

akin [əˈkɪn] *adj* **~ to** semelhante a

alarm [əˈlɑːrm, *Brit:* -ˈlɑːm] **I.** *n* **1.** alarme *m;* **to cause sb ~** alarmar

alarm clock   9   **all**

alguém; **to raise** [*o* **sound**] **the** ~ dar [*ou* soar] o alarme **2.** (*on clock*) alarme *m*; **I set the** ~ **for 8:00** ajustei o alarme para as 8 da manhã **II.** *vt* alarmar

alarm clock *n* despertador *m*

alarmed *adj* alarmado, -a

alarming *adj* alarmante

alas [ə'læs] *interj* pobre de mim

Albania [æl'beɪnɪə] *n* Albânia *f*

Albanian *adj, n* albanês, -esa

albatross ['ælbətrɑːs, *Brit*: -trɒs] *n* albatroz *m*

albeit [ɔːl'biːɪt] *conj form* embora

albino [æl'baɪnoʊ, *Brit*: -'biːnəʊ] *n* albino, -a *m, f*

album ['ælbəm] *n* álbum *m*

> **Culture**   Alcatraz é uma antiga prisão localizada na Ilha de Alcatraz, na baía de São Francisco. Como a ilha está sobre uma base de cinco hectares de uma encosta rochosa, a prisão também é conhecida como '**La Roca**'. Lá ficavam confinados os presos considerados extremamente perigosos.

alcohol ['ælkəhɑːl, *Brit*: -hɒl] *n no pl* álcool *m*

alcoholic [ˌælkə'hɑːlɪk, *Brit*: -'hɒl-] **I.** *n* alcoólatra *mf*, alcoólico, -a *m, f* **II.** *adj* alcoólico, -a

alcoholism *n no pl* alcoolismo *m*

ale [eɪl] *n* cerveja *f* "ale"

alert [ə'lɜːrt, *Brit*: -'lɜːt] **I.** *adj* alerta **II.** *n* **to be on the** ~ estar alerta [*ou* de prontidão] **III.** *vt* alertar; **to** ~ **sb to sth** alertar alguém de a. c.

A-level ['eɪlevəl] *n Brit abbr of* **Advanced-level** exame de conclusão do curso secundário que permite a admissão na universidade

> **Culture**   O **A-Level** é um exame final realizado pelos alunos ao concluírem o ensino médio. A maioria dos alunos escolhe três matérias para o exame, mas também é possível prestar o exame em uma só matéria. Se o aluno é aprovado nos **A-Levels**, ele pode cursar a universidade.

algebra ['ældʒɪbrə] *n no pl* álgebra *f*

Algeria [æl'dʒɪrɪə, *Brit*: -'dʒɪər-] *n* Argélia *f*

Algerian *adj, n* argelino, -a

Algiers [æl'dʒɪrz, *Brit*: -'dʒɪəz] *n* Argel *f*

alias ['eɪlɪəs] **I.** *n* nome *m* falso **II.** *adv* vulgo

alibi ['ælɪbaɪ] *n* álibi *m*

alien ['eɪlɪən] **I.** *adj* **1.** (*strange*) estranho, -a; **that's** ~ **to me** desconheço isso **2.** (*foreign*) estrangeiro, -a **II.** *n* **1.** *esp form* (*foreigner*) estrangeiro, -a *m, f*; **illegal** ~ estrangeiro em situação ilegal **2.** (*from space*) extraterrestre *m*

alienate ['eɪlɪəneɪt] *vt* distanciar

alienation [ˌeɪlɪə'neɪʃn] *n no pl* distanciamento *m*

alight [ə'laɪt] **I.** *adj* (*on fire*) **to be** ~ estar pegando fogo; **to set sth** ~ pôr fogo em a. c.; **to set sb's imagination** ~ estimular a imaginação de alguém **II.** *vi form* pousar

align [ə'laɪn] *vt* alinhar; **to** ~ **oneself with sb** POL alinhar-se com alguém

alignment *n no pl* alinhamento *m*

alike [ə'laɪk] *adj* parecido, -a; **to look** ~ ser parecido

alimony ['ælɪmoʊni, *Brit*: -məni] *n no pl* pensão *f* alimentícia

A-lister ['eɪlɪstər, *Brit*: -ə^r] *n* CINE, TV, MEDIA (*celebrity*) um, -a *m, f* dos mais-mais

alive [ə'laɪv] *adj* (*not dead*) vivo, -a; (*active*) ativo, -a; **to keep one's hopes** ~ manter viva a esperança; ~ **and kicking** firme e forte

all [ɔːl] **I.** *adj* todo, -a; ~ **my brothers** todos os meus irmãos; ~ **day/evening** o dia todo/a noite toda; **on** ~ **fours** de quatro; ~ **three of them** os três; ~ **the time** o tempo todo; **I'm not** ~ **that hungry** não estou com tanta fome assim **II.** *pron* **1.** (*everybody*) todos, -as; ~ **of us are going** todos nós vamos **2.** (*everything*) tudo; **anything/nothing at** ~ absolutamente nada; ~ **but ...** praticamente ...; **the matter was** ~ **but forgotten** o assunto foi praticamente esquecido, quase ...; **most of** ~ sobretudo; **for** ~ **I know** que eu saiba; ~ **I want is ...** tudo o que quero é ...; **is that** ~? algo mais?; **will that be** ~? isso é tudo?; **thanks – not at all** obrigado – de nada; ~ **in** ~ de um modo geral **3.** SPORTS **two** ~ dois a dois **III.** *adv* todo, totalmente

all-around *adj Am* completo, -a, versátil
allay [ə'leɪ] *vt* diminuir
allegation [ælɪ'geɪʃn] *n* alegação *f*
allege [ə'ledʒ] *vt* alegar
alleged [ə'ledʒd] *adj* suposto, -a
allegedly [ə'ledʒɪdli] *adv* supostamente
allegiance [ə'li:dʒəns] *n no pl* lealdade *f*
allegory ['ælɪgɔ:ri, *Brit:* -gəri] <-ies> *n* alegoria *f*
allergic [ə'lɜ:rdʒɪk, *Brit:* -'lɜ:dʒ-] *adj* alérgico, -a; **to be ~ to sth** ser alérgico a a. c.
allergy ['ælərdʒi, *Brit:* -ədʒi] <-ies> *n* alergia *f*; **to have allergies** ser alérgico
alleviate [ə'li:vɪeɪt] *vt* aliviar
alley ['æli] *n* beco *m*
alliance [ə'laɪəns] *n* aliança *f*; **to be in ~ with sb** formar uma aliança com alguém
allied ['ælaɪd] *adj* aliado, -a; **~ with** aliado a
alligator ['ælɪgeɪtər, *Brit:* -tər] *n* jacaré *m*
allocate ['æləkeɪt] *vt* alocar
allocation [ælə'keɪʃn] *n no pl* 1. (*assignment*) alocação *f* 2. (*share*) distribuição *f*
all out *adv* **to go ~** fazer de tudo
all-out *adj* (*attack, war*) total; **an ~ effort** um esforço supremo
allow [ə'laʊ] *vt* 1. (*permit*) permitir; **to ~ sb to do sth** permitir que alguém faça a. c.; **smoking is not ~ed** é proibido fumar 2. (*allocate*) conceder; **we'll allow a half hour for finishing this** daremos meia hora para que terminem 3. (*admit*) **to ~ that ...** admitir que ...
♦ **allow for** *vt* levar em conta
allowance [ə'laʊəns] *n* 1. (*permitted amount*) limite *m* permitido; **baggage ~** limite *m* de bagagem 2. (*money: for child*) mesada *f*; (*for employee*) ajuda *f* de custo 3. (*excuse*) **to make ~s for sb** fazer concessões a alguém
alloy ['ælɔɪ] *n* liga *f*
all-purpose *adj* multiuso
all-purpose flour *n* farinha *f* comum (sem fermento)
all right *adv* bem; **that's ~** (*after thanks*) de nada; (*after excuse*) está bem; **to be ~** estar tudo bem
all-round *adj esp Brit s.* **all-around**
all-time *adj* de todos os tempos
allude [ə'lu:d] *vi* **to ~ to sth** aludir a a. c.

allure [ə'lʊr, *Brit:* -'lʊər] *n no pl* fascinação *f*
allusion [ə'lu:ʒn] *n* alusão *f*
ally ['ælaɪ] I. <-ies> *n* aliado, -a *m, f* II. <-ie-> *vt* **to ~ oneself with sb** aliar-se a alguém
almanac ['ɔ:lmənæk] *n* almanaque *m*
almighty [ɔ:l'maɪti, *Brit:* -ti] I. *adj* 1. *inf* tremendo, -a 2. todo-poderoso, -a II. *n* **the Almighty** o Todo-Poderoso *m*
almond ['ɑ:mənd] *n* (*nut*) amêndoa *f*; (*tree*) amendoeira *f*
almost ['ɔ:lmoʊst, *Brit:* -məʊst] *adv* quase; **we're ~ there** estamos quase chegando
alone [ə'loʊn, *Brit:* -'ləʊn] I. *adj* sozinho, -a; **to do sth ~** fazer a. c. sozinho; **to leave sb ~** deixar alguém em paz; **to leave sth ~** deixar a. c. como está; **let ~ ...** muito menos ... II. *adv* somente
along [ə'lɑ:ŋ, *Brit:* -'lɒŋ] I. *prep* por; **~ the road** pela rua; **all ~ the river** ao longo do rio II. *adv* **all ~** o tempo todo; **to bring sb ~** trazer alguém
alongside [ə'lɑ:ŋsaɪd, *Brit:* əˌlɒŋ'-] I. *prep* ao lado de II. *adv* ao lado
aloof [ə'lu:f] *adj* distante, altivo, -a; **to keep ~ from sth** manter-se à parte de a. c.
aloud [ə'laʊd] *adv* (*read, laugh*) em voz alta; **to think ~** pensar em voz alta
alphabet ['ælfəbet] *n* alfabeto *m*
alphabetical [ælfə'betɪkl, *Brit:* -'bet-] *adj* alfabético, -a; **~ order** ordem alfabética
Alps [ælps] *npl* **the ~** os Alpes
already [ɔ:l'redi] *adv* já
alright [ɔ:l'raɪt] *adv s.* **all right**
also ['ɔ:lsoʊ, *Brit:* -səʊ] *adv* também
altar ['ɔ:ltər, *Brit:* -ə^r] *n* altar *m*
alter ['ɔ:ltər, *Brit:* -ə^r] *vt* mudar, alterar
alteration [ɔ:ltə'reɪʃn] *n* alteração *f*; (*of clothes*) reforma *f*
alternate[1] ['ɔ:ltərneɪt, *Brit:* -tənert] *vi, vt* alternar; **the water ~s between being too hot and being too cold** a água fica ou quente demais ou fria demais
alternate[2] [ɔ:l'tɜ:rnət, *Brit:* -'tɜ:n-] *adj* alternado, -a
alternating current *n* corrente *f* alternada
alternative [ɔ:l'tɜ:rnətɪv, *Brit:* -'tɜ:nətɪv] I. *n* alternativa *f*; **I'm sorry I have no alternative but to fire you** lamento, mas não tenho alternativa senão des-

alternatively adv de outro modo, senão

although [ɔːlˈðoʊ, Brit: -ˈðəʊ] conj embora, ainda que

altitude [ˈæltətuːd, Brit: -tɪtjuːd] n altitude f

alto [ˈæltoʊ, Brit: -təʊ] n (woman) contralto f; (man) tenorino m

altogether [ˌɔːltəˈgeðər, Brit: -əʳ] adv 1. (completely) totalmente 2. (in total) em geral

aluminium [ˌæljʊˈmɪniəm] n Brit, **aluminum** [əˈluːmɪnəm] n no pl, Am alumínio m

aluminum foil n papel m de alumínio

always [ˈɔːlweɪz] adv sempre; **to** ~ **be doing sth** estar sempre fazendo a. c.; **you're** ~ **interrupting people** você sempre interrompe as pessoas; **as** ~ ... como sempre ...

am [əm, stressed: æm] vi 1st pers sing of **be**

a.m. [ˌeɪˈem] abbr of **ante meridiem** da manhã

amass [əˈmæs] vt acumular

amateur [ˈæmətʃər, Brit: -ətəʳ] I. n amador(a) m(f) II. adj (photographer, tennis player) amador(a), diletante

amaze [əˈmeɪz] vt espantar, pasmar; **to be ~d at sth** admirar-se com a. c.

amazement n no pl espanto m, admiração f

amazing adj 1. (surprising) espantoso, -a, surpreendente 2. (impressive) fantástico, -a, impressionante

Amazon [ˈæməzɑːn, Brit: -zən] n **the** ~ o Amazonas

ambassador [æmˈbæsədər, Brit: -dəʳ] n embaixador(a) m(f); ~ **to the United Nations/Mexico** embaixador das Nações Unidas/do México

amber [ˈæmbər, Brit: -bəʳ] I. n âmbar m II. adj de cor âmbar

ambiguity [ˌæmbəˈgjuːəti, Brit: -ɪˈgjuːəti] <-ies> n ambiguidade f

ambiguous [æmˈbɪgjʊəs] adj ambíguo, -a

ambition [æmˈbɪʃn] n ambição f

ambitious [æmˈbɪʃəs] adj ambicioso, -a

amble [ˈæmbl] vi caminhar despreocupadamente

ambulance [ˈæmbjʊləns] n ambulância f

ambush [ˈæmbʊʃ] I. vt **to** ~ **sb** emboscar alguém II. n <-es> emboscada f

amen [eɪˈmen, Brit: ɑːˈ-] interj amém

amenable [əˈmiːnəbl] adj receptivo, -a; **to be** ~ **to sth** ser receptivo a a. c.

amend [əˈmend] vt fazer emendas em, alterar

amendment n emenda f, alteração f; **an** ~ **to sth** uma emenda em a. c.

amends npl **to make** ~ **for sth** compensar a. c.; **how can I ever make** ~? como eu poderia me desculpar?

amenities [əˈmenətiːz, Brit: -ˈmiːnə-] npl comodidades fpl; **(public)** ~ Brit instalações públicas

America [əˈmerɪkə] n América f

American [əˈmerɪkən] adj, n americano, -a

amiable [ˈeɪmiəbl] adj amável

amicable [ˈæmɪkəbl] adj amistoso, -a, amigável

amid(st) [əˈmɪd(st)] prep em meio a

amiss [əˈmɪs] adv **there's something** ~ há algo errado; **to take sth** ~ levar a. c. a mal

ammonia [əˈmoʊnjə, Brit: -ˈməʊniə] n no pl amônia f

ammunition [ˌæmjəˈnɪʃn, Brit: -jʊˈ-] n no pl munição f; (figurative) argumentos mpl

amnesia [æmˈniːzʒə, Brit: -ɪə] n no pl amnésia f

amnesty [ˈæmnəsti] <-ies> n anistia f

amok [əˈmʌk, Brit: -mɒk] adv **to run** [o **go**] ~ ter um arroubo

among(st) [əˈmʌŋ(st)] prep entre

amorous [ˈæmərəs] adj amoroso, -a

amount [əˈmaʊnt] I. n quantidade f; (of curiosity, anger, surprise) um tanto m; (of land) pedaço m; (of money) quantia f II. vi **to** ~ **to sth** chegar a a. c.

amphibian [æmˈfɪbiən] n anfíbio m

ample [ˈæmpl] adj 1. (plentiful: space, room) amplo, -a; (enough: evidence, resources) bastante 2. (large: bosom, figure) grande

amplifier [ˈæmplɪfaɪər, Brit: -əʳ] n amplificador m

amplify [ˈæmplɪfaɪ] <-ie-> vt amplificar

amputate [ˈæmpjʊteɪt] vt amputar

amuse [əˈmjuːz] vt 1. (entertain) divertir; **to** ~ **oneself** divertir-se 2. (cause laughter) fazer rir

amusement [əˈmjuːzmənt] n 1. no pl (entertainment) diversão f; **much to my** ~, **he tripped when she was walking by** achei muita graça quando ele tropeçou assim que ela passou por ele 2. (sth entertaining) passatempo m

amusement arcade *n Brit* casa *f* de jogos eletrônicos e fliperama **amusement park** *n esp Am* parque *m* de diversões

amusing *adj* divertido, -a, engraçado, -a

an [ən, *stressed:* æn] *indef art before vowel s.* **a**

> **Grammar** an é usado antes de palavras que começam com vogais: "an apple, an egg, an ice-cream, an oyster, an umbrella" e também antes de h quando o h não é pronunciado: "an hour, an honest man." Mas se a vogal u é pronunciada como [ju], então se usa **a**: "a unit, a university."

anaemia [ə'ni:miə] *n Brit s.* **anemia**

anaesthetic [ˌænɪs'θetɪk] *n Brit s.* **anesthetic**

analogous [ə'næləgəs] *adj* análogo, -a

analogy [ə'nælədʒɪ] <-ies> *n* analogia *f*

analyse ['ænəlaɪz] *vt Aus, Brit s.* **analyze**

analysis [ə'næləsɪs] <-ses> *n* análise *f*

analyst ['ænəlɪst] *n* **1.** COM, FIN analista *mf* **2.** PSYCH psicoanalista *mf*

analytical [ˌænə'lɪtɪkl, *Brit:* -'lɪt-] *adj* analítico, -a

analyze ['ænəlaɪz] *vt Am* analisar

anarchist ['ænɑrkɪst, *Brit:* -əkɪst] *n* anarquista *mf*

anarchy ['ænɑrki, *Brit:* -əki] *n no pl* anarquia *f*

anatomy [ə'nætəmi, *Brit:* -'næt-] <-ies> *n no pl* anatomia *f*

ancestor ['ænsestər, *Brit:* -əʳ] *n* antepassado, -a *m, f*

ancestral [æn'sestrəl] *adj* ancestral; ~ **home** lar ancestral

ancestry ['ænsestri] <-ies> *n* ascendência *f*

anchor ['æŋkər, *Brit:* -əʳ] **I.** *n* NAUT âncora *f; fig* amparo *m;* **to drop/weigh** ~ lançar/levantar âncora **II.** *vt* **1.** NAUT *(secure)* ancorar; **to** ~ **sth to sth** ancorar a. c. em a. c. **2.** *(fix onto)* **to** ~ **sth down** firmar a. c. **3.** *esp Am* **to** ~ **the evening news** ser o âncora do jornal da noite

anchorage ['æŋkərɪdʒ] *n* ancoradouro *m*

anchovy ['æntʃoʊvi, *Brit:* -tʃəvi] <-ies> *n* anchova *f*

ancient ['eɪnʃənt] *adj* antigo, -a, remoto, -a

and [ən, ənd, *stressed:* ænd] *conj* e; **black** ~ **white** branco e preto; **parents** ~ **children** pais e filhos; ~ **so on** e assim por diante; **2** ~ **3 is 5** 2 mais 3 são 5; **more** ~ **more** cada vez mais; **I tried** ~ **tried** tentei repetidas vezes; **he cried** ~ **cried** chorava sem parar; **come** ~ **visit us** venha nos visitar

Andean ['ændiən] *adj* andino, -a

Andes ['ændi:z] *npl* Andes *mpl*

and/or ['ænd,ɔːr, *Brit:* -ɔːʳ] *conj* e/ou

anecdotal [ˌænɪk'doʊtl, *Brit:* -'dəʊtl] *adj (evidence)* baseado em relato de casos

anecdote ['ænɪkdoʊt, *Brit:* -dəʊt] *n* anedota *f*

anemia [ə'ni:miə] *n Am* anemia *f*

anesthetic [ˌænɪs'θetɪk] *n Am* anestésico *m;* **they gave him an** ~ lhe deram um anestésico

anew [ə'nuː, *Brit:* -'njuː] *adv* de novo; **to start** [*o* **begin**] ~ começar de novo

angel ['eɪndʒl] *n* anjo *m;* **guardian** ~ anjo da guarda

anger ['æŋgər, *Brit:* -gəʳ] **I.** *n no pl* raiva *f,* ira *f;* ~ **about sth/at sb** raiva de a. c./alguém **II.** *vt* enfurecer; **to be** ~**ed by sth** ficar furioso com a. c.

angle ['æŋgl] *n* **1.** *a.* MAT ângulo *m;* **to be at an** ~ (**to sth**) formar um ângulo (com a. c.) **2.** *fig* prisma *f*

Anglo-Saxon [ˌæŋgloʊ'sæksən, *Brit:* -gləʊ-] *adj, n* anglo-saxão, -ã

Angola [æŋ'goʊlə, *Brit:* -'gəʊ-] *n* Angola *f*

Angolan *adj, n* angolano, -a

angry ['æŋgri] *adj* **1.** *(furious)* zangado, -a; **to be** ~ **at sth/sb** [*o* **with sb**] estar zangado com a. c./alguém; **to make sb** ~ deixar alguém bravo; **to get** ~ **about sth** zangar-se por a. c. **2.** *fig (sky, clouds)* de tormenta; *(wound, sore)* inflamado, -a

anguish ['æŋgwɪʃ] *n no pl* angústia *f*

angular ['æŋgjʊlər, *Brit:* -ləʳ] *adj* angular

animal ['ænɪml] *n* animal *m; fig* besta *f*

animate ['ænɪmeɪt] *vt* animar

animated *adj* animado, -a

animation [ˌænɪ'meɪʃn] *n no pl* animação *f*

animosity [ˌænɪ'mɑːsəti, *Brit:* -'mɒsəti] *n no pl* animosidade *f;* ~ **towards sb** animosidade para com alguém

ankle ['æŋkl] *n* tornozelo *m*
annex ['æneks] **I.** *vt* (*territory*) anexar **II.** *n esp Am* anexo *m*
annexe ['æneks] *n Brit s.* **annex**
annihilate [ə'naɪəleɪt] *vt* aniquilar
annihilation [ə,naɪə'leɪʃn] *n no pl* aniquilação *f*
anniversary [,ænɪ'vɜːrsəri, *Brit*: -'vɜː-] <-ies> *n* aniversário *m* (de casamento, evento); **Happy ~!** Feliz aniversário!
announce [ə'naʊns] *vt* anunciar; (*results*) comunicar
announcement *n* comunicado *m*; **to make an ~ about sth** fazer um comunicado de a. c.; **public ~** comunicado oficial
announcer [ə'naʊnsər, *Brit*: -ər] *n* locutor(a) *m(f)*
annoy [ə'nɔɪ] *vt* aborrecer, incomodar; **to get ~ed with sb** ficar contrariado com alguém
annoyance [ə'nɔɪəns] *n* aborrecimento *m*, irritação *f*; (*thing*) incômodo *m*
annoying *adj* incômodo, -a; (*person*) chato, -a; (*habit*) irritante
annual ['ænjʊəl] **I.** *adj* anual **II.** *n* anuário *m*
annually *adv* anualmente
annuity [ə'nuːəti, *Brit*: -'njuː əti] <-ies> *n* anuidade *f*
annul [ə'nʌl] <-ll-> *vt* anular
annulment [ə'nʌlmənt] *n* anulação *f*
anomaly [ə'nɑːməli, *Brit*: -'nɒm-] <-ies> *n* anomalia *f*
anonymity [,ænə'nɪməti, *Brit*: -ti] *n no pl* anonimato *m*
anonymous [ə'nɑːnəməs, *Brit*: -'nɒnɪ-] *adj* anônimo, -a
anorexic [,ænər'eksɪk] *adj* anoréxico, -a
another [ə'nʌðər, *Brit*: -ər] **I.** *pron* **1.** (*one more*) outro, -a **2.** (*mutual*) **one ~** um ao outro; **they love one ~** eles se amam **II.** *adj* outro, -a; **~ $30** mais $30
answer ['ænsər, *Brit*: 'ɑːnsə] **I.** *n* **1.** (*reply*) resposta *f*; **in ~ to sth** em resposta a a. c.; **to give sb an ~** dar uma resposta a alguém; **I called, but there was no ~** eu liguei, mas ninguém atendeu; **a straight ~** uma resposta direta **2.** (*solution*) solução *f*; **the ~ to the problem** a solução para o problema; **to know all the ~s** saber todas as respostas **II.** *vt* **1.** (*respond to*) atender a; **to ~ the door** [*o bell*] atender à porta; **to ~ the phone** atender ao telefone **2.** (*fulfill: hopes, needs*) satisfazer; **to ~ sb's prayers** atender às preces de alguém **III.** *vi* responder
♦ **answer back** *vi* retrucar
♦ **answer for** *vt* (*action*) responder por; (*person*) responsabilizar-se por
♦ **answer to** *vt* dar satisfações a (alguém)
answerable ['ænsərəbl, *Brit*: 'ɑː-] *adj* **to be ~ for sth** ser responsabilizado por a. c.; **to be ~ to sb** ter que prestar contas a alguém
answering machine *n* secretária *f* eletrônica
ant [ænt] *n* formiga *f*
antagonism [æn'tægənɪzəm] *n* antagonismo *m*
antagonistic [æn,tægə'nɪstɪk] *adj* antagônico, -a
antagonize [æn'tægənaɪz] *vt* antagonizar
Antarctic [æn'tɑːrktɪk, *Brit*: -'tɑːk-] **I.** *adj* antártico, -a **II.** *n* **the ~** a Antártida
Antarctica [æn'tɑːrktɪkə, *Brit*: -'ɑːk-] *n* Antártida *f*
Antarctic Ocean *n* Oceano *m* Antártico
anteater ['æntiːtər, *Brit*: -tər] *n* tamanduá *m*
antelope ['æntɪloʊp, *Brit*: -tɪləʊp] <-(s)> *n* antílope *m*
antenatal [,æntɪ'neɪtl] *adj Brit* pré-natal
antenna [æn'tenə] <-nae *o* -s> *n Am* antena *f*
anthem ['ænθəm] *n* hino *m*; **national ~** hino nacional
anthology [æn'θɑːlədʒi, *Brit*: -'θɒl-] <-ies> *n* antologia *f*
anthropological [,ænθrəpə'lɑːdʒɪkl, *Brit*: -'lɒdʒ-] *adj* antropológico, -a
anthropologist [,ænθrə'pɑːlədʒɪst, *Brit*: -'pɒl-] *n* antropólogo, -a *m, f*
anthropology [,ænθrə'pɑːlədʒi, *Brit*: -'pɒl-] *n no pl* antropologia *f*
anti ['ænti, *Brit*: -ti] *in compounds* anti
anti-abortion *adj* anti-aborto
anti-aircraft *adj* anti-aéreo, -a
antibiotic [,æntɪbaɪ'ɑːtɪk, *Brit*: -tɪbaɪ'ɒtɪk] *n* antibiótico *m*
antibody ['æntɪbɑːdi, *Brit*: -tɪbɒdi] <-ies> *n* anticorpo *m*
anticipate [æn'tɪsəpeɪt, *Brit*: -sɪ-] *vt* **1.** (*expect*) prever; **to ~ doing sth** ter previsto fazer a. c. **2.** (*look forward to*) esperar **3.** (*act in advance of: question, sb's needs*) antecipar-se a

anticipation [æn,tɪsə'peɪʃn, *Brit:* -sɪ'-] *n no pl* previsão *f*, expectativa *f*; **in** ~ previsão

anti-clockwise [,æntr'klɒkwaɪz] *adv Brit* no sentido anti-horário

antics ['æntɪks] *npl* trejeito *m*

antidepressant [,æntɪdɪ'presnt] *n* antidepressivo *m*

antidote ['æntɪdoʊt, *Brit:* -tɪdəʊt] *n* antídoto *m*; **an ~ to sth** um antídoto para a. c.

antifreeze *n no pl* anticongelante *m*

antihistamine [,æntɪ'hɪstəmɪn] *n* antialérgico *m*

Antilles [æn'tɪliːz] *npl* **the ~** as Antilhas

antiperspirant [,æntɪ'pɜːrspərənt, *Brit:* -tɪ'pɜːs-] *n* antiperspirante *m*

antiquarian [,æntɪ'kwerɪən, *Brit:* -'kweər-] *n* antiquário, -a *m, f*

antiquated ['æntəkweɪtɪd, *Brit:* -ɪkweɪtɪd] *adj* antiquado, -a

antique [æn'tiːk] *n* antiguidade *f*

antique shop *n* loja *f* de antiguidades

antiquity [æn'tɪkwəti, *Brit:* -ti] *n no pl* antiguidade *f*

anti-Semitic [,æntɪsə'mɪtɪk, *Brit:* -sɪ'mɪtɪk] *adj* anti-semita

anti-Semitism [,æntɪ'semətɪsm, *Brit:* -'semɪ-] *n no pl* anti-semitismo *m*

antiseptic [,æntə'septɪk, *Brit:* -tɪ-] *n* antisséptico *m*

antisocial [,æntɪ'souʃl, *Brit:* -'səʊ-] *adj* anti-social

antithesis [æn'tɪθəsɪs] <-ses> *n* antítese *f*

antler ['æntlər, *Brit:* -lə-] *n* chifre *m*

Antwerp ['æntwɜːrp, *Brit:* -wɜːp] *n* Antuérpia *f*

anus ['eɪnəs] <-es> *n* ânus *m*

anvil ['ænvl, *Brit:* -vɪl] *n* bigorna *f*

anxiety [æŋ'zaɪəti, *Brit:* -ti] <-ies> *n* ansiedade *f*; **~ to do sth** ansiedade para fazer a. c.

anxiety attack *n* crise *f* de ansiedade

anxious ['æŋkʃəs] *adj* **1.** (*concerned*) apreensivo, -a; **~ about sth** apreensivo com a. c.; **an ~ moment** um momento de apreensão **2.** (*eager*) ansioso, -a; **to be ~ to do sth** estar ansioso para fazer a. c.

any ['eni] **I.** *adj* **1.** (*some*) algum(a); **~ books** alguns livros; **do they have ~ money?** eles têm dinheiro?; **do you want ~ more soup?** não quer mais sopa? **2.** (*not important which*) qualquer; **take ~ toy you like** pegue o brinquedo que quiser; **~ which way** de qualquer jeito; **at ~ rate** [*o* **in ~ case**] em todo caso **3.** (*negative sense*) nenhum(a); **I don't have ~ money** não tenho dinheiro; **there aren't ~ cars** não há nenhum carro **4.** (*soon*) **~ day/moment/time now** a qualquer dia/momento/hora **5. Thank you ~ time.** Obrigado – disponha. **II.** *adv* **1.** (*not*) **~ more** não mais; **she doesn't come here ~ more** ela não vem mais aqui **2.** (*at all*) **does she feel ~ better?** ela está se sentindo um pouco melhor?; **~ faster/bigger/heavier** um pouco mais rápido/maior/mais pesado **III.** *pron* **1.** (*some*) algum(a); **~ of you** alguns de vocês; **~ of those CDs will do** alguns daqueles CDs já servem **2.** (*negative sense*) nenhum(a); **not ~** nenhum; **I haven't got ~** não tenho nenhum

anybody ['enɪbɑːdi, *Brit:* -bɒdi] *pron indef* **1.** (*someone*) alguém; **did you hear ~?** ouviu alguém?; **~ else?** alguém mais?; **faster/better than ~** mais rápido/melhor que qualquer um **2.** (*not important which*) qualquer; **~ but him** qualquer um menos ele; **she's not just ~** ela não é uma qualquer **3.** (*no one*) ninguém

anyhow ['enɪhaʊ] *adv* **1.** (*in any case*) de qualquer modo, seja como for **2.** (*well*) enfim; **~, as I was saying ...** bem, como eu ia dizendo ... **3.** (*in a disorderly way*) de qualquer maneira

anyone ['enɪwʌn] *pron indef s.* **anybody**

anyplace ['enɪpleɪs] *adv Am s.* **anywhere**

anything ['enɪθɪŋ] *pron indef* **1.** (*something*) algo; **~ else?** algo mais?; **is ~ wrong?** há algum problema? **2.** (*each thing*) qualquer coisa; **it is ~ but funny** é tudo menos engraçado; **~ and everything** tudo e qualquer coisa; **you can have ~ you want** [*o* **like**] pode servir-se do que quiser **3.** (*nothing*) nada; **hardly ~** quase nada; **he is ~ but athletic** ele não é nada atlético; **I was afraid, if ~** talvez até tenha ficado com medo; **not for ~** (**in the world**) por nada (no mundo)

anyway ['enɪweɪ] *adv*, **anyways** *adv Am*, *inf* **1.** (*in any case*) de qualquer maneira **2.** (*in whichever way*) de qualquer jeito **3.** (*well*) bem; **~, as I was**

saying ... bem, como ia dizendo ...
anywhere ['enɪwer, *Brit:* -weə'] *adv* **1.** (*in questions*) em algum lugar; **have you seen my glasses ~?** você viu os meus óculos em algum lugar?; **are we ~ near finishing yet?** *inf* ainda falta muito para terminar? **2.** (*positive sense*) em qualquer lugar; **I can sleep ~** posso dormir em qualquer lugar; **to live miles from ~** *inf* morar no fim do mundo **3.** (*negative sense*) em lugar nenhum; **you won't see this ~** não verá isso em lugar nenhum; **you can't buy this ~ else** não dá para comprar isso em nenhum outro lugar **4.** (*approximation*) **we'll be arriving ~ between 10 and 11 p.m.** chegaremos entre 10 e 11 da noite

> Culture O **Anzac Day** (Australian and New Zealand Armed Corps) é comemorado em 25 de abril e é um dia de luto na Austrália e Nova Zelândia. Missas e desfiles fúnebres relembram o desembarque das **Anzacs** na península grega de Gallipoli em 25 de abril de 1915, durante a Primeira Guerra Mundial. Posteriormente, as **Anzacs** foram derrotadas. O significado simbólico deste acontecimento está no fato de os australianos terem lutado pela primeira vez como exército australiano fora de suas fronteiras.

apart [ə'pɑːrt, *Brit:* -'pɑːt] *adv* **1.** (*separated*) à distância; **to be 20 miles ~** estar a 20 milhas de distância; **far ~** longe; **to come ~** ficar em pedaços; **to set ~** separar; **to take sth ~** desmontar a. c.; **to be worlds ~** completamente diferentes **2.** (*except for*) **you and me ~** exceto você e eu; **joking ~** brincadeiras à parte
apart from *prep* **1.** (*except for*) **~ that** exceto isso, tirando isso **2.** (*in addition to*) à parte de
apartheid [ə'pɑːrteɪt, *Brit:* -'pɑːteɪt] *n* HIST *no pl* apartheid *m*
apartment [ə'pɑːrtmənt] *n Am* apartamento *m*
apartment building *n Am* edifício *m* residencial

apathy ['æpəθi] *n no pl* apatia *f;* **~ about** [*o* **towards**] **sth** apatia com a. c.
ape [eɪp] **I.** *n* chimpanzé *m* **II.** *vt* imitar
aperitif [ə,perə'tiːf] *n* aperitivo *m*
apex ['eɪpeks] <-es *o* apices> *pl n* ápice *m; fig* auge *m*
aphorism ['æfərɪzəm] *n* aforismo *m*
apiece [ə'piːs] *adv* cada
apologetic [ə,pɑːlə'dʒetɪk, *Brit:* -,pɒlə'dʒet-] *adj* (*tone, look*) de desculpa; **to be ~ about sth** desculpar-se por a. c.; **to look ~** mostrar-se arrependido
apologize [ə'pɑːlədʒaɪz, *Brit:* -'pɒl-] *vi* desculpar-se; **to ~ to sb for sth** [*o* **for doing sth**] desculpar-se com alguém por a. c.
apology [ə'pɑːlədʒi, *Brit:* -'pɒlə-] <-ies> *n* desculpa *f;* **to make an ~** pedir desculpa; **to make no apologies for sth** não dar satisfações por a. c.; **to owe sb an ~** dever uma satisfação a alguém
apostle [ə'pɑːsl, *Brit:* -'pɒsl] *n* apóstolo *m*
apostrophe [ə'pɑːstrəfi, *Brit:* -'pɒs-] *n* apóstrofo *m*
appal [ə'pɔːl] <-ll-> *vt esp Brit*, **appall** *vt Am* estarrecer, horrorizar; **to be ~led at** [*o* **by**] **sth** ficar estarrecido com a. c.
appalling *adj* estarrecedor(a)
apparatus [,æpə'rætəs, *Brit:* -'reɪtəs] *n* **1.** (*equipment*) aparelhagem *f;* **a piece of ~** um aparelho **2.** (*organization*) aparato *m*
apparel [ə'perəl, *Brit:* -'pær-] *n no pl* vestuário *m*
apparent [ə'perənt, *Brit:* -'pær-] *adj* **1.** (*clear*) claro; **to become ~** ficar claro; **for no ~ reason** sem motivo aparente **2.** (*seeming*) aparente
appeal [ə'piːl] **I.** *vi* **1.** (*attract*) atrair; **to ~ to sb** agradar a alguém **2.** LAW recorrer **3.** (*plead*) **to ~ to sb for sth** apelar a alguém por a. c.; **to ~ for help** suplicar por ajuda **II.** *n* **1.** (*attraction*) atrativo *m;* **to have ~** ser atraente *inf;* **to lose one's ~** perder o atrativo **2.** LAW recurso *m;* **to lodge an ~** entrar com recurso **3.** (*request, plea*) **they made an ~ for donations** fizeram um apelo por donativos
appealing [ə'piːlɪŋ] *adj* atraente
appear [ə'pɪr, *Brit:* -'pɪə'] *vi* **1.** (*be seen*) aparecer; (*newspaper*) sair; (*book*) ser publicado; **to ~ in court** LAW compa-

recer perante o tribunal; **to ~ on TV** aparecer na TV **2.** (*seem*) parecer; **so it ~s** assim parece

appearance [əˈpɪrəns, *Brit:* -ˈpɪər-] *n* **1.** (*instance of appearing*) surgimento *m;* LAW comparecimento *m* em juízo; **to make an ~** apresentar-se **2.** *no pl* (*looks*) aspecto *m* **3.** (*impression*) aparência *f;* **an ~ of wealth/happiness** uma aparência de riqueza/felicidade; **to all ~s** ao que tudo indica; **to keep up ~s** manter as aparências

appease [əˈpiːz] *vt form* apaziguar, condescender; (*hunger*) aplacar

appendicitis [əˌpendɪˈsaɪtɪs, *Brit:* -tɪs] *n no pl* apendicite *f*

appendix [əˈpendɪks] *n* <-es> apêndice *m*

appetite [ˈæpətaɪt, *Brit:* -ɪ-] *n* apetite *m;* **an ~ for sth** um apetite para a. c.

appetizer [ˈæpətaɪzər, *Brit:* -taɪzəʳ] *n* petisco *m,* tira-gosto *m*

appetizing *adj* apetitoso, -a

applaud [əˈplɑːd, *Brit:* -ˈplɔːd] I. *vi* aplaudir II. *vt* aplaudir; (*praise*) elogiar

applause [əˈplɑːz, *Brit:* -ˈplɔːz] *n no pl* aplauso *m;* **a round of ~** uma salva de aplausos

apple [ˈæpl] *n* maçã *f*

apple juice *n* suco *m* de maçã **apple pie** *n* torta *f* de maçã **apple sauce** *n* purê *m* de maçã **apple tree** *n* macieira *f*

appliance [əˈplaɪəns] *n* aparelho *m;* **electrical ~** eletrodoméstico *m;* **kitchen ~s** utensílios de cozinha

applicable [ˈæplɪkəbl] *adj* aplicável; **delete where not ~** cancele o que não for pertinente

applicant [ˈæplɪkənt] *n* candidato, -a *m, f,* requerente *mf*

application [ˌæplɪˈkeɪʃn] *n* **1.** (*request*) requerimento *m;* **on ~** mediante requerimento **2.** (*use*) emprego *m* **3.** INFOR aplicativo *m*

application form *n* formulário *m* [*ou* inscrição] de requerimento *m*

apply [əˈplaɪ] I. *vi* **1.** (*request*) solicitar; **to ~ to sb** recorrer a alguém; **to ~ for a job** candidatar-se a um emprego; **to ~ in writing** requerer por escrito **2.** (*be relevant*) **to ~ to sb** aplicar-se a alguém II. *vt* **1.** (*put on*) aplicar, administrar **2.** (*use*) empregar; **to ~ the brakes** frear; **to ~ force** empregar força; **to ~ pressure** fazer pressão **3. to ~ oneself to sth** aplicar-se em a. c.

appoint [əˈpɔɪnt] *vt* **1.** (*to a job*) nomear; **to appoint sb to do sth** designar alguém para fazer a. c.; **to appoint sb as sth** nomear alguém como a. c. **2.** *form* (*designate*) **at the ~ed time** no horário marcado

appointment *n* **1.** (*to a job*) nomeação *f* **2.** (*meeting*) compromisso *m,* hora *f* marcada; **doctor's ~** consulta médica; **to keep an ~** comparecer a um compromisso; **to make an ~ with sb** marcar uma hora com alguém; **by ~ only** mediante hora marcada

appraisal [əˈpreɪzl] *n* avaliação *f,* estimativa *f*

appraise [əˈpreɪz] *vt* avaliar, estimar

appreciate [əˈpriːʃieɪt] I. *vt* **1.** (*value: hard work, input*) dar valor, apreciar **2.** (*understand: opinion, point of view*) compreender **3.** (*be grateful for: sb's help*) agradecer; **thanks, I ~ that** obrigado, agradeço II. *vi* FIN valorizar-se

appreciation [əˌpriːʃiˈeɪʃn] *n no pl* **1.** (*gratitude*) gratidão *f* **2.** (*understanding*) compreensão *f* **3.** FIN valorização *f*

appreciative [əˈpriːʃiətɪv] *adj* grato, -a, que sabe apreciar

apprehend [ˌæprɪˈhend] *vt* compreender; (*arrest*) capturar

apprehension [ˌæprɪˈhenʃn] *n form* compreensão *f;* (*arrest*) captura *f;* (*fear*) apreensão *f*

apprehensive [ˌæprɪˈhensɪv] *adj* apreensivo, -a; **to be ~ that** ter receio que +*subj*

apprentice [əˈprentɪs, *Brit:* -tɪs] *n* aprendiz *mf*

apprenticeship *n* aprendizagem *f*

approach [əˈproʊtʃ, *Brit:* -ˈprəʊ-] I. *vt* **1.** (*get close to*) aproximar-se de **2.** (*ask*) abordar; **to ~ sb about sth** abordar alguém por a. c. **3.** (*deal with: a problem, matter*) tratar de; **to ~ a subject** tratar de um assunto II. *vi* aproximar-se III. *n* **1.** (*coming*) aproximação *f;* **at the ~ of winter** com a chegada do inverno **2.** (*access*) acesso *m;* **to make ~es to sb** abordar alguém **3.** (*methodology*) enfoque *m*

approachable [əˈproʊtʃəbl, *Brit:* -ˈprəʊ-] *adj* acessível

appropriate [əˈproʊpriət, *Brit:* -ˈprəʊ-] *adj* apropriado, -a, oportuno, -a

appropriation [əˌproʊpriˈeɪʃn, *Brit:*

-ˌprəʊ-] *n* apropriação *f*
approval [əˈpruːvl] *n no pl* aprovação *f*; **on** ~ sob condição
approve [əˈpruːv] *vi* **to** ~ **of sth** aprovar a. c.
approved *adj* aprovado, -a
approving *adj* (*nod*) de aprovação
approximate [əˈprɑːksɪmət, *Brit:* -ˈprɒk-] *adj* estimado, -a; ~ **time of arrival** horário estimado de chegada
approximately *adv* aproximadamente
approximation [əˌprɑːksɪˈmeɪʃn, *Brit:* -ˌprɒk-] *n* aproximação *f*
APR [eɪpiːˈɑːr, *Brit:* -ˈɑːʳ] *n abbr of* **annual percentage rate** TPA *f*
apricot [ˈeɪprɪkɑːt, *Brit:* -kɒt] *n* damasco *m*
April [ˈeɪprəl] *n* abril *m*; **on the 30th of** ~ no dia 30 de abril; *s.a.* **March**
April Fools' Day *n no pl* Dia *m* da Mentira (*1º de abril*)
apron [ˈeɪprən] *n* avental *m*
apt [æpt] *adj* apto, -a; **to be** ~ **to do sth** estar apto para fazer a. c.
APT *n abbr of* **advanced passenger train** *trem de alta velocidade*
aptitude [ˈæptɪtuːd, *Brit:* -tjuːd] *n* aptidão *f*; **to have an** ~ **for sth** ter uma aptidão para a. c.
aquarium [əˈkweriəm, *Brit:* -ˈkweər-] <-s *o* -ria> *n* aquário *m*
Aquarius [əˈkweriəs, *Brit:* -ˈkweər-] *n* Aquário *m*; **to be an** ~ ser aquariano, -a, ser (de) Aquário; **to be born under the sign of** ~ ser nativo de Aquário
aquatic [əˈkwætɪk, *Brit:* -tɪk] *adj* aquático, -a
Arab [ˈærəb] *adj* árabe
Arabia [əˈreɪbiə] *n* Arábia *f*
Arabian *adj* árabe
Arabic [ˈærəbɪk] *adj, n* LING árabe *m*
arable [ˈærəbl] *adj* arável
arbiter [ˈɑːrbɪtər, *Brit:* ˈɑːbɪtəʳ] *n* árbitro, -a *m, f*
arbitrary [ˈɑːrbətreri, *Brit:* ˈɑːbɪtrəri] *adj* arbitrário, -a
arbitrate [ˈɑːrbətreɪt, *Brit:* ˈɑːbɪ-] *vi, vt* arbitrar
arbitration [ˌɑːrbəˈtreɪʃn, *Brit:* ˌɑːbɪ-] *n no pl* arbitragem *f*
arbitrator [ˈɑːrbətreɪtər, *Brit:* ˈɑːbɪtreɪtəʳ] *n* mediador(a) *m(f)*

> **Culture** No **Arbor Day** são plantadas árvores nos Estados Unidos. Em alguns estados é inclusive feriado. A data exata do **Arbor Day** varia nos Estados, já que a época propícia para plantar árvores não é a mesma em todas as regiões.

arc [ɑːrk, *Brit:* ɑːk] *n* arco *m*
arcade [ɑːrˈkeɪd, *Brit:* ɑːˈ-] *n* ARCHIT arcada *f*; (*of shops*) galeria *f*
arch [ɑːrtʃ, *Brit:* ɑːtʃ] **I.** *n* arco *m*; (*of foot*) arco *m* **II.** *vi* arquear-se; **to** ~ **one's back** arquear as costas
archaeological [ˌɑːkiəˈlɒdʒɪkl] *adj Brit s.* **archeological**
archaeologist [ˌɑːkiˈɒlədʒɪst] *n Brit s.* **archeologist**
archaeology [ˌɑːkiˈɒlədʒi] *n no pl, Brit s.* **archeology**
archaic [ɑːrˈkeɪɪk, *Brit:* ɑːr-] *adj* arcaico, -a
archbishop [ˌɑːrtʃˈbɪʃəp, *Brit:* ˌɑːtʃ-] *n* arcebispo *m*
archeological [ˌɑːrkiəˈlɑːdʒɪkəl] *adj Am* arqueológico, -a
archeologist [ˌɑːrkiˈɑːləʒɪst] *n Am* arqueólogo, -a *m, f*
archeology [ˌɑːrkiˈɑːləʒi] *n no pl, Am* arqueologia *f*
archer [ˈɑːrtʃər, *Brit:* ˈɑːtʃəʳ] *n* arqueiro, -a *m, f*
archipelago [ˌɑːrkəˈpeləgoʊ, *Brit:* ˌɑːkɪˈpeləgəʊ] <-(e)s> *n* arquipélago *m*
architect [ˈɑːrkətekt, *Brit:* ˈɑːkɪ-] *n* arquiteto, -a *m, f*
architecture [ˈɑːrkətektʃər, *Brit:* ˈɑːkɪtektʃəʳ] *n no pl* arquitetura *f*
archive [ˈɑːrkaɪv, *Brit:* ˈɑːk-] *n* arquivo *m*
archway [ˈɑːrtʃweɪ, *Brit:* ˈɑːtʃ-] *n* arcada *f*
Arctic [ˈɑːrktɪk, *Brit:* ˈɑːk-] **I.** *n* **the** ~ o Pólo Ártico **II.** *adj* ártico, -a
Arctic Circle *n* Círculo *m* Polar Ártico
Arctic Ocean *n* Oceano *m* Ártico
ardent [ˈɑːrdnt, *Brit:* ˈɑːd-] *adj* fervoroso, -a, apaixonado, -a
arduous [ˈɑːrdʒuəs, *Brit:* ˈɑːdjuː-] *adj* árduo, -a
are [ər, *stressed:* ɑːr, *Brit:* əʳ, ɑːʳ] *vi s.* **be**
area [ˈeriə, *Brit:* ˈeər-] *n a.* MAT, SPORTS área *f*, região *f*; *fig* campo *m*; ~ **of interest/expertise** área de interesse/competência; **in the** ~ **of** no campo de
arena [əˈriːnə] *n a. fig* arena *f*

Argentina [ˌɑːrdʒənˈtiːnə, Brit: ˌɑːdʒ-] n Argentina f

Argentine [ˈɑːrdʒəntaɪn, Brit: ˈɑːdʒ-], **Argentinian** [ˌɑːrdʒənˈtɪniən, Brit: ˌɑːdʒ-] adj, n argentino, -a

arguably adv possivelmente; **she is ~ the best ...** ela é provavelmente a melhor ...

argue [ˈɑːrgjuː, Brit: ˈɑːg-] I. vi 1. (disagree) discutir; **to ~ with sb** discutir com alguém 2. (reason) argumentar; **to ~ against/for sth** argumentar contra/a favor de a. c. II. vt persuadir; **to ~ sb into doing sth** persuadir alguém a fazer a. c.

argument [ˈɑːrgjəmənt, Brit: ˈɑːgjʊ-] n 1. (disagreement) discussão f, debate m 2. (reason) argumento m

aria [ˈɑːriə] n MUS ária f

arid [ˈærɪd] adj árido, -a

Aries [ˈeriːz, Brit: ˈeəriːz] n Áries m; **to be an ~** ser ariano, -a, ser (de) Áries; **to be born under the sign of ~** ser nativo de Áries

arise [əˈraɪz] <arose, -n> vi surgir; **should the need ~** se houver necessidade

aristocracy [ˌerəˈstɑːkrəsi, Brit: ˌærɪˈstɒk-] <-ies> n + sing/pl vb aristocracia f

aristocrat [əˈrɪstəkræt, Brit: ˈærɪs-] n aristocrata f

aristocratic [eˌrɪstəˈkrætɪk, Brit: ˌærɪstəˈkrætɪk] adj aristocrático, -a

arithmetic [əˈrɪθmətɪk] n no pl aritmética f

ark [ɑːrk, Brit: ɑːk] n no pl arca f; **Noah's Ark** Arca de Noé

arm¹ [ɑːrm, Brit: ɑːm] n ANAT braço m; (of shirt, jacket) manga f; (of organization) sucursal f; **to put one's ~s around sb** pôr o braço ao redor de alguém; **~ in ~** de braços dados

arm² [ɑːrm, Brit: ɑːm] MIL I. vt armar II. n arma f, armamento m

armchair n poltrona f

armed [ɑːrmd, Brit: ɑːmd] adj armado, -a

armed forces npl **the ~** as Forças Armadas

Armenia [ɑːrˈmiːniə, Brit: ɑːˈ-] n Armênia f

Armenian adj, n armênio, -a

armistice [ˈɑːrməstɪs, Brit: ˈɑːmɪ-] n armistício m

armor [ˈɑːrmər] n Am, **armour** [ˈɑːmə^r] n no pl, Brit armadura f

armored adj Am blindado, -a

armpit n axila f

arms n pl (fire) **~** armas fpl de fogo; **to be up in ~ over sth** fig estar em pé de guerra por a. c.

arms control n MIL controle m de armamento **arms race** n **the ~** a corrida armamentista

army [ˈɑːrmi, Brit: ˈɑːmi] <-ies> n MIL exército m; fig multidão f; **to join the ~** alistar-se no exército

aroma [əˈroumə, Brit: -ˈrəʊ-] n aroma m

around [əˈraʊnd] I. prep 1. (surrounding) ao redor de 2. (here and there) por toda parte; **to go all ~ the world** viajar o mundo 3. (approximately) em torno de; **somewhere ~ here** em algum lugar por aqui; **~ $5** por volta de $5 II. adv 1. (round about) ao redor; **all ~** por todos os lados; **to hang ~** andar por aí; **to walk ~** dar uma volta; **is Paul ~?** o Paul está por aí?; **to be the other way ~** ser ao contrário 2. (near by) aqui perto

arouse [əˈraʊz] vt despertar

arrange [əˈreɪndʒ] I. vt arrumar, ordenar; (organize) organizar II. vi **to ~ to do sth** planejar fazer a. c.

arrangement n 1. pl (preparations) preparativos mpl, providências fpl; **to make ~s (for sth)** fazer preparativos (para a. c.) 2. (agreement) acordo m; **to come to an ~** chegar a um acordo 3. (of flowers) arranjo m 4. MUS arranjo m

array [əˈreɪ] n série f

arrears [əˈrɪrz, Brit: -ˈrɪəz] npl FIN obrigações fpl vencidas; **to be in ~** estar com o pagamento atrasado

arrest [əˈrest] I. vt deter II. n detenção f; **to put sb under ~** deter alguém

arrival [əˈraɪvl] n chegada f; **new ~** recém-chegado, -a m, f; (baby) recém-nascido, -a m, f

arrive [əˈraɪv] vi chegar; **to ~ at/in** chegar em

arrogance [ˈerəgəns, Brit: ˈær-] n no pl arrogância f

arrogant [ˈerəgənt, Brit: ˈær-] adj arrogante

arrow [ˈeroʊ, Brit: ˈærəʊ] n seta f

arse [ɑːs] n Aus, Brit, vulg bunda f, traseiro m; **to make an ~ out of oneself** inf fazer papel de idiota

arsenal [ˈɑːrsnl, Brit: ˈɑːs-] n arsenal m

arsenic ['ɑːrsnɪk, *Brit:* 'ɑːs-] *n no pl* arsênico *m*

arson ['ɑːrsn, *Brit:* 'ɑːsn] *n* incêndio *m* criminoso

art [ɑːrt, *Brit:* ɑːt] *n* 1. arte *f*; (*artwork*) obra *f* de arte; **the (fine) ~s** as belas artes; **~s and crafts** artesanato 2. (*skill*) **you've got that down to an ~** isso você faz com maestria

artefact ['ɑːtɪfækt] *n Brit s.* **artifact**

artery ['ɑːrtəri, *Brit:* 'ɑːt-] <-ies> *n* artéria *f*

art form *n* forma *f* de arte

artful *adj* astuto, -a

art gallery *n* galeria *f* de arte **art history** *n* história *f* da arte

arthritis [ɑːrˈθraɪtəs, *Brit:* ɑːˈθraɪtɪs] *n no pl* artrite *f*

artichoke ['ɑːrtətʃoʊk, *Brit:* 'ɑːtɪtʃəʊk] *n* alcachofra *f*

article ['ɑːrtɪkl, *Brit:* 'ɑːtɪ-] *n* 1. (*item*) artigo *m*; **~ of clothing** peça *f* de roupa 2. (*in newspaper, magazine*) reportagem *f*; **an ~ about sth/sb** uma reportagem sobre a c./alguém 3. LING artigo *m* 4. LAW cláusula *f*

articulate[1] [ɑːrˈtɪkjələt, *Brit:* ɑːˈtɪkjʊ-] *adj* articulado, -a; (*speech*) eloquente

articulate[2] [ɑːrˈtɪkjəleɪt, *Brit:* ɑːˈtɪkjʊ-] *vt* expressar bem

articulation [ɑːrˌtɪkjəˈleɪʃn, *Brit:* ɑːˌtɪkjʊˈ-] *n no pl* articulação *f*

artifact ['ɑːrtəfækt] *n Am* artefato *m*

artificial [ˌɑːrtəˈfɪʃl, *Brit:* ˌɑːtɪˈ-] *adj* artificial

artificial intelligence *n* inteligência *f* artificial **artificial sweetener** *n* adoçante *m* artificial

artillery [ɑːrˈtɪləri, *Brit:* ɑːˈ-] *n no pl* artilharia *f*

artisan ['ɑːrtəzn, *Brit:* ˌɑːtɪˈzæn] *n* artesão, -ã *m, f*

artist ['ɑːrtəst, *Brit:* 'ɑːtɪst] *n* artista *mf*

artistic [ɑːrˈtɪstɪk, *Brit:* ɑːˈ-] *adj* artístico, -a

artistry ['ɑːrtəstri, *Brit:* 'ɑːtɪ-] *n no pl* talento *m* artístico

artwork ['ɑːrtwɜːrk, *Brit:* 'ɑːtwɜːk] *n no pl* arte *f* gráfica

as [əz, *stressed:* æz] I. *prep* como; **dressed ~ a clown** vestido como um palhaço; **~ a baby, I ...** quando bebê, eu ... II. *conj* 1. (*in comparison*) como; **the same name ~ ...** o mesmo nome que ...; **~ fast ~ ...** tão rápido quanto ...; **as soon ~ possible** o quanto antes 2. (*like*) como; **~ it is** tal como é; **I came ~ promised** vim conforme prometi; **~ if** [*o though*] **it were true** como se fosse verdade 3. (*because*) como; **~ he is here I'm going** já que ele está aqui, eu vou indo 4. (*while*) enquanto 5. (*although*) (~) **fine ~ the day is, ...** embora o dia esteja bonito, ...; **try ~ I would, I couldn't** por mais que eu tentasse, eu não conseguia 6. (*concerning*) **~ for me, I'm not coming** quanto a mim, não vou; **~ of** a partir de III. *adv* **~ far ~** até onde; **~ long as** contanto que +*subj*; **~ much as** tanto quanto; **~ soon as** assim que, logo que; **~ well** também

asbestos [æzˈbestəs, *Brit:* -tɒs] *n no pl* asbesto *m*

ascend [əˈsend] *form* I. *vt* (*throne*) ascender; (*stairs*) subir II. *vi* ascender

ascendancy [əˈsendəntsi] *n no pl* ascendência *f*, influência *f*

ascendant [əˈsendənt] *n no pl, form* **to be in the ~** ter grande influência

ascension [əˈsenʃn] *n* ascensão *f*; **the Ascension** REL a Ascensão

ascent [əˈsent] *n form* subida *f*, escalada *f*

ascertain [ˌæsərˈteɪn, *Brit:* -əˈ-] *vt form* verificar, comprovar

ascetic [əˈsetɪk, *Brit:* -ˈset-] *adj* místico, -a

ASCII ['æski] *abbr of* **American Standard Code for Information Interchange** ASCII *m*

> **Culture** **Ascot** é o nome de um lugarejo em Berkshire onde está o hipódromo construído em 1711 pela vontade expressa da Rainha Anne. As corridas de cavalos recebem o nome de **Royal Ascot**, costumam durar quatro dias e são realizadas anualmente no mês de junho quase sempre na presença da rainha.

ascribe [əˈskraɪb] *vt* atribuir; **to ~ sth to sb** atribuir a. c. a alguém

ash[1] [æʃ] *n no pl* (*from fire*) cinza *f*

ash[2] *n* (*tree*) freixo *m*

ashamed [əˈʃeɪmd] *adj* envergonhado, -a; **to be ~ of sth** estar envergonhado de a. c.; **to be ~ to do sth** ter vergonha de fazer a. c.

ashcan ['æʃkæn] *n Am* lata *f* de lixo
ashore [ə'ʃɔːr, *Brit:* -ɔːʳ] *adv* **to go ~** desembarcar
ashtray *n* cinzeiro *m*
Asia ['eɪʒə, *Brit:* -ʃə] *n no pl* Ásia *f*
Asian *adj*, *n* asiático, -a
aside [ə'saɪd] I. *n* aparte *m* II. *adv* **to stand ~** afastar-se
aside from *prep* à exceção de
ask [æsk, *Brit:* ɑːsk] I. *vt* 1. (*request information*) perguntar; **to ~ sb sth** perguntar a. c. a alguém; **to ~ (sb) a question about sth** fazer uma pergunta (a alguém) sobre a. c.; **if you ~ me ...** na minha opinião ...; **don't ~ me!** sei lá! 2. (*request*) pedir; **to ~ advice** pedir um conselho; **to ~ too much of sb** exigir demais de alguém 3. (*invite*) convidar; **to ~ sb to do sth** convidar alguém para fazer a. c.; **to ~ sb out** convidar alguém para sair 4. (*demand a price*) pedir; **to ~ $100 for sth** pedir $100 por a. c. II. *vi* 1. (*request information*) perguntar; **to ~ after sb** querer saber de alguém 2. (*make request*) requerer
♦ **ask for** *vt* pedir; **to ~ for sb** perguntar por alguém; **to ~ trouble** procurar encrenca; **you ~ed for it!** você pediu!
asleep [ə'sliːp] *adj pred* adormecido, -a; **to fall ~** adormecer
asparagus [ə'spergəs, *Brit:* -'spær-] *n* aspargo *m*
ASPCA *n Am abbr of* **American Society for the Prevention of Cruelty to Animals** ASPCA *f* (*Associação Americana de Prevenção à Crueldade com os Animais*)
aspect ['æspekt] *n* 1. (*point of view*) ponto *m* de vista 2. (*appearance*) aspecto *m*
asphalt ['æsfɑːlt, *Brit:* -fælt] *n* asfalto *m*
asphyxiate [əs'fɪksɪeɪt] *vi form* asfixiar
aspiration [,æspə'reɪʃn] *n* aspiração *f*
aspire [ə'spaɪər, *Brit:* ə'spaɪəʳ] *vi* **to ~ to sth** aspirar a a. c.
aspirin® ['æsprɪn] *n no pl* aspirina *f*
aspiring [ə'spaɪərɪŋ] *adj* aspirante
ass [æs] <-es> *n* 1. *Am, vulg* (*bottom*) bunda *f* 2. (*donkey*) asno *m* 3. *inf* (*person*) burro, -a *m, f*; **to make an ~ of oneself** fazer papel de idiota
assail [ə'seɪl] *vt* atacar, agredir
assailant *n* agressor(a) *m(f)*
assassin [ə'sæsən, *Brit:* -ɪn] *n* assassino, -a *m, f*

assassinate [ə'sæsɪneɪt] *vt* assassinar
assassination [ə,sæsɪ'neɪʃn] *n no pl* assassinato *m*
assault [ə'sɔːlt] I. *n* agressão *f*, ataque *m*; (*sexual*) estupro *m*; **verbal ~** agressão verbal II. *vt* atacar, agredir; (*sexually*) estuprar
assemble [ə'sembl] I. *vi* reunir-se II. *vt* 1. (*gather*) reunir 2. (*put together*) montar
assembly [ə'semblɪ] <-ies> *n* 1. (*gathering*) reunião *f* 2. (*of parts, a model*) montagem *f*; **~ required** requer montagem
assembly line *n* linha *f* de montagem
assent [ə'sent] I. *n no pl, form* consentimento *m* II. *vi* **to ~ to sth** consentir com a. c.
assert [ə'sɜːrt, *Brit:* -'sɜːt] *vt* afirmar; **to ~ oneself** impor-se
assertion [ə'sɜːrʃn, *Brit:* -'sɜːʃn-] *n* afirmação *f*
assertive [ə'sɜːrtɪv, *Brit:* -'sɜːtɪv] *adj* decidido, -a, firme
assess [ə'ses] *vt* avaliar
assessment *n* avaliação *f*
assessor [ə'sesər, *Brit:* -əʳ] *n* assessor(a) *m(f)*
asset ['æset] *n* 1. (*benefit*) vantagem *f*, trunfo *m*; **to be an ~ to sb/sth** ser de grande valor para alguém/a. c. 2. **~s** *pl* FIN ativo *m*, bens *mpl*
assign [ə'saɪn] *vt* designar; **to be ~ed to sb** ser designado a alguém; **to ~ sb to a position** designar alguém para um cargo
assignment *n* atribuição *f*; (*as homework*) trabalho *m* de casa; (*job*) indicação *f*; **to send sb on an ~** mandar alguém em uma missão
assimilate [ə'sɪməleɪt] *vt* assimilar
assist [ə'sɪst] *vt*, *vi* ajudar, auxiliar; **to ~ (sb) in doing sth** prestar auxílio (a alguém) para fazer a. c.; **to ~ (sb) with sth** auxiliar (alguém) com a. c.
assistance [ə'sɪstəns] *n no pl* auxílio *m*; **to be of ~** poder ajudar
assistant [ə'sɪstənt] *n* auxiliar *mf*, ajudante *mf*
associate¹ [ə'soʊʃɪt, *Brit:* -'səʊʃɪət] *n* sócio, -a *m, f*; **business ~** sócio, -a *m, f* comercial
associate² [ə'soʊʃɪeɪt, *Brit:* -'səʊ-] I. *vt* associar; **to ~ oneself with sth** associar-se a a. c.; **to ~ sb with sb/sth** associar alguém a alguém/a. c. II. *vi*

associar-se; to ~ with sth associar-se a a. c.

association [əˌsoʊsiˈeɪʃn, Brit: -ˌsəʊ-] n associação f

assorted [əˈsɔːrtɪd, Brit: -ˈsɔːt-] adj sortido, -a

assortment [əˈsɔːrtmənt, Brit: -ˈsɔːt-] n sortimento m; **an ~ of sth** um sortimento de a. c.

assume [əˈsuːm, Brit: -ˈsjuːm] vt 1. (regard as true) pressupor 2. (power) assumir

assumed [əˈsuːmd, Brit: əˈsjuːmd] adj suposto, -a; **an ~ name** um suposto nome

assumption [əˈsʌmpʃn] n suposição f; **to act on the ~ that ...** agir pressupondo que ...

assurance [əˈʃʊrns, Brit: -ˈʃʊər-] n 1. (self-confidence) segurança f 2. (promise) garantia f; **an ~ of sth** uma garantia de a. c.; **to give sb ~ that ...** dar garantia a alguém de que ... 3. Brit FIN seguro m de vida

assure [əˈʃʊr, Brit: -ˈʃʊər] vt 1. (guarantee) garantir 2. (promise) **to ~ sb of sth** assegurar alguém de a. c.

assured adj seguro, -a

asterisk [ˈæstərɪsk] n asterisco m

asteroid [ˈæstərɔɪd] n asteróide m

asthma [ˈæzmə, Brit: ˈæs-] n no pl asma f

astonish [əˈstɑːnɪʃ, Brit: -ˈstɒn-] vt assombrar; **to be ~ed** estar perplexo

astonishing adj assombroso, -a, extraordinário, -a

astonishment n no pl assombro m; **to her ~** para seu grande espanto; **~ over sth** perplexidade com a. c.

astound [əˈstaʊnd] vt estarrecer; **to be ~ed** estar estarrecido

astounding adj estarrecedor(a)

astray [əˈstreɪ] adv **to go ~** extraviar-se; **to lead sb ~** desencaminhar alguém

astrologer [əˈstrɑːlədʒər, Brit: -ˈstrɒlədʒə] n astrólogo, -a m, f

astrology [əˈstrɑːlədʒi, Brit: -ˈstrɒl-] n no pl astrologia f

astronaut [ˈæstrənɑːt, Brit: -nɔːt] n astronauta mf

astronomer [əˈstrɑːnəmər, Brit: -ˈstrɒnəmə] n astrônomo, -a m, f

astronomical [ˌæstrəˈnɑːmɪkl, Brit: -ˈnɒm-] adj a. fig astronômico, -a

astronomy [əˈstrɑːnəmi, Brit: -ˈstrɒn-] n no pl astronomia f

astute [əˈstuːt, Brit: -tjuːt] adj astuto, -a

asylum [əˈsaɪləm] n (political) asilo m; (mental) ~ manicômio m

at¹ [ət] prep 1. (place) em; **~ home** em casa; **~ school** na escola; **~ the table** à mesa; **~ the window** à janela; **~ the top/bottom** na parte de cima/baixo 2. (time) **~ Easter** na Páscoa; **~ night** à noite; **~ once** imediatamente; **~ all once** de repente; **~ present** neste momento; **~ three o'clock** às três horas; **~ the same time** simultaneamente 3. (towards) **to laugh ~ sb** rir de alguém; **to look ~ sth** olhar para a. c.; **to point ~ sb** apontar para alguém 4. (in reaction to) **~ sb's request** a pedido de alguém; **to be astonished ~ sth** estar estarrecido com a. c.; **to be mad ~ sb** ficar zangado com alguém 5. (in amount of) **~ 120 km/h** a 120 km/h 6. (in state of) **~ 20** aos 20 (anos); **~ best** na melhor das hipóteses; **~ first** no início; **~ least** pelo menos; **to be ~ a loss** estar sem saber; **I feel ~ ease** me sinto à vontade; **to be ~ war/peace** estar em guerra/paz; **to be ~ play** estar brincando 7. (in ability to) **to be good ~ English/math** ser bom em inglês/matemática 8. **not ~ all!** de modo algum!; **to hardly do sth ~ all** fazer bem pouco

at² [ɑːt, æt] n INFOR arroba f

ate [eɪt, Brit: et] pt of **eat**

atheism [ˈeɪθiɪzəm] n no pl ateísmo m

atheist [ˈeɪθiɪst] n ateu, -éia m, f

Athens [ˈæθənz] n Atenas f

athlete [ˈæθliːt] n atleta mf

athletic [æθˈletɪk, Brit: -ˈlet-] adj atlético, -a

athletics npl atletismo m

Atlantic [ətˈlæntɪk, Brit: -tɪk] I. n no pl **the ~ (Ocean)** o (Oceano) Atlântico II. adj atlântico, -a

atlas [ˈætləs] <-es> n atlas m inv

ATM [ˌeɪtiːˈem] n abbr of **automated teller machine** caixa m eletrônico

atmosphere [ˈætməsfɪr, Brit: -fɪə] n atmosfera f

atom [ˈætəm, Brit: ˈæt-] n átomo m

atomic [əˈtɑːmɪk, Brit: -ˈtɒm-] adj atômico, -a

atomic bomb n bomba f atômica

atomic energy n energia f atômica

atone [əˈtoʊn, Brit: -ˈtəʊn] vi redimir-se; **to ~ for sth** reparar a. c.

atrocious [əˈtroʊʃəs, *Brit:* -ˈtrəʊ-] *adj* atroz

atrocity [əˈtrɑːsəti, *Brit:* -ˈtrɒs-] <-ies> *n* atrocidade *f*

at-sign *n* INFOR arroba *f*

attach [əˈtætʃ] *vt* **1.** (*fix*) anexar; (*label*) colar; **to be ~ed to sb** estar grudado em alguém; **to ~ oneself to sb** grudar-se em alguém; **to ~ importance to sth** dar importância a a. c. **2.** INFOR anexar

attaché [ˌætəˈʃeɪ, *Brit:* əˈtæʃeɪ] *n* adido, -a *m, f*

attachment [əˈtætʃmənt] *n* **1.** (*device*) acessório *m*; **an ~ to sth** um apego a a. c.; (*document*) documento *m* em anexo **2.** INFOR arquivo *m* em anexo

attack [əˈtæk] **I.** *n* ataque *m*; **an ~ on sb/sth** um ataque a alguém/a. c.; **to be on the ~** estar no ataque; **to come under ~** ser atacado **II.** *vt* atacar; **to ~ sb for sth** atacar alguém para a. c.; (*problem*) enfrentar

attain [əˈteɪn] *vt form* obter; (*independence*) conquistar

attempt [əˈtempt] **I.** *n* tentativa *f*; **to make an ~ at doing sth** esforçar-se para fazer a. c. **II.** *vt* tentar; **to ~ to do sth** tentar fazer a. c.

attend [əˈtend] **I.** *vt* (*school, class*) assistir a; (*wedding, party*) estar presente a; (*meeting, conference*) comparecer a; (*take care of*) cuidar de **II.** *vi* **to ~ to sth** comparecer a a. c.

attendance [əˈtendəns] *n* **1.** *no pl* (*sb's presence*) presença *f*, comparecimento *m*; **in ~** estar presente **2.** (*number of people*) freqüência *f*; **good ~** uma boa freqüência (de pessoas)

attendant [əˈtendənt] *n* encarregado, -a *m, f*, atendente *mf*

attention [əˈtenʃn] *n no pl* atenção *f*; **for the ~ of** *form* aos cuidados de; **to pay ~ to sth/sb** prestar atenção a a. c./alguém; **~!** MIL atenção!

attentive [əˈtentɪv, *Brit:* -tɪv] *adj* atento, -a, atencioso, -a

attest [əˈtest] **I.** *vt* atestar **II.** *vi* **to ~ to sth** atestar a. c.

attic [ˈætɪk, *Brit:* ˈæt-] *n* sótão *m*

attitude [ˈætətuːd, *Brit:* ˈætɪtjuːd] *n* atitude *f*, postura *f*

attorney [əˈtɜːrni, *Brit:* -ˈtɜːni] *n Am* advogado, -a *m, f*

attract [əˈtrækt] *vt* atrair; **to be ~ed by sth/sb** ser atraído por a. c./alguém

attraction [əˈtrækʃn] *n* **1.** (*for tourists*) atração *f* **2.** *no pl* (*appeal*) encanto *m*

attractive [əˈtræktɪv] *adj* atraente, encantador(a)

attribute¹ [əˈtrɪbjuːt] *vt* atribuir; **to ~ the blame to sb** atribuir a culpa a alguém; **to ~ importance to sth** atribuir importância a a. c.

attribute² [ˈætrɪbjuːt] *n* atributo *m*

aubergine [ˈoʊbərʒiːn, *Brit:* ˈəʊbə-] *n Brit* (*eggplant*) berinjela *f*

auburn [ˈɑːbərn, *Brit:* ˈɔːbən] *adj* castanho avermelhado, castanha avermelhada

auction [ˈɑːkʃn, *Brit:* ˈɔːkʃn] **I.** *n* leilão *m*; **to put sth up for ~** pôr a. c. em leilão **II.** *vt* **to ~ sth (off)** leiloar a. c.

audacious [ɑːˈdeɪʃəs, *Brit:* ɔː-] *adj* audacioso, -a

audacity [ɑːˈdæsəti, *Brit:* ɔːˈdæsəti] *n no pl* audácia *f*

audible [ˈɑːdəbl, *Brit:* ˈɔː-] *adj* audível

audience [ˈɑːdiəns, *Brit:* ˈɔː-] *n* **1.** (*spectators*) público *m*, espectadores *mpl* **2.** (*interview*) audiência *f*

audio [ˌɑːdioʊ, *Brit:* ˈɔːdɪəʊ] *adj inv* de áudio; *inv*

audit [ˈɑːdɪt, *Brit:* ˈɔː-] *vt* FIN fazer uma auditoria

audition [ɑːˈdɪʃn, *Brit:* ɔː-] *n* audição *f*

auditor [ˈɑːdətər, *Brit:* ˈɔːdɪtəʳ] *n* COM auditor(a) *m(f)*

auditorium [ˌɑːdəˈtɔːriəm, *Brit:* ˌɔːdɪ-] <-s *o* auditoria> *n* auditório *m*

aughties [ˈɑːtiz, *Brit:* ˈɔːtiz] *npl* SOCIOL **the ~** os anos 00

augment [ɑːgˈment, *Brit:* ɔːgˈ-] *vt form* acrescer

August [ˈɑːgəst, *Brit:* ˈɔː-] *n* agosto *m*; *s.a.* **March**

aunt [ænt, *Brit:* ɑːnt] *n* tia *f*

au pair [oʊˈper, *Brit:* ˌəʊˈpeəʳ] *n* moça geralmente estrangeira que ajuda nos serviços domésticos e nos cuidados das crianças em troca de casa e comida

aura [ˈɔːrə] *n* aura *f*

auspices [ˈɑːspɪsɪz, *Brit:* ˈɔː-] *n pl* auspícios *mpl*; **under the ~ of** sob os auspícios de

austere [ɑːˈstɪr, *Brit:* ɔːˈstɪəʳ] *adj* austero, -a

austerity [ɑːˈsterəti, *Brit:* ɔːˈsterəti] <-ies> *n* austeridade *f*

Australia [ɑːˈstreɪlʒə, *Brit:* ɒˈstreɪlɪə] *n* Austrália *f*

> **Culture** O **Australia Day**, 26 de janeiro, é o dia da fundação da primeira colônia britânica em Sydney Cove em 1788. Para os **Aborigines**, os primeiros habitantes da Austrália, é o dia da invasão do seu país. Neste dia há diversos eventos multiculturais que costumam reunir australianos de todas as origens.

Australian *adj, n* australiano, -a
Austria ['ɒstriə, *Brit:* 'ɒs-] *n* Áustria *f*
Austrian *adj, n* austríaco, -a
authentic [ɑːˈθentɪk, *Brit:* ɔːˈθentɪk] *adj* autêntico, -a
authenticity [ˌɑːθənˈtɪsəti, *Brit:* ˌɔːθənˈtɪsəti] *n no pl* autenticidade *f*
author ['ɑːθər, *Brit:* 'ɔːθə'] *n* autor, -a *m, f; fig* criador(a) *m(f)*
authoritarian [əˌθɔːrəˈteriən, *Brit:* ɔːˌθɒrɪˈteərˈ] *adj* autoritário, -a
authoritative [əˈθɔːrəteɪtɪv, *Brit:* ɔːˈθɒrɪtətɪv] *adj* (*book, account*) fidedigno, -a; (*assertive: person, manner*) autoritário, -a
authority [əˈθɔːrəti, *Brit:* ɔːˈθɒrəti] <-ies> *n* **1.** *no pl* (*power*) autoridade *f;* **to be in ~** ter autoridade **2.** *no pl* (*permission*) autorização *f;* **to have the ~ to do sth** estar autorizado a fazer a. c. **3.** (*knowledge*) **to be an ~ on sth** ser uma autoridade em a. c.
authorization [ˌɑːθərɪˈzeɪʃn, *Brit:* ˌɔːθəraɪ-] *n no pl* autorização *f*
authorize ['ɑːθəraɪz, *Brit:* 'ɔː-] *vt* autorizar; **to ~ sb to do sth** autorizar alguém a fazer a. c.
authorship *n no pl* autoria *f*
autistic [ɔːˈtɪstɪk] *adj* autista
auto ['ɑːtou, *Brit:* 'ɔːtəʊ] *n Am* carro *m*
autobiographical [ˌɑːtəbaɪəˈɡræfɪkl, *Brit:* ˌɔːt-] *adj* autobiográfico, -a
autobiography [ˌɑːtəbaɪˈɑːɡrəfi, *Brit:* ˌɔːtəbaɪˈɒɡ-] *n* autobiografia *f*
autocratic [ˌɑːtəˈkrætɪk, *Brit:* ˌɔːtəˈkræt-] *adj* autocrático, -a
autograph ['ɑːtəɡræf, *Brit:* 'ɔːtəɡrɑːf] *n* autógrafo *m*
automate ['ɑːtəmeɪt, *Brit:* 'ɔːtə-] *vt* automatizar
automated *adj* automatizado, -a
automatic [ˌɑːtəˈmætɪk, *Brit:* ˌɔːtəˈmæt-] **I.** *n* automático *m;* (*gun*) automática *f* **II.** *adj* automático, -a
automation [ˌɑːtəˈmeɪʃn, *Brit:* ˌɔːtə-] *n no pl* automação *f*
automobile ['ɑːtəmoʊbiːl, *Brit:* 'ɔːtəmə-] *n esp Am* automóvel *m*
automotive [ˌɑːtəˈmoʊtɪv, *Brit:* ˌɔːtəˈməʊt-] *adj inv* automotivo, -a
autonomous [ɑːˈtɑːnəməs, *Brit:* ɔːˈtɒn-] *adj* autônomo, -a; **to be ~ of sth** não depender de a. c.
autonomy [ɑːˈtɑːnəmi, *Brit:* ɔːˈtɒn-] *n no pl* autonomia *f*
autopsy ['ɑːtɑːpsi, *Brit:* 'ɔːtɒp-] <-ies> *n* autópsia *f*
autumn ['ɑːtəm, *Brit:* 'ɔː-] *n esp Brit* outono *m*
auxiliary [ɑːɡˈzɪljri, *Brit:* ɔːɡˈzɪliəri] <-ies> *adj* auxiliar
avail [əˈveɪl] **I.** *n* **to no ~** em vão **II.** *vt* **to ~ oneself of sth** valer-se de a. c.
available [əˈveɪləbl] *adj* **1.** (*thing*) disponível, acessível; **not ~** que não se encontra; **to make sth ~ to sb** pôr a. c. ao alcance de alguém **2.** (*person*) **to be ~ to do sth** [*o* **for sth**] estar livre para fazer a. c.; (*on the phone*) **I'm afraid she's not ~. should I ask her to call you back?** sinto, mas ela não se encontra. quer que eu peça para ela retornar a ligação?
avalanche ['ævəlæntʃ, *Brit:* -ɑːnʃ] *n a. fig* avalanche *f*
avant-garde [ˌɑːvɑːntˈɡɑːrd, *Brit:* ˌævɒŋˈɡɑːd] *adj* de vanguarda
Ave. [æv] *n abbr of* **avenue** Av. *f*
avenge [əˈvendʒ] *vt* vingar
avenue ['ævənuː, *Brit:* -njuː] *n* avenida *f*
average ['ævərɪdʒ] **I.** *n* média *f;* **on ~** em média **II.** *adj* **1.** MAT médio, -a **2.** (*mediocre*) mediano, -a **III.** *vt* **1.** (*have value*) ter em média **2.** (*calculate value of*) tirar a média de
♦ **average out** *vt* (*calculate value of*) tirar a média de; (*have value*) ter em média
averse [-ˈvɜːrs, *Brit:* əˈvɜːs] *adj* **to be ~ to sth** ser avesso a a. c.
aversion [əˈvɜːrʒn, *Brit:* -ˈvɜːʃn] *n* aversão *f;* **an ~ to sth** uma aversão por a. c.
avert [əˈvɜːrt, *Brit:* -ˈvɜːt] *vt* prevenir; (*crisis*) evitar; (*turn away*) desviar; **to ~ one's eyes** desviar o olhar
aviation [ˌeɪviˈeɪʃn] *n no pl* aviação *f*
avid ['ævɪd] *adj* ávido, -a
avocado [ˌævəˈkɑːdoʊ, *Brit:* -dəʊ] <-s *o* -es> *n* abacate *m*

avoid [əˈvɔɪd] *vt* evitar; **to ~ doing sth** evitar fazer a. c.

avoidance *n no pl* evasão *f*

await [əˈweɪt] *vt* aguardar

awake [əˈweɪk] <awoke, awoken *o Am also:* -d, awoken> **I.** *vi* despertar **II.** *adj* desperto, -a; **to be ~ to sth** *fig* estar atento a a. c.

award [əˈwɔːrd, *Brit:* -ˈwɔːd] **I.** *n* **1.**(*for winning sth*) prêmio *m*; (*for accomplishment*) condecoração *f*; LAW (*by court*) indenização *f*; UNIV (*scholarship*) bolsa *f* de estudos **2.**(*reward*) recompensa *f* **II.** *vt* conceder; **to ~ sb a grant** dar uma bolsa a alguém

aware [əˈwer, *Brit:* -ˈweə] *adj* **to be ~ of sth** estar ciente de a. c.; **as far as I'm ~ ...** ao que me consta ...; **not that I'm ~ of** não que eu saiba

awareness *n no pl* consciência *f*

away [əˈweɪ] *adv* **1.**(*distant*) **10 km ~** a 10 km (de distância); **a long way ~** longe; **as far ~ as possible** o mais longe possível; **to stay ~ from sb** ficar longe de alguém **2.**(*absent*) fora; **to be ~ on vacation** estar de férias **3.**(*in future time*) **to be only a week ~** daqui a apenas uma semana; **right ~!** agora mesmo! **4.**(*continuing on*) **to sing/work/chatter ~** cantar/trabalhar/conversar sem parar

awe [ɑː, *Brit:* ɔː] *n no pl* admiração *f*, assombro *m*

awesome [ˈɑːsəm, *Brit:* ˈɔː-] *adj* aterrador(a), impressionante

awful [ˈɑːfl, *Brit:* ˈɔː-] *adj* terrível; **an ~ lot** muito

awfully *adv* terrivelmente; **~ clever** extremamente inteligente; **I'm ~ sorry** sinto muitíssimo

awkward [ˈɑːkwərd, *Brit:* ˈɔːkwəd] *adj* **1.**(*difficult: person, customer*) difícil de lidar **2.**(*embarrassing: situation, question, silence*) constrangedor(a), delicado(a) **3.**(*clumsy: person*) estabanado, -a; (*sentence, speech*) desastrado, -a

awoke [əˈwouk, *Brit:* -ˈwəuk] *pt of* **awake**

awoken [əˈwoukən, *Brit:* əˈwəu-] *pp of* **awake**

awry [əˈraɪ] *adj* **to go ~** dar errado

ax *n Am*, **axe** [æks] *n* machado *m*; **to get the ~** *fig* ser despedido; **to have an ~ to grind** *fig* ter um interesse pessoal

axiom [ˈæksiəm] *n form* axioma *m*

axis [ˈæksɪs] *n* eixo *m*

axle [ˈæksl] *n* eixo *m*

Azerbaijan [ˌɑːzərbaɪˈdʒɑːn, *Brit:* ˌæzəb-] *n* Azerbaijão *m*

Azerbaijani *adj, n* azerbaijano, -a

Aztec [ˈæztek] *adj, n* asteca

B

B, b [biː] *n* **1.**(*letter*) b *m*; **~ as in Baker** *Am*, **~ for Benjamin** *Brit* b de bola **2.** MUS si *m*

B & B [ˌbiːəndˈbiː] *n s.* **bed and breakfast** pensão *f* de família

BA [ˌbiːˈeɪ] *n abbr of* **Bachelor of Arts** bacharel *m* (em Filosofia e Ciências Humanas)

baa [bæ, *Brit:* bɑː] <-ed> *vi* balir

babble [ˈbæbl] **I.** *n no pl* murmúrio *m* **II.** *vi* (*person*) balbuciar; (*brook*) rumorejar

baboon [bæbˈuːn, *Brit:* bəˈbuːn] *n* babuíno *m*

baby [ˈbeɪbi] <-ies> *n* **1.**(*human*) bebê *m*, nenê *m*; **~ boy/girl** um menino/uma menina; (*animal*) filhote *m* **2.** *esp Am* (*term of endearment*) meu amor *m*

baby food *n no pl* comida *f* de bebê

babysit [ˈbeɪbɪˌsɪt] <-tt-, *irr*> *vi* tomar conta de crianças; **to ~ for sb** tomar conta das crianças de alguém

babysitter *n* baby-sitter *mf*, babá *f* **baby tooth** *n* dente *m* de leite

bachelor [ˈbætʃələr, *Brit:* -əʳ] *n* **1.**(*man*) solteiro *m* **2.** UNIV **Bachelor of Arts/Science** bacharel *m* em Ciências Humanas/Ciências Biológicas

> **Culture** O **Bachelor's degree** é o título dado aos estudantes ao concluírem alguns cursos universitários de três anos (às vezes, de quatro a cinco anos). Este título tem um nome diferente de acordo com a área. Os mais importantes são: **BA** (**Bachelor of Arts**) na área de filosofia e ciências humanas, **BSc** (Bache-

lor of Science) na área de ciências biológicas, **BEd** (**Bachelor of Education**) para a área de pedagogia, **LLB** (**Bachelor of Laws**) para os estudantes de Direito e **BMus** (**Bachelor of Music**) para os estudantes de Música.

back [bæk] I. *n* 1.*(opposite of front)* costas *fpl* 2.*(of piece of paper)* verso *m*; *(of chair)* encosto *m*; *(of house, of theater)* fundos *mpl*; *(of room)* fundo *m*; *(of car, of bus)* traseira *f*, parte *f* de trás; *(of crowd)* fim *m*; *(of hand)* dorso *m*; **front to** ~ ao contrário; **to have sth at the ~ of one's mind** ter a. c. em mente; **to know sth like the ~ of one's hand** conhecer a. c. como a palma da mão *inf* 3.*(end: of book)* verso *m* 4. ANAT dorso *m*; *(of animal)* lombo *m*; **to be sb's ~** apoiar alguém; **to do sth behind sb's ~** a. fig fazer a. c. pelas costas de alguém; **to turn one's ~ on sb** a. fig virar as costas a alguém; **to have one's ~ against the wall** fig estar num sufoco; **lie down on your ~** deitar-se de costas 5. SPORTS zagueiro, -a *m*, *f* II. *adj* detrás; *(room, stairs, door, entrance)* dos fundos III. *adv* 1.*(return)* **to be** ~ estar de volta; **to come** ~ voltar; **to want sb** ~ querer que alguém volte; **she waved** ~ **at him** ela acenou de volta para ele 2.*(toward rear)* ~ **and forth** para trás e para frente; **to look** ~ olhar para trás; **on the way** ~ na volta; **to sit** ~ recostar-se na cadeira; **stand** ~, **please** afaste-se, por favor 3.*(time)* ~ **in the sixties** nos anos sessenta; **a few months** ~ alguns meses atrás IV. *vt* *(idea, plan, person)* apoiar
◆ **back down** *vi* desistir
◆ **back off** *vi* afastar-se
◆ **back out** *vi*, *vt* voltar atrás
◆ **back up** *vt* 1.*(driving)* dar marcha a ré 2.*(support)* ajudar, dar apoio 3. INFOR **to ~ data** fazer o backup de dados
backbone *n* coluna *f* vertebral
backer ['bækər, Brit: -ə^r] *n* partidário, -a *m*, *f*
backfire *vi* *(plan)* ter resultado oposto ao que se espera; *(car)* sair gases pelo escapamento; *(gun)* sair o tiro pela culatra

background *n* 1.*(of landscape, picture)* fundo *m*, segundo plano *m*; **The ad had black lettering against a yellow background.** o anúncio tinha letreiro preto sobre um fundo amarelo 2.*(circumstances)* antecedentes *mpl* 3.*(sb's past)* origens *fpl*; **to have a ~ in finance** *(professional experience)* ter experiência em finanças; *(education)* ter formação em finanças
backhand *n no pl* *(in tennis)* revés *m*
backing *n no pl* apoio *m*, respaldo *m*; **to have sb's ~** ter o apoio de alguém
backlash *n* reação *f* forte
backlog *n* trabalho *m* acumulado
backpack *n* mochila *f*
backside *n inf* traseiro *m*
backstage *adv* THEAT nos bastidores
back-to-school [ˌbæktəˈskuːl] *adj inv* *(buying, shopping, merchandise)* de volta às aulas; ~ **sale** promoção de volta às aulas
backup *n* 1.*(support)* apoio *m*, reforço *m* 2. INFOR backup *m*, cópia *f* de segurança
backward ['bækwərd, Brit: -wəd] I. *adj* 1.*(towards back)* para trás 2.*(town, area, attitude)* atrasado, -a; *(person)* retrógrado, -a; *(child)* retardado, -a II. *adv s.* **backwards**
backwards *adv* 1.*(towards back)* para trás; **to go/walk** ~ ir/andar para trás; **she fell over** ~ ela caiu de costas 2.*(in reverse order)* ao contrário; **to do sth all** ~ *(do wrong)* fazer a. c. às avessas
backyard *n Am* quintal *m*; *Brit* *(courtyard)* pátio *m*
bacon ['beɪkən] *n* bacon *m*, toucinho *m* defumado
bacteria [bækˈtɪriə, Brit: -ˈtɪər-] *npl* bactérias *fpl*
bad [bæd] <worse, worst> I. *adj* 1.*(disposition)* mau, má, ruim; **to feel** ~ sentir-se mal; **to feel** ~ **about (doing) sth** sentir-se mal por (ter feito) a. c.; **to look** ~ estar com uma aparência ruim; **how are you?** – **not** ~ como vai você? – tudo bem 2.*(disagreeable)* **to use** ~ **language** dizer palavrões; **in** ~ **taste** de mau gosto; **to have a ~ temper** ter gênio ruim; ~ **times** tempos *mpl* difíceis; **to go from** ~ **to worse** ir de mal a pior; **it's too** ~ **you can't make it** é uma pena que você não possa ir; **iron** azar o seu por não poder ir 3.*(harmful)* prejudicial; **to be ~ for sb** fazer mal a

alguém 4. (*serious: accident*) grave 5. (*incompetent*) **I'm bad at football** sou ruim em futebol 6. (*spoiled*) estragado, -a; **to go ~** estragar 7. MED (*headache*) forte; **to have a ~ heart/back** ter um problema no coração/na coluna; **to have ~ teeth** ter os dentes em mau estado II. *adv Am, inf* **it hurts real ~** dói a valer

badge [bædʒ] *n* crachá *m*, emblema *m*

badger ['bædʒər, *Brit:* -ə'] I. *n* texugo *m* II. *vt* atormentar, importunar

badly <worse, worst> *adv* 1. (*poorly, negatively*) mal; **to think ~ of sb** pensar mal de alguém, julgar mal alguém 2. (*very much*) muito; **to want sth ~** querer muito a. c. 3. (*seriously*) **~ damaged** bastante danificado

badminton ['bædmɪntən] *n no pl* badminton *m*

baffle ['bæfl] *vt* confundir, desconcertar

baffling *adj* confuso, -a; (*mystery, problem, statement*) desconcertante

bag [bæg] *n* 1. (*for shopping, chips, peanuts, etc.*) saco *m*, sacola *f* 2. (*handbag*) bolsa *f*; **shoulder~** bolsa a tiracolo; (*suitcase*) mala *f*; (*traveling bag*) mochila *f*; **to pack one's ~s** a. *fig* fazer a mala; **to have ~s under one's eyes** ter olheiras 3. **~s of** (*lots of*) muito; **to have ~s of money/time** *inf* ter dinheiro/tempo de sobra 4. **old ~** *pej, inf* velha *f* rabugenta

baggage ['bægɪdʒ] *n no pl* bagagem *f*

baggy ['bægi] *adj* largo, -a

baguette *n* baguete *f*

Bahamas [bəˈhɑːməz] *npl* **the ~** as Bahamas

bail [beɪl] I. *n* fiança *f*; **on ~** sob fiança; **to stand ~ for sb** pagar a fiança de alguém II. *vt* **to ~ sb out** (**of jail**) pôr alguém em liberdade sob fiança

bailiff ['beɪlɪf] *n* 1. *Am* (*court official*) oficial *mf* de justiça 2. *esp Brit* (*landlord's agent*) administrador(a) *m(f)* (de propriedades)

bait [beɪt] I. *n* engodo *m*; (*for fish*) isca *f*; **to swallow the ~** *fig* morder a isca II. *vt* 1. **to ~ a trap** preparar uma armadilha 2. (*harass*) acossar, atormentar

bake [beɪk] I. *vi* 1. (*food*) assar, cozinhar no forno 2. *inf* (*be hot*) fazer calor; **to ~ in the sun** torrar-se ao sol II. *vt* assar; (*cake*) fazer

baked beans *n* feijão *cozido com molho de tomate, em geral enlatado*

baked potato *n* batata *f* assada, *servida com manteiga ou sour cream*

baker ['beɪkər, *Brit:* -əʳ] *n* padeiro, -a *m, f*

bakery ['beɪkəri] *n* padaria *f*

baking *adj* **it's ~ hot** está um calor infernal

baking powder *n* fermento *m* em pó

baking soda *n* bicarbonato *m* de sódio

balance ['bæləns] I. *n* 1. *no pl* (*equilibrium*) equilíbrio *m*; **to lose one's ~** perder o equilíbrio 2. FIN balanço *m*; (*difference*) saldo *m* 3. (*scale*) balança *f* II. *vi* **to ~ (out)** equilibrar-se III. *vt* equilibrar; **to ~ sth against sth** ponderar a. c. com a. c.; **to ~ the books** equilibrar o orçamento

balance sheet *n* balancete *m*

balcony ['bælkəni] <-ies> *n* sacada *f*

bald [bɔːld] *adj* careca

bale [beɪl] *n* fardo *m*

bale out *vt* (*withdraw*) **to ~ (of sth)** abandonar (a. c.); **to ~ sb out** (*from jail*) pagar a fiança de alguém

Balearic Islands [ˌbɑːliˈærɪk-, *Brit:* ˌbæliˈ-] *n* **the ~** as Ilhas Baleares

balk [bɔːk] *vi* **to ~ at sth** esquivar-se de a. c.

Balkans ['bɔːlkənz] *n* **the ~** os Bálcãs

ball [bɔːl] *n* 1. SPORTS bola *f*; (*of string, yarn*) novelo *m*; **to play ~** jogar bola; *fig* cooperar; **to be on the ~** *inf* estar ligado 2. (*shape*) esfera *f* 3. (*dance*) baile *m*; **to have a ~** *fig* divertir-se à beça

ballad ['bæləd] *n* balada *f*, canção *f*

ballet [bælˈeɪ] *n* balé *m*

ballet dancer ['bæleɪ-] *n* bailarino, -a *m, f*

balloon [bəˈluːn] *n* balão *m*

ballot ['bælət] *n* 1. (*voting*) votação *f*; **~ box** urna *f* eleitoral; **~ paper** cédula *f* eleitoral

ballpoint (pen) [ˌbɔːlˈpɔɪnt-] *n* caneta *f* esferográfica

ballroom *n* salão *m* de baile

ballroom dancing *n* dança *f* de salão

Baltic ['bɔːltɪk] *n* **the ~ (Sea)** o Mar Báltico

bamboo [bæmˈbuː] *n no pl* bambu *m*

ban [bæn] I. *n* proibição *f*; **a ~ on sth** uma proibição de a. c. II. *vt* <-nn-> proibir

banana [bəˈnænə, *Brit:* -ˈnɑːnə] *n* banana *f*; **~ peel** casca *f* de banana; **to**

go ~**s** *inf* (*mad*) endoidecer
band [bænd] *n* **1.** MUS conjunto *m*, banda *f*; (*of friends*) grupo *m*; (*of robbers*) bando *m* **2.** (*strip: of cloth, metal*) tira *f*; (*ribbon*) fita *f* **3.** (*stripe*) listra *f*
bandage ['bændɪdʒ] *n* atadura *f*
band-aid *n* band-aid *m*; ~ (*solution*) *fig* paliativo
bandit ['bændɪt] *n* bandido, -a *m, f*
bandwagon *n* **to jump on the** ~ *fig* aderir à moda
bang [bæŋ] **I.** *n* (*noise, blow*) estrondo *m*; (*explosion*) explosão *f*; **to go off with a** ~ *fig* ser um estouro **II.** *interj* bum! **III.** *adv inf* (*exactly*) (**smack**) ~ **in the middle** (tapa) bem no meio **2.** (*making noise*) **to go** ~ explodir **IV.** *vi* bater; **to** ~ **on sth** bater em a. c. **V.** *vt* bater (com força)
Bangladesh [bæŋglə'deʃ] *n* Bangladesh *m*
bangs [bæŋz] *npl* franja *f* (de cabelo)
banish ['bænɪʃ] *vt a. fig* banir, exilar
banister(s) ['bænəstər, *Brit:* -ɪstə'] *n* corrimão *m*; **to slide down the** ~(**s**) escorregar pelo corrimão
bank¹ [bæŋk] **I.** *n* **1.** FIN banco *m* **2.** (*storage place*) **blood** ~ banco de sangue **II.** *vi* (*count on*) **to** ~ **on sth** contar com a. c.
bank² [bæŋk] *n* (*of river*) margem *f*; (*of earth*) barranco *m*; (*of fog*) massa *f*
bank account *n* conta *f* bancária
banker ['bæŋkər, *Brit:* -kə'] *n* banqueiro, -a *m, f*
bank holiday *n esp Brit* feriado *m* (nacional)
banking *n no pl* operações *fpl* bancárias; **online/home** ~ operações bancárias on-line/home banking
bank manager *n* gerente *mf* de banco
bankrupt ['bæŋkrʌpt] *adj* **to be** ~ estar falido; **to go** ~ ir à falência
bankruptcy ['bæŋkrəptsi] *n* <-ies> falência *f*
bank statement *n* extrato *m* bancário
banner ['bænər, *Brit:* -ə'] *n* faixa *f*; INFOR banner *m*
banner ad ['bænər,æd, *Brit:* -ə'] *n Am*, **banner advert** *n Brit* INFOR banner *m*
bannister(s) *n(pl) s.* **banister(s)**
banquet ['bæŋkwət, *Brit:* -kwɪt] *n* banquete *m*
banter ['bæntər, *Brit:* -tə'] *n* zombaria *f*
baptise [bæp'taɪz] *vt Aus, Brit s.* **baptize**
baptism ['bæptɪzəm] *n* batismo *m*
Baptist ['bæptɪst] *n* batista *mf*
baptize [bæp'taɪz, *Brit:* bæp'-] *vt* batizar
bar [bɑːr, *Brit:* bɑː'] **I.** *n* **1.** (*of metal, gold, wood, of chocolate*) barra *f*; (*of cage, prison*) grade *f*; (*of soap*) sabonete *m*; **to be behind** ~**s** *inf* estar atrás das grades **2.** (*place to drink*) bar *m*; (*counter*) balcão *m* **3.** LAW ordem *m* dos advogados **II.** *vt* <-rr-> **1.** (*fasten: door, window*) trancar **2.** (*obstruct*) barrar **3.** (*prohibit*) proibir; **to** ~ **sb from sth** [*o* **from doing sth**] proibir alguém de fazer e. a. c. **III.** *prep* exceto; ~ **none** sem exceção
barb [bɑːrb, *Brit:* bɑːb] *n* farpa *f*
Barbados [bɑːr'beɪdoʊs, *Brit:* bɑː'beɪdɒs] *n* Barbados *m*
barbarian [bɑːr'beriən, *Brit:* bɑː'beə'-] *n* bárbaro, -a *m, f*
barbaric [bɑːr'berɪk, *Brit:* bɑː'bær-] *adj*, **barbarous** ['bɑːrbərəs, *Brit:* 'bɑːb-] *adj* bárbaro, -a
barbecue ['bɑːrbɪkjuː, *Brit:* 'bɑːb-] *n* (*grill*) churrasqueira *f*, grelha *f*; (*event, meat*) churrasco *m*
barbed wire [bɑːrbd-, *Brit:* bɑːbd-] *n* arame *m* farpado
barber ['bɑːrbər, *Brit:* 'bɑːbə'] *n* barbeiro *m*
bare [ber, *Brit:* beə'] **I.** *adj* **1.** (*naked*) nu(a); (*uncovered*) descoberto, -a; **with one's** ~ **hands** com as próprias mãos; **to fight with one's** ~ **hands** lutar desarmado; **to tell sb the** ~ **facts** dizer a alguém a pura verdade; **the** ~ **minimum** o estritamente necessário **2.** (*empty: cupboard, fridge*) vazio, -a; (*tree*) desfolhado, -a **II.** *vt* **to** ~ **one's heart to sb** abrir o coração com alguém
barely *adv* mal
bargain ['bɑːrɡɪn, *Brit:* 'bɑːɡ-] **I.** *n* **1.** (*agreement*) trato *m*; **to drive a hard** ~ saber barganhar; **to strike a** ~ fazer um trato; **into the** ~ de quebra **2.** (*item bought*) pechincha *f*; **this armchair was a real** ~ esta poltrona foi uma verdadeira pechincha; (*good value*); **a** ~ **on shoes/a sweater** sapatos/suéter a um bom preço **II.** *vi* (*rates*) negociar; (*prices*) pechinchar

♦ **bargain for** *vi* pechinchar; **to get more than one bargained for** ser mais do que se esperava

barge [bɑːrdʒ, *Brit:* bɑːdʒ] *n* barcaça *f*
♦ **barge in** *vi* intrometer-se; **to ~ in on sb** intrometer-se na conversa de alguém
baritone ['berətoʊn, *Brit:* 'bærɪtəʊn] *n* barítono *m*
bark[1] [bɑːrk, *Brit:* bɑːk] **I.** *n* (*of dog*) latido *m*; **his ~ is worse than his bite** cão que ladra não morde *prov* **II.** *vi* latir
bark[2] *n* no pl (*of tree*) casca *f*
barkeeper *n esp Brit s.* **bartender**
barley ['bɑːrli, *Brit:* 'bɑːlli] *n* no pl cevada *f*
barmaid ['bɑːrmeɪd, *Brit:* 'bɑːm-] *n* mulher *f* que serve e/ou prepara bebidas nos bares
barman ['bɑːrmən, *Brit:* 'bɑːm-] *n* <-men> barman *m* (*aquele que serve e/ou prepara bebidas nos bares*)
barn [bɑːrn, *Brit:* bɑːn] *n* celeiro *m*
barometer [bə'rɑːmətər, *Brit:* -'rɒmɪtər] *n* barômetro *m*
baron ['berən, *Brit:* 'bær-] *n* barão *m*
baroness ['berənəs, *Brit:* 'bærənɪs] *n* baronesa *f*
baroque [bə'roʊk, *Brit:* -'rɒk] *adj* barroco, -a
barracks ['berəks, *Brit:* 'bær-] *n* + *sing/pl vb* quartel *m*
barrage [bə'rɑːʒ, *Brit:* 'bærɑːʒ] *n* MIL barragem *f*; (*of questions*) enxurrada *f*
barrel ['berəl, *Brit:* 'bær-] *n* **1.** (*container*) barril *m* **2.** (*of gun*) cano *m*
barren ['berən, *Brit:* 'bær-] *adj* (*land, tree, plant*) árido, -a, improdutivo, -a; (*animal*) estéril
barricade [,berə'keɪd, *Brit:* ,bærɪ'-] **I.** *n* barricada *f* **II.** *vt* **to ~ oneself/sb in** entrincheirar(-se)/alguém
barrier ['beriər, *Brit:* 'bæriər] *n* barreira *f*
barrier reef *n* recife *m*
barring *prep* exceto; **~ complications** a menos que haja complicações
barrister ['berɪstər, *Brit:* 'bærɪstər] *n esp Aus, Brit* advogado, -a *m, f*
barrow ['beroʊ, *Brit:* 'bærəʊ] *n* (*wheelbarrow*) carrinho *m* de mão
bartender ['bɑːrtendər, *Brit:* 'bɑːtendər] *n esp Am*: (*pessoa que serve e/ou prepara bebidas nos bares*)
barter ['bɑːrtər, *Brit:* 'bɑːtər] *vt* **to ~ sth for sth** trocar a. c. por a. c.
base [beɪs] **I.** *n* **1.** (*of vase, statue, cliff*) base *f*, fundo *m* **2.** (*main ingredient*) ingrediente *m* principal **3.** MIL, CHEM base *f* **II.** *vt* basear; **to be ~d on** ser baseado em

baseball *n* beisebol *m*
basement *n* porão *m*
bash [bæʃ] *vt* dar uma forte pancada; **he ~ed his head against the door frame** ele bateu a cabeça com força no batente da porta
bashful *adj* tímido, -a, acanhado, -a
basic ['beɪsɪk] **I.** *adj* básico, -a, fundamental **II.** *n* **the ~s** o básico; **to get back to the basics** voltar ao essencial
basically *adv* basicamente, fundamentalmente
basil ['beɪzəl, *Brit:* 'bæzəl] *n* manjericão *m*
basin ['beɪsn] *n* (*container*) *a.* GEO bacia *f*; (*sink*) pia *f*
basis ['beɪsɪs] *n* <bases> base *f*; **on a weekly ~** semanalmente; **on a trial ~** em caráter experimental; **to be the ~ for sth** ser a base para a. c.
bask [bæsk, *Brit:* bɑːsk] *vi* **to ~ in the sun** tomar sol
basket ['bæskət, *Brit:* 'bɑːskɪt] *n* cesto *m*; SPORTS cesta *f*
basketball ['bæskətbɔːl, *Brit:* 'bɑːskɪt-] *n* basquete *m*
Basque [bæsk] *adj* basco, -a; **~ Country** País *m* Basco
bass[1] [beɪs] *n* (*voice, electrical*) baixo *m*; (*instrument*) contrabaixo *m*; (*guitar*) baixo *m*; (*sound*) grave *m*
bass[2] [bæs] *n* (*fish*) badejo *m*
bastard ['bæstərd, *Brit:* 'bɑːstəd] *n pej, inf* canalha *mf*
bat[1] [bæt] *n* ZOOL morcego *m*; **to be as blind as a ~** ser cego com uma toupeira
bat[2] **I.** *n* (*baseball*) taco; **I can't think of anything off the ~** *fig* não consigo lembrar nada assim de cara **II.** *vi* SPORTS rebater **III.** *vt* <-tt-> **to ~ one's eyelashes** pestanejar; **she didn't ~ an eyelash** ela nem pestanejou
batch [bætʃ] *n* <-es> (*of cookies, etc*) fornada *f*; COM, INFOR lote *m*
bath [bæθ, *Brit:* bɑːθ] *n* **1.** (*bathtub*) banheira *f*; (*bathroom*) banheiro *m* **2.** (*action*) banho *m*; **to take a ~** tomar banho
bathe [beɪð] **I.** *vi* tomar banho; (*in lake*) banhar-se **II.** *vt* (*wound, eyes*) lavar; (*person, animal*) dar banho; **to be ~d in sweat** estar banhado de suor
bathing cap *n* touca *f* de banho **bathing suit** *n esp Am* maiô *m*
bathroom *n* banheiro *m*; **to go to the ~**

Am ir ao banheiro **bathtub** *n* banheira *f*

baton [bəˈtɑːn, *Brit:* ˈbætn] *n* MUS batuta *f*; (*of policeman*) cassetete *m*; SPORTS bastão *m*

battalion [bəˈtæljən, *Brit:* -iən] *n* batalhão *m*

batter [ˈbætər, *Brit:* -tər] I. *n* 1. GASTR (*for fried food, for cake, pancake*) massa *f* 2. *Am* SPORTS batedor(a) *m(f)* II. *vt* 1. (*assault*) surrar, espancar 2. (*hit*) bater 3. GASTR sovar

battered [ˈbætərd, *Brit:* -təd] *adj* 1. (*person*) espancado, -a; ~ **wife/child** mulher/criança vítima da violência 2. (*object*) surrado, -a, desgastado, -a

battering *n* espancamento *m*; SPORTS surra *f*

battery [ˈbætəri, *Brit:* ˈbæt-] <-ies> *f* 1. (*for radio, flashlight*) pilha *f*; (*for car*) bateria *f* 2. (*large number*) série *f*; **a ~ of questions** uma série de perguntas

battle [ˈbætl, *Brit:* ˈbætl] I. *n* MIL batalha *f*; (*struggle*) luta *f*; **to fight a losing ~** *fig* dar murro em ponta de faca II. *vi* combater, lutar; **to ~ with sb/over sth** entrar em conflito com alguém/por a. c.

♦ **battle out** *vt* **to ~ sth out** lutar pau a pau por a. c.

battle cry *n* grito *m* de guerra **battlefield** *n* campo *m* de batalha **battleground** *n* campo *m* de batalha

battleship *n* encouraçado *m*

bawl [bɔːl, *Brit:* bɔːl] *vi* (*cry*) chorar; (*yell at*) berrar; **to ~ at sb** berrar com alguém

bay[1] [beɪ] *n* GEO baía *f*

bay[2] *n* BOT louro *m*

bay[3] [beɪ] I. *vi* (*dog*) uivar II. *n* **to bring sb to ~** acossar alguém; **to hold sth at ~** manter a. c. à distância

bayonet [ˌbeɪəˈnet, *Brit:* ˈbeɪənɪt] *n* baioneta *f*

bazaar [bəˈzɑːr, *Brit:* -ˈzɑː] *n* (*market*) bazar *m*; (*for charity*) quermesse *f*

BBC [ˌbiːbiːˈsiː] *n abbr of* **British Broadcasting Corporation** BBC *f*

BC [ˌbiːˈsiː] *adv abbr of* **before Christ** a.C.

BCC [ˌbiːsiːˈsiː] *n abbr of* **blind carbon copy** (*in emails*) Cco *f*

be [biː] <was, been> I. *vi* 1. + *adj/n* (*permanent state, quality, identity*) ser; she's a cook ela é cozinheira; **she's Brazilian** ela é brasileira; **to ~ good** ser bom; **to ~ able to do sth** poder fazer a. c.; **to ~ married** ser casado 2. + *adj* (*mental and physical states*) estar; **to ~ fat** estar gordo; **to be hot/cold** estar quente/frio; **to ~ hungry** estar com fome; **to ~ happy** estar feliz; **~ quiet!** fica quieto!; **how are you?** como vai você? 3. (*age*) ter; **I'm 21** tenho 21 anos 4. (*measurement*) medir; (*weight*) pesar; **to ~ 2 meters long** medir [*ou* ter] 2 metros de comprimento 5. (*exist, live*) **there is/are ...** há ... 6. (*location, situation*) estar; **to ~ in Rome** estar em Roma 7. *pp* (*go*) **I've never ~en to Mexico** nunca estive no México 8. (*expressing possibility*) **can it ~ that ...?** *form* será que ...? + *subj* II. *impers* (*expressing physical conditions, circumstances*) **it's cloudy** está nublado; **it's sunny** está ensolarado; **it's two o'clock** são duas horas III. *aux* 1. (*expressing continuation*) estar; **to ~ doing sth** estar fazendo a. c.; **don't sing while I'm reading** não cante enquanto estou lendo; **she's leaving tomorrow** ele vai embora amanhã 2. (*expressing passive*) ser; **to ~ discovered by sb** ser descoberto por alguém; **he was left speechless** ele ficou sem palavras 3. (*expressing future*) **we are to visit Peru in the winter** vamos viajar para o Peru no inverno; **what are we to do?** o que devemos fazer? 4. (*expressing future in past*) **she was never to see her brother again** ela nunca mais veria o irmão 5. (*expressing subjunctive possibility in conditionals*) **if he was to work harder, he'd get better grades** se ele se esforçasse mais, tiraria notas melhores 6. (*expressing obligation*) **you are to come here right now** você tem de vir aqui imediatamente 7. (*in question tags*) **she is tall, isn't she?** ela é alta, não é?; **he isn't Brazilian, is he?** ele é brasileiro, não é?

beach [biːtʃ] *n* praia *f*

beacon [ˈbiːkən] *n* fogueira *f*; (*for ships*) farol *m*

bead [biːd] *n* (*on necklace*) conta *f*; **~s of sweat** gotas de suor

beak [biːk] *n* bico *m*

beaker [ˈbiːkər, *Brit:* -əʳ] *n* CHEM proveta *f*

beam [bi:m] I. n 1. (of light) raio m 2. ARCHIT viga f II. vt brilhar III. vi (smile) sorrir; **to ~ at sb** sorrir para alguém

bean [bi:n] n (fresh) vagem f, grão m, fava f; (dried) feijão m; **black ~s** feijão-preto; **coffee ~** grão de café; **lima ~s** feijão-de-lima; **pinto ~s** feijão-mulatinho; **refried ~s** tutu de feijão mexicano; **to be full of ~s** fig estar cheio de vida; **to spill the ~s** fig dar com a língua nos dentes

bear¹ [ber, Brit: beə^r] n ZOOL urso, -a m, f

bear² <bore, borne> I. vt 1. (carry) agüentar; **to ~ arms** form portar armas; **to ~ sb's signature** trazer a assinatura de alguém 2. (display) **to ~ a resemblance to ...** ter semelhança com ... 3. (support: weight) suportar 4. (accept: cost) arcar com; (responsibility) assumir 5. (endure: hardship, pain) sofrer; **what might have happened doesn't ~ thinking about** dá arrepio só de pensar o que poderia ter acontecido 6. (tolerate) tolerar 7. **to ~ sb a grudge** guardar rancor de alguém; **to ~ sth in mind** lembrar-se de a. c.; **to ~ witness to sth** prestar testemunho de a. c. 8. (give birth to) dar à luz 9. (fruit) produzir II. vi 1. (turn) **to ~ east** rumar para o leste; **to ~ left** virar à esquerda 2. (be patient) **to ~ with sb** ter paciência com alguém 3. (be relevant) **to ~ on sth** ter relação com a. c.

♦ **bear down on** vi abater-se sobre; **time pressures are bearing down on us** estamos sendo pressionados pela urgência dos prazos

♦ **bear up** vi resistir; **how are you bearing up?** como você está conseguindo suportar?

beard [bɪrd, Brit: bɪəd] n barba f

bearer ['berər, Brit: 'beərə^r] n 1. carregador(a) m(f) 2. (messenger) portador(a) m(f); **to be the ~ of bad news** ser portador de más notícias 3. FIN (of check) portador m

bearing n NAUT rumo m; **to get one's ~s** a. fig orientar-se; **to lose one's ~s** a. fig perder o rumo; **to have some ~ on sth** ter certa influência em a. c.

beast [bi:st] n 1. (animal) besta f 2. pej, inf (person) animal m

beat [bi:t] I. n 1. (of heart) batimento m; (of pulse) pulsação f; (of drum) batida f 2. MUS (tempo) compasso m; (rhythm) ritmo m 3. (policeman's rounds) ronda f policial II. adj inf (tired) **to be ~** estar pregado III. <beat, beaten> vt 1. (strike: a. metal, eggs) bater; (carpet) sacudir; **to ~ sb black and blue** deixar alguém roxo de pancadas; **to ~ a confession out of sb** arrancar uma confissão de alguém 2. (wings) bater 3. (defeat) derrotar; **it ~s me why ...** não entendo porque ...; **if you can't ~ them, join them** prov se não pode vencê-los, junte-se a eles 4. MUS (drum) bater 5. **~ it!** Am, sl cai fora! IV. <beat, beaten> vi 1. (pulsate: a. wings, drum, rain) bater 2. **to ~ around the bush** fig usar de rodeios

♦ **beat back** vt rechaçar
♦ **beat up** vt dar uma surra em

beaten pp of **beat**

beating n 1. (assault) surra f; **to give sb a ~** dar uma surra em alguém 2. (defeat) derrota f; **to take a ~** levar uma surra 3. (of heart) batimento m; (of drum, of hammer) batida f

beautiful ['bju:t̬əfl, Brit: -tɪ-] adj bonito, -a, lindo, -a; (weather, meal) ótimo, -a

beautifully adv maravilhosamente bem

beauty ['bju:t̬i, Brit: -ti] <-ies> n 1. no pl (quality) beleza f; **~ is in the eye of the beholder** prov quem o feio ama, bonito lhe parece 2. (woman) beldade f

beaver ['bi:vər, Brit: -və^r] n castor m

became [bɪ'keɪm] pt of **become**

because [bɪ'kɑ:z, Brit: -'kɒz] I. conj porque II. prep **~ of** por causa de; **~ of illness** devido à doença

beck [bek] n **to be at sb's ~ and call** estar às ordens de alguém

beckon ['bekən] I. vt acenar para; **to ~ sb over** fazer sinal para alguém II. vi acenar; **to ~ to sb** acenar para alguém

become [bɪ'kʌm] <became, become> vi (+ adj, + n) tornar-se, ficar; **to ~ a lawyer/teacher** tornar-se advogado/professor; **to ~ angry** ficar com raiva; **to ~ famous** ficar famoso; **to ~ sad/happy** ficar triste/alegre; **to ~ interested in sth** interessar-se por a. c.

bed [bed] n 1. (furniture) cama f; **to get out of ~** levantar-se da cama; **to go to ~** ir dormir; **to go to ~ with sb** dormir com alguém; **to make the ~** arrumar a cama; **to put sb to ~** pôr alguém na cama; **it's time for ~** é hora de dormir

2. (*flower patch*) canteiro *m* **3.** (*of river*) leito *m;* **a ~ of roses** um canteiro de rosas; **sea ~** fundo do mar

BEd [biː'ed] *abbr of* **Bachelor of Education** bacharel *m* em Pedagogia

bed and breakfast *n* pensão *f* de família

bedding *n no pl* roupa *f* de cama; (*for animal*) forragem *f*

bedrock *n no pl* **1.** GEO leito *m* rochoso **2.** *fig* alicerce *m*

bedroom *n* quarto *m* **bedside** *n no pl* cabeceira *f* **bedside table** *n* mesa *f* de cabeceira, criado-mudo *m* **bedtime** *n no pl* hora *f* de dormir

bee [biː] *n* abelha *f;* **to have a ~ in one's bonnet about sth** estar obcecado por a. c.

beech [biːtʃ] *n* BOT faia *f*

beef [biːf] *n no pl* carne *f* de vaca; **roast ~** rosbife

beefburger *n Brit* hambúrguer *m*

beehive *n* colméia *f*

been [bɪn, *Brit:* biːn] *pp of* **be**

beep [biːp] AUTO **I.** *n* bipe *m* **II.** *vi* bipar

beer [bɪr, *Brit:* bɪə^r] *n* cerveja *f*

beet [biːt] *n Am* (*vegetable, sugar beet*) beterraba *f;* **to turn red as a ~** ficar vermelho como um pimentão

beetle ['biːtl, *Brit:* -tl] *n* besouro *m*

beetroot ['biːtruːt] *n esp Brit* raiz *f* de beterraba

before [bɪ'fɔːr, *Brit:* -'fɔː^r] **I.** *prep* **1.** (*earlier*) antes de; **to leave ~ sb** sair antes de alguém; **~ doing sth** antes de fazer a. c. **2.** (*in front of*) na frente de; **~ our eyes** diante dos olhos **3.** (*having priority*) antes de; **~ everything** antes de mais nada; **to put sth ~ sth else** pôr a. c. à frente de a. c. **II.** *adv* antes; **the day ~** o dia anterior; **two days ~** dois dias antes; **as ~** como antes **III.** *conj* antes que +*subj;* **he spoke ~ she went** she went out ela falou antes que ela saísse; **he had a glass ~ he went** ele bebeu um drinque antes de sair

beforehand *adv* de antemão, antecipadamente

befriend [bɪ'frend] *vt* fazer amizade com

beg [beg] <-gg-> **I.** *vt* (*request*) implorar; **to ~ sb to do sth** implorar a alguém para que faça a. c.; **to ~ sb's pardon** pedir perdão a alguém; **~ your pardon!** desculpe-me!, perdão! **II.** *vi* mendigar, pedir esmola; **to ~ for** sth mendigar a. c.; **there are jobs going ~ging** *inf* há empregos de sobra

began [bɪ'gæn] *pt of* **begin**

beggar ['begər, *Brit:* -ə^r] **I.** *vt* **to ~ belief** ser inacreditável; **to ~ description** ser indescritível **II.** *n* mendigo, -a *m, f;* **~s can't be choosers** *prov* a cavalo dado não se olham os dentes *prov*

begin [bɪ'gɪn] <-nn-, began, begun> **I.** *vt* começar, iniciar; **to ~ a conversation** entabular uma conversa; **to ~ doing sth** começar a fazer a. c.; **to ~ work** começar a trabalhar **II.** *vi* começar, iniciar-se; **the film ~s at eight** o filme começa às oito; **to ~ with ...** em primeiro lugar ...

beginner [bɪ'gɪnər, *Brit:* -ə^r] *n* principiante *mf*

beginning *n* **1.** (*start*) começo *m*, início *m;* **at** [*o* **in**] **the ~** no começo; **from ~ to end** do início ao fim **2.** (*origin*) origem *f*

begun [bɪ'gʌn] *pp of* **begin**

behalf [bɪ'hæf, *Brit:* -'hɑːf] *n no pl* **on ~ of sb** (*for*) em nome de alguém; (*from*) da parte de alguém

behave [bɪ'heɪv] *vi* comportar-se; **to ~ badly** comportar-se mal

behavior *n no pl, Am, Aus,* **behaviour** [bɪ'heɪvjər, *Brit:* -vjə^r] *n no pl, Aus, Brit* comportamento *m*, conduta *f*

behind [bɪ'haɪnd] **I.** *prep* **1.** (*to the rear of*) atrás de; **right ~ sb** logo atrás de alguém; **~ the wheel** ao volante **2.** (*in support of*) **to be ~ sb** (**all the way**) apoiar alguém (até o fim); **there is somebody ~ this** *fig* há alguém por trás disso **3.** (*late for*) **~ time** atrasado, -a; **to be ~ schedule** estar com atraso; **to be ~ the times** ser ultrapassado **II.** *adv* **1.** (*at the back*) atrás, detrás; **to fall ~** (*be slower*) ficar para trás, perder terreno; (*in work, studies*) estar atrasado; **to come from ~** vir por trás; **to leave sb ~** deixar alguém para trás; **to stay ~** ficar atrás **2.** (*overdue*) **to be ~** estar com o pagamento atrasado; **he is a long way ~** ele está com o pagamento bastante atrasado; **to be ~** (**in sth**) estar em atraso (com a. c.) **III.** *n inf* traseiro *m*

beige [beɪʒ] *adj* bege *inv*

being ['biːɪŋ] **I.** *n* **1.** (*creature*) ser *m;* **to come into ~** vir a existir **2.** (*soul*) entidade *f* **II.** *pres p of* **be**

Belarus [belə'ru:s] *n* Bielorússia *f*
belated [bɪ'leɪtɪd, *Brit:* -tɪd] *adj* atrasado, -a
belch [beltʃ] *vi* arrotar
beleaguered [bɪ'li:gərd, *Brit:* -gəd] *adj* MIL (*city*) sitiado, -a; (*person*) assediado, -a
Belgian ['beldʒən] *adj* belga
Belgium ['beldʒəm] *n* Bélgica *f*
belief [bɪ'li:f] *n* a. REL crença *f*, fé *f*; (*opinion*) convicção *f*; (*trust, hope*) confiança *f*; **~ in sth** fé em a. c.; **to be beyond ~** ser inacreditável; **in the ~ that ...** acreditando que ...
believable *adj* verossímil
believe [bɪ'li:v] I. *vt* acreditar em; **she couldn't ~ her eyes** ela não conseguia acreditar no que via; **I can't ~ how ...** não consigo acreditar que ...; **~ it or not, ...** acredite se quiser, ... II. *vi* (*in God, in a cause, etc.*) acreditar, crer; **to ~ in sth/sb** acreditar em a. c./alguém; (*be confident*) confiar
believer [bɪ'li:vər, *Brit:* -vəʳ] *n* 1. REL crente *mf* 2. (*supporter*) partidário, -a *m, f*; **to be a ~ in sth** ser partidário de a. c.
belittle [bɪ'lɪtl, *Brit:* -tl] *vt* desdenhar, menosprezar
bell [bel] *n* (*of church*) sino *m*; (*handheld*) sineta *f*; (*on hat, cat*) guizo *m*; (*on bicycle, at door*) campainha *f*; **his name/face rings a ~** seu nome/rosto me vem à lembrança
belligerent [bɪ'lɪdʒərənt] *adj* belicoso, -a, agressivo, -a
bellow ['beloʊ, *Brit:* -əʊ] *vi* (*person*) berrar; (*animal*) urrar
bellows *npl* fole *m*
belly ['beli] <-ies> *n inf* barriga *f*, pança *f*
bellyache ['belieɪk] *vi sl* **to ~** (*about sth*) choramingar (por a. c.)
belly button *n inf* umbigo *m*
belong [bɪ'lɑːŋ, *Brit:* -'lɒŋ] *vi* 1. (*be property of*) **to ~ to sb/sth** pertencer a alguém/a. c. 2. (*be member of*) **to ~ to** (*club*) ser sócio de; (*party*) ser afiliado a 3. (*have a place*) **this doesn't ~ here** isso não é daqui; **I feel I don't ~ here** sinto-me deslocado aqui; **they ~ together** foram feitos um para o outro
belongings *npl* pertences *mpl*
beloved [bɪ'lʌvɪd] *n no pl* amado, -a *m, f*
below [bɪ'loʊ, *Brit:* -'ləʊ] I. *prep* 1. (*underneath*) abaixo de, debaixo de; **~ the table** debaixo da mesa; **~ us** no andar abaixo de nós; **~ sea level** abaixo do nível do mar 2. (*in number, amount*) **~ average** abaixo da média; **~ freezing** abaixo de zero; **it's 4 degrees ~ zero** está 4 graus abaixo de zero; **children ~ the age of twelve** crianças menores de doze anos 3. (*in rank, quality*) abaixo de; **to be ~ sb** ocupar um cargo abaixo de alguém; (*unworthy of*) não ser digno de alguém II. *adv* abaixo, de baixo; **from ~** da parte de baixo; **see ~** (*in a text*) ver a seguir
belt [belt] I. *n* 1. FASHION (*a. for waist, in car*) cinto *m*; (*in martial arts*) faixa *f*; **to be below the belt** *fig* ser um golpe baixo; **to fasten one's ~** afivelar o cinto; **to tighten one's ~** *fig* apertar o cinto 2. TECH (*conveyor*) correia *f* 3. (*area*) zona *f* 4. *inf* (*punch, blow*) bofetão *m* II. *vt inf* (*hit*) dar um bofetão
beltway *n Am* rodoanel *m*
bemused [bɪ'mju:zd] *adj* perplexo, -a, desconcertado, -a
bench [bentʃ] *n* banco *m*, bancada *f*; **the ~** SPORTS o banco; LAW a magistratura
benchmark *n* padrão *m*
bend [bend] <bent, bent> I. *n* (*in river, road*) curva *f*; (*in a pipe*) ângulo *m*; **to take a ~** fazer uma curva; **to go around the ~** *fig* enlouquecer II. *vi* (*person*) curvar-se; (*thing*) dobrar III. *vt* 1. (*arms, legs*) dobrar; (*head*) abaixar 2. (*change shape of: wire, pipe, spoon*) entortar; **to ~ sth up/down** envergar a. c. para cima/baixo; **to ~ the rules** abrir uma exceção; **to ~ sb to one's will** submeter alguém à própria vontade

♦ **bend over** *vi* debruçar-se; **to ~ backwards for sb** desdobrar-se por alguém
beneath [bɪ'ni:θ] I. *prep* 1. (*underneath*) debaixo de, sob; **~ the table** debaixo da mesa 2. **to be ~ sb** (*in rank*) ser de hierarquia inferior a alguém; (*in standard*) não ser digno de alguém II. *adv* abaixo
benefactor ['benɪfæktər, *Brit:* -təʳ] *n* benfeitor(a) *m(f)*
beneficiary [ˌbenɪ'fɪʃieri, *Brit:* -ʃəri] *n* <-ies> beneficiário, -a *m, f*
benefit ['benɪfɪt] I. *n* 1. (*advantage*)

benefício *m*; **for the ~ of sb** [*o* sb's ~] em benefício de alguém; **to give sb the ~ of the doubt** conceder a alguém o benefício da dúvida **2.** (*in pay package*) subsídio *m*; **salary plus ~s** salário e benefícios **3.** (*welfare payment*) auxílio *m* II.<-t- *o* -tt-> *vi* **to ~ from sth** beneficiar-se de a. c. III.<-t- *o* -tt-> *vt* beneficiar

benevolent [brɪˈnɛvələnt] *adj* benevolente

benign [brɪˈnaɪn] *adj* (*gentle: person, smile*) gentil; (*climate*) propício, -a, favorável; MED (*tumor*) benigno, -a

Benin [bɛnˈiːn] *n* Benim *m*

bent [bent] I. *pt, pp of* **bend** II. *n* **to have a ~ for sth** ter uma queda por a. c.; **to follow one's ~** seguir as próprias convicções III. *adj* **1.** (*not straight*) torto, -a **2.** (*determined*) **to be ~ on (doing) sth** estar decidido a fazer a. c. **3.** *inf* (*corrupt*) corrupto, -a

berate [brɪˈreɪt] *vt form* repreender

bereaved *n form* **the ~** os enlutados

beret [bəˈreɪ, *Brit:* ˈbɛreɪ] *n* boina *f*

Bermuda [bərˈmjuːdə, *Brit:* bɜːˈ-] *n* Bermudas *fpl* **Bermuda shorts** *n* bermudas *fpl* **Bermuda Triangle** *n* Triângulo *m* das Bermudas

berry [ˈbɛri] <-ies> *n* (*fruta pequena e carnosa como morango, framboesa e amora*)

berserk [bərˈzɜːrk, *Brit:* bəˈzɜːk] *adj* furioso, -a; **to go ~** *inf* ficar louco de raiva

berth [bɜːrθ, *Brit:* bɜːθ] *n* (*on ship*) beliche *m*; (*on train*) leito *m*; (*in harbor*) ancoradouro *m*; **to give sb a wide ~** *fig* evitar alguém

beside [brɪˈsaɪd] *prep* **1.** (*next to*) ao lado de, junto de; **right ~ sb** bem ao lado de alguém **2.** (*compared to*) em comparação com **3.** (*in addition to*) além de **4.** (*overwhelmed*) **to be ~ oneself (with anger/joy)** ficar fora de si (de raiva/alegria) **5.** (*irrelevant*) **to be ~ the point** não vir ao caso

besides [brɪˈsaɪdz] I. *prep* **1.** (*in addition to*) além de **2.** (*except for*) a não ser II. *adv* além disso

besiege [brɪˈsiːdʒ] *vt* cercar; (*with questions*) assediar

best [best] I. *adj superl of* **good** melhor; **the ~** o(a) melhor; **the ~ days of my life** os melhores dias da minha vida; **the ~ part** (*the majority*) a maior parte; **may the ~ man win** que vença o melhor; **with the ~ will** com a maior boa vontade; **~ before March 1** (*on food package*) válido até 1º de março II. *adv superl of* **well** melhor; **the ~** o melhor(a); **at ~** quando muito; **we'd ~ stay here** o melhor é ficarmos aqui III. *n no pl* **1.** (*the finest*) **all the ~!** *inf* (*congratulations*) tudo de bom!; (*end of letter*) saudações; **to be the ~ of friends** ser o melhor amigo; **to bring out the ~ in sb** revelar o melhor de alguém; **to do one's ~** fazer o máximo; **to make the ~ of sth** aproveitar a. c. ao máximo; **to turn out for the ~** ser para melhor; **to wear one's Sunday ~** vestir as suas melhores roupas; **to the ~ of my knowledge** que eu saiba **2.** SPORTS campeão, -ã *m, f*

best man *n* padrinho *m* de casamento

bestseller [ˈbɛstsɛlər, *Brit:* -əʳ] *n* bestseller *m*

bet [bɛt] <-tt-, bet *o* -ted, bet *o* -ted> I. *n* aposta *f*; (*opportunity*) opção *f*; **it is a safe ~ that ...** é praticamente certo que ... +*subj*; **to be the best ~** ser a melhor opção; **to place a ~ on sth** apostar em a. c. II. *vt* apostar; **I ~ you don't!** aposto que não! III. *vi* apostar; **to ~ on sth** apostar em a. c.; **I wouldn't ~ on it** eu não confiaria nisso; **you ~!** *inf* pode estar certo!

betray [brɪˈtreɪ] *vt* **1.** (*be disloyal to*) enganar; (*one's spouse*) trair; **to ~ a secret** revelar um segredo; **to ~ sb's trust** trair a confiança de alguém **2.** (*reveal*) revelar; **to ~ one's ignorance** revelar a própria ignorância

betrayal [brɪˈtreɪəl] *n* traição *f*; **an act of ~** uma traição

better [ˈbɛtər, *Brit:* ˈbɛtəʳ] I. *adj comp of* **good** melhor; **to be ~** MED sentir-se melhor; **~ than nothing** melhor que nada II. *adv comp of* **well** melhor; **I like this ~** gosto mais deste; **there is nothing I like ~ than ...** nada me dá mais prazer que ...; **it'd be ~ to tell her** seria melhor dizer a ela; **you had ~ go** é melhor que você vá; **we'd be ~ off taking the train** seria melhor ir de trem; **she's ~ off without him** ela está melhor sem ele; **to think ~ of sth** mudar de opinião sobre a. c.; **or ~ still ...** ou melhor ainda ...; **~ safe than sorry** é melhor prevenir do que remediar; **~ late than never** antes tarde do que nunca III. *n no pl* melhor; **to change for the ~** mudar para melhor; **the sooner, the ~** quanto antes, melhor; **so much the ~** tanto melhor; **for ~ or (for) worse** para o que der e vier; **to get the ~ of sb** levar a melhor sobre alguém

between [bɪˈtwiːn] I. *prep* entre; **to eat ~ meals** comer entre as refeições; **nothing will come ~ them** nada vai intrometer-se entre eles; **the 3 children have $10 ~ them** as 3 crianças têm $10 juntos; **~ you and me, I don't think she'll make it** cá entre nós, não acho que ela vá conseguir II. *adv* **(in) ~** no meio; (*time*) no ínterim

beverage [ˈbevərɪdʒ] *n* bebida *f*

beware [bɪˈwer, *Brit:* -ˈweə^r] *vi* tomar cuidado; **~ of pickpockets!** cuidado com os batedores de carteira!

bewilder [bɪˈwɪldər, *Brit:* -ə^r] *vt* confundir, desnortear

bewildered *adj* desnorteado, -a

bewildering *adj* desnorteante, desconcertante

bewilderment *n no pl* espanto *m*, perplexidade *f*

beyond [bɪˈjɑːnd, *Brit:* -ˈɒnd] I. *prep* 1. (*on other side of*) além de, do outro lado de; **~ the mountain** além da montanha; **~ the wall** do outro lado do muro 2. (*after*) depois de; (*more than*) mais que; **~ 8:00** depois das 8 3. (*further than*) mais longe de; **it goes ~ a joke** nada tem nada de engraçado; **~ belief** inacreditável; **~ doubt** sem dúvida 4. (*too difficult for*) **to be ~ sb** estar além da compreensão de alguém 5. (*in excess of*) acima de; **to live ~ one's means** gastar mais do que pode II. *adv* mais além; **the next ten years and ~** os próximos dez anos e em diante

bias [ˈbaɪəs] *n* 1. (*prejudice*) preconceito *m*; **to have ~es against sb** ter predisposição contra alguém 2. *no pl* (*onesidedness*) parcialidade *f*; **without ~** imparcial 3. (*tendency*) tendência *f*; **to have a ~ towards sth** tender para a. c.

biased *adj Am*, **biassed** *adj esp Brit* tendencioso, -a; **~ in sb's favor** parcial em favor de alguém; **~ opinions** opiniões tendenciosas

bib [bɪb] *n* babador *m*

Bible [ˈbaɪbl] *n* **the ~** a Bíblia

biblical [ˈbɪblɪkl] *adj* bíblico, -a

bibliography [ˌbɪbliˈɑːɡrəfi, *Brit:* -ˈɒɡ-] <-ies> *n* bibliografia *f*

biceps [ˈbaɪseps] *n inv* bíceps *m inv*

bicycle [ˈbaɪsɪkl] *n* bicicleta *f*; **by ~** de bicicleta; **to ride a ~** andar de bicicleta

bid [bɪd] I. *n* 1. (*offer*) oferta *f*; (*in auction*) lance *m*; **to make a ~ for sth** fazer uma oferta para a. c. 2. (*attempt*) tentativa *f*; **a ~ for re-election/freedom** uma tentativa de reeleição/conseguir a liberdade II. <-dd-, bid, bid> *vi* fazer uma oferta; **to ~ for a contract** COM entrar em licitação para um contrato III. <-dd-, bid, bid> *vt* **to ~ sb good morning/good night** desejar um bom dia/uma boa noite a alguém

bidder [ˈbɪdər, *Brit:* -ə^r] *n* licitante *mf*

bidding *n no pl* 1. FIN licitação *f* 2. (*command*) **to do sb's ~** obedecer às ordens de alguém

bide [baɪd] *vt* **to ~ one's time** esperar o momento propício

big [bɪɡ] <-gg-> *adj* 1. (*in size, amount*) grande; (*problem, mistake*) sério, -a; (*responsibility*) enorme; (*raise, discount, cut in spending*) considerável; **~ letters** letras *fpl* garrafais; **~ toe** ANAT dedão *m*; **~ words** *inf* palavras *fpl* rebuscadas; **we ate a big meal** fizemos uma farta refeição; **you've got a big mouth** você tem a língua solta 2. (*in age*) crescido, -a *m, f*; **~ boy/girl** menino crescido/menina crescida; **~ sister/brother** irmã mais velha/irmão mais velho 3. (*enthusiastic*) **to be a ~ spender** ser esbanjador; **to be a ~ eater** ser um comilão; **to be a big fan of sth** ser grande fã de a. c.; **to be ~ on sth/doing sth** ter sucesso em a. c./ao fazer a. c. 4. (*significant*) importante; **a ~ day/decision** *inf* um dia/uma decisão importante; **to make it ~** *inf* ser um grande sucesso; **this group is ~ in Brazil** esse grupo é um estouro no Brasil

bigamy [ˈbɪɡəmi] *n no pl* bigamia *f*

Big Apple *n* **the ~** (*nome como é conhecida a cidade de Nova York*)

Culture **Big Ben** era, originalmente, o nome como era conhecido o grande sino, fundido em 1856, na torre das **Houses of Parliament**. Ele foi assim batizado por Sir Benjamin Hall, naquela época **Chief Commissioner of Works**. Hoje, **Big Ben** é o nome por que são conhecidos tanto o sino como a torre. Os sinos do **Big Ben** que marcam as horas podem ser ouvidos nos noticiários de algumas redes de rádio e televisão.

big business *n* grandes *mpl* negócios
bigot ['bɪgət] *n* fanático, -a *m, f*
bigoted *adj* fanático, -a, intolerante
bike [baɪk] *n inf* (*bicycle*) bicicleta *f;* (*motorcycle*) moto *f*
bikini [bɪ'kiːni] *n* biquíni *m*
bilateral [ˌbaɪ'lætərəl, *Brit:* -'læt-] *adj* bilateral
bile [baɪl] *n* **1.** *no pl* ANAT bile *f* **2.** *fig* mau humor *m*
bilingual [baɪ'lɪŋgwəl] *adj* bilíngüe
bill[1] [bɪl] **I.** *n* **1.** (*invoice*) conta *f*, fatura *f;* **a ~ for $300** uma conta de $300; **phone ~** conta de telefone; **the ~, please** a conta, por favor; **to fit the ~** estar sob medida **2.** *Am* (*banknote*) nota *f;* **five-dollar ~** nota de cinco dólares **3.** POL projeto *m* de lei; **to give sth a clean ~ of health** atestar a sanidade de a. c. **II.** *vt* **to ~ sb for sth** cobrar a. c. de alguém
bill[2] [bɪl] *n* (*of duck, goose*) bico *m*
billboard *n* outdoor *m*
billfold *n Am* carteira *f*
billiards ['bɪljərdz, *Brit:* -lɪədz] *n* + *sing vb* bilhar *m*
billion ['bɪljən, *Brit:* -lɪən] *n* bilhão *m*
Bimmer ['bɪmər, *Brit:* -ə] *n Am, sl* AUTO BMW *m*
bin [bɪn] *n* **1.** (*for storage*) recipiente *m* **2.** *Aus, Brit* (*for garbage*) lata *f* de lixo
binary ['baɪnəri] *adj* binário, -a
bind [baɪnd] **I.** *n no pl, inf* enrascada *f;* (*unpleasant and boring*) chatice *f;* **to be in a (bit of a) ~** estar numa (boa) enrascada **II.**<bound, bound> **III.**<bound, bound> *vt* **1.** (*tie*) amarrar; **to be bound hand and foot** estar de mãos e pés atados; **to ~ sb to do sth** obrigar alguém a fazer a. c. **2.** (*book*) encadernar **3.**<bound, bound> *vi* **to ~ together** *fig* unir; **to be bound to sb** *fig* ter vínculos com alguém
binder ['baɪndər, *Brit:* -dəʳ] *n* fichário *m*
binding I. *n no pl* (*on book*) encadernação *f* **II.** *adj* (*agreement*) vinculativo, -a; **legally ~** legalmente vinculativo
binge [bɪndʒ] *n inf* farra *f;* (*of eating*) comilança *f;* **drinking ~** bebedeira; **shopping ~** orgia de compras; **to go on a ~** cair na gandaia
bingo ['bɪŋgoʊ, *Brit:* -gəʊ] *n no pl* bingo *m*
binoculars [bɪ'nɑːkjələrz, *Brit:* -'nɒkjʊləz] *npl* binóculo *m*
bio-attack [ˌbaɪoʊə'tæk, *Brit:* baɪə(ʊ)-] *n* ataque *m* biológico
biochemical *adj* bioquímico, -a **biochemist** *n* bioquímico, -a *m, f*, **biochemistry** *n no pl* bioquímica *f*
biodegradable *adj* biodegradável
biodegrade *vi* biodegradar
bioengineered [ˌbaɪoʊˌendʒɪ'nɪrd, *Brit:* 'nɪəd] *adj inv* transgênico, -a **bioengineering** *n no pl* bioengenharia *f* **biofuel** *n* biocombustível *m*
biographical [ˌbaɪə'græfɪkəl] *adj* biográfico, -a
biography [baɪ'ɑːgrəfi, *Brit:* -'ɒg-] <-ies> *n* biografia *f*
biological [ˌbaɪə'lɑːdʒɪkəl, *Brit:* -'lɒdʒ-] *adj* biológico, -a
biologist [baɪ'ɑːlədʒɪst, *Brit:* -'ɒl-] *n* biólogo, -a *m, f*
biology [baɪ'ɑːlədʒi, *Brit:* -'ɒl-] *n no pl* biologia *f*
biopsy ['baɪɑːpsi, *Brit:* -ɒp-] <-ies> *n* MED biópsia *f* **biotechnology** *n no pl* biotecnologia *f*
biotope ['baɪətoʊp, *Brit:* -təʊp] *n* biótopo *m*
bipartisan [ˌbaɪpɑːr'tɪzən, *Brit:* ˌbaɪpɑː'tɪ'zæn] *adj* bipartidário, -a
birch [bɜːrtʃ, *Brit:* bɜːtʃ] <-es> *n* BOT bétula *f*
bird [bɜːrd, *Brit:* bɜːd] *n* **1.** ZOOL pássaro *m;* (*larger*) ave *f* **2.** *Aus, Brit, inf* (*girl, woman*) garota *f*
birdcage *n* gaiola *f* **birdseed** *n no pl* alpiste *m* **bird's-eye view** *n no pl* vista *f* aérea **birdwatching** *n no pl* ornitologia *f*
biro® ['baɪərəʊ] *n Brit* (*ball-point pen*) caneta *f* esferográfica
birth [bɜːrθ, *Brit:* bɜːθ] *n* **1.** nascimento *m;* MED parto *m;* **at ~** ao nascimento; **by ~** de nascença; **date/place of ~** data/lugar de nascimento; **to give ~ to a child** dar à luz uma criança **2.** *no pl* (*origin*) origem *f*, princípio *m;* **to be Brazilian by birth** ser de origem brasi-

leira 3. *fig* origem *f*; **the ~ of Modernism** a origem do Modernismo
birth certificate *n* certidão *f* de nascimento **birth control** *n* no pl controle *m* de natalidade
birthday ['bɜːrθdeɪ, *Brit:* 'bɜːθ-] *n* aniversário *m*; **happy ~!** feliz aniversário!
birthday card *n* cartão *m* de aniversário **birthday present** *n* presente *m* de aniversário
birthplace *n* lugar *m* de nascimento, terra *f* natal
biscuit ['bɪskɪt] *n* 1. *Am* pãozinho *m* de minuto 2. *Aus, Brit* (*cookie*) biscoito *m*

> Culture   A expressão **biscuits and gravy** se refere ao café da manhã típico dos estados do sul dos Estados Unidos. Os **biscuits** são uma espécie de pãezinhos chatos servidos com **gravy** (molho feito de caldo da carne). Em algumas regiões, este café da manhã só é servido em **truck stops** (paradas freqüentadas por caminhoneiros).

bishop ['bɪʃəp] *n* REL (*a. in chess*) bispo *m*
bison ['baɪsən] *n inv* bisão *m*
bit[1] [bɪt] *n* 1. (*small piece*) pedaço *m*; **~s of glass** cacos de vidro; **a ~ of paper** um pedaço de papel; **little ~s** pedacinhos *mpl*; **to smash sth to ~s** quebrar a. c. em pedaços 2. (*small amount*) **a ~ of** um pouco de; **a ~ of news** uma notícia 3. (*short time*) momentinho *m*; **for a ~** um pouquinho 4. *esp Brit* (*part*) parte *f*; **the difficult ~ of sth** a parte difícil de a. c.; **~ by ~** pouco a pouco; **to do one's ~** *inf* fazer a sua parte 5. (*somewhat*) **a ~** um pouco; **a ~ stupid** meio lerdo; **quite a ~** bastante; **not a ~** nem um pouco 6. INFOR bit *m* 7. *pl, inf* (*things*) **~s and pieces** tralha *f*
bit[2] *n* 1. (*for horses*) bocado *m* 2. (*for drill*) broca *f*
bit[3] *pt of* **bite**
bitch [bɪtʃ] I. *n* 1. ZOOL cadela *f* 2. *pej, inf* (*woman*) megera *f*, puta *f* II. *vi sl* reclamar; **to ~ about sb** reclamar de a. c.; **to ~ at sb** implicar com alguém
bite [baɪt] I. <bit, bitten> *vt* morder; (*insect*) picar; **to ~ one's nails** roer as unhas II. <bit, bitten> *vi* (*dog, person, fish*) morder; (*insect*) picar; **to ~ into sth** dar uma mordida em a. c.; **once bitten twice shy** *prov* gato escaldado tem medo de água fria III. *n* 1. (*of dog, person*) mordida *f*; (*of insect*) picada *f* 2. (*mouthful*) mordida *f*; **to have a ~ to eat** fazer uma boquinha
biting *adj* (*wind, cold*) cortante, penetrante; (*criticism*) mordaz
bitten ['bɪtn] *pp of* **bite**
bitter ['bɪtər, *Brit:* 'bɪtəʳ] I. *adj* <-er, -est> (*fruit*) amargo, -a; (*dispute*) acirrado, -a; (*disappointment*) cruel; **to be ~ about sth** ficar ressentido com a. c.; **to carry on to the ~ end** agüentar até o fim II. *n esp Aus, Brit* (*beer*) cerveja *f* amarga
bitter chocolate *n* chocolate *m* amargo
bitterness *n no pl* 1. (*of dispute, battle*) animosidade *f*; (*feeling*) ressentimento *m*, amargura *f* 2. (*taste*) amargor *m*
bizarre [bɪ'zɑːr, *Brit:* bɪ'zɑːʳ] *adj* (*behavior*) esquisito, -a; (*clothes*) extravagante
black [blæk] I. *adj* (*color*) preto, -a; (*man, woman*) negro, -a; **black humor** humor negro; (*sky*) escuro, -a; **black coffee** café preto; **to beat sb ~ and blue** *inf* deixar alguém roxo de pancadas II. *n* preto, -a *m, f*, negro, -a *m, f*; **in ~** de preto; **in ~ and white** em branco e preto; **in the ~** FIN estar solvente
♦ **black out** *vi* desmaiar
blackberry ['blækberi, *Brit:* -,bəri] <-ies> *n* (*fruit*) amora *f*; (*plant*) amoreira *f*
blackbird *n* melro *m*
blackboard *n* lousa *f*
blackcurrant *n* cassis *m inv*
blacken ['blækən] *vt* enegrecer; **to ~ sb's name** denegrir o nome de alguém
black eye *n* olho *m* roxo
blacklist *n* lista *f* negra
blackmail I. *n* chantagem *f* II. *vt* chantagear
black market *n* mercado *m* negro
blackness *n no pl* (*color*) negrura *f*; (*darkness*) escuridão *f*
blackout *n* 1. (*faint*) desmaio *m* 2. (*censorship*) censura *f* 3. ELEC (*power*) apagão *m* **Black Sea** *n* Mar *m* Negro
blacksmith ['blæksmɪθ] *n* ferreiro, -a *m, f*
bladder ['blædər, *Brit:* -əʳ] *n* ANAT bexiga

blade [bleɪd] *n* (*of sword, knife, razor, skate*) lâmina *f*; (*of oar, propeller*) pá *f*; ~ **of grass** folha *f* (de capim)

blame [bleɪm] I. *vt* culpar; **to ~ sb for sth** culpar alguém por a. c.; **to ~ sth on sb** pôr a culpa de a. c. em alguém; **to be to ~ (for sth)** ter a culpa de a. c.; **I don't ~ you** não era para menos; **you can't ~ her for moving out** não foi à toa que ela se mudou II. *n no pl* culpa *f*; **to put the ~ on sb** pôr a culpa em alguém; **to take the ~ (for sth)** assumir a culpa (de a. c.)

blameless *adj* inocente, irrepreensível

blanch [blæntʃ, *Brit:* blɑ:n-] I. *vi* ficar pálido; **she ~ed at the sight of him** perdeu a cor ao vê-lo II. *vt* (*vegetables*) pelar com água fervente; **~ed almonds** amêndoas sem pele

bland [blænd] *adj* (*food*) insosso, -a; (*person, manner*) gentil

blank [blæŋk] I. *adj* 1. (*empty*) em branco; **~ check** cheque em branco; **~ tape** fita virgem; **to go ~** dar um branco (na mente); **the screen went ~** a tela apagou 2. (*emotionless: look, stare*) vazio, -a 3. (*complete*) absoluto, -a; (*despair*) completo, -a; **a ~ refusal** uma recusa total II. *n* (*on form*) espaço *m* em branco; **to draw a ~** não dar sorte

blanket ['blæŋkɪt] *n* (*cover*) cobertor *m*, manta *f*; (*of snow*) manto *m*

blare [bler, *Brit:* bleəʳ] *vi* (*music, radio*) tocar a todo volume

blasphemy ['blæsfəmi] *n no pl* blasfêmia *f*

blast [blæst, *Brit:* blɑ:st] I. *vt* 1. (*with explosive*) fazer explodir 2. *inf* (*criticize*) arrasar II. *n* 1. (*explosion*) explosão *f*; (*of air*) rajada *f* 2. (*noise*) estrondo *m*; (**at**) **full ~ a.** *fig* no volume máximo, a todo vapor 3. *Am, sl* curtição *f*; **the party was a blast** a festa foi um arraso III. *interj Brit, dated inf* **~ it!** dane-se!

blatant ['bleɪtnt] *adj* (*lie*) flagrante, descarado, -a

blaze [bleɪz] I. *vi* resplandecer; (*fire*) arder em chamas; **to ~ with anger** explodir de raiva II. *vt* **to ~ a trail** abrir caminho III. *n* 1. (*fire*) fogo *m*; (*flames*) labareda *f* 2. *fig* **a ~ of color** um esplendor de cores; **a ~ of glory** um resplendor de glória; **a ~ of publicity** um estardalhaço publicitário

blazer ['bleɪzər, *Brit:* -əʳ] *n* blazer *m*

blazing *adj* (*fire*) fulgurante; (*heat*) abrasador

bleach [bli:tʃ] I. *vt* alvejar II. *n* alvejante *f*

bleachers [bli:tʃərz] *npl Am* arquibancada *f*

bleak [bli:k] *adj* (*future*) sombrio, -a; (*weather*) gelado, -a; (*landscape*) desolado, -a

bleat [bli:t] *vi* balir

bled [bled] *pt, pp of* **bleed**

bleed [bli:d] <bled, bled> *vi* sangrar; **to ~ to death** sangrar até a morte

blemish ['blemɪʃ] *n a. fig* mancha *f*

blend [blend] I. *n* mistura *f* II. *vt* misturar III. *vi* **to ~ in (with sth)** harmonizar-se (com a. c.)

blender [blendər, *Brit:* -dəʳ] *n* liquidificador *m*

bless [bles] *vt* abençoar; (*God*) **~ you!** (*after sneezing*) saúde!; **to be ~ed with sth** ter a sorte de ter a. c.

blessed ['blesɪd] *adj* 1. (*holy*) santo, -a; (*ground*) abençoado, -a 2. *inf* **the whole ~ day** todo santo dia

blessing *n* 1. (*benediction*) bênção *f*; **to give one's ~ to sth** dar a bênção a a. c. 2. (*advantage*) vantagem *f*; **it's a ~ in disguise** há males que vêm para o bem *prov*

blew [blu:] *pt of* **blow**

blind [blaɪnd] I. *n* 1. *pl* (*people*) **the ~** os cegos *mpl* 2. (*window shade*) persiana *f* II. *vt* cegar; *fig* (*dazzle*) ofuscar III. *adj* 1. (*unable to see*) cego, -a; **to be ~ in one eye** ser caolho; **to be ~ to sth** não enxergar a. c. 2. (*without reason*) irracional; (*devotion*) cego, -a 3. *Brit, inf* (*as intensifier*) **not to take a ~ bit of notice of sth** não dar a mínima para a. c. IV. *adv* **he drank himself ~** ele caiu de bêbado; **to swear ~ that ...** jurar de pés juntos que ...

blind alley <-s> *n a. fig* beco *m* sem saída

blindfold I. *n* venda *f* II. *vt* vendar os olhos de

blindness *n no pl* cegueira *f*

bling ['blɪŋ], **bling-bling** [,blɪŋ'blɪŋ] *n no pl, Am, sl* bling-bling *m* (*jóias caras e vistosas*)

blink [blɪŋk] I. *vt* **to ~ one's eyes** piscar os olhos II. *vi* pestanejar; **she**

bliss

didn't even ~ ela nem pestanejou III. *n* piscar *m* de olhos; **in the** ~ **of an eye** num piscar de olhos; **to be on the** ~ *inf* pifar

bliss [blɪs] *n no pl* êxtase *m;* **marital** ~ felicidade *f* conjugal

blissful *adj (happy)* feliz

blister ['blɪstər, *Brit:* -əʳ] *n (on skin, air bubble)* bolha *f*

blitz [blɪts] *n* **an advertizing** ~ uma campanha *f* publicitária bombástica; **the B**~ bombardeio alemão de Londres em 1940-41

blizzard ['blɪzəd, *Brit:* -əd] *n* nevasca *f*

bloated ['bloʊtɪd, *Brit:* 'bləʊtɪd] *adj* inchado, -a

blob [blɑ:b, *Brit:* blɒb] *n* bolha *f*

bloc [blɑ:k, *Brit:* blɒk] *n* POL bloco *m*

block [blɑ:k, *Brit:* blɒk] I. *n* 1. *(solid lump: a. of wood)* bloco *m; (toy)* cubo *m* 2. *esp Am (city block)* quarteirão *m;* *(neighborhood)* bairro *m* 3. *esp Brit (tall building)* prédio *m; (group of buildings)* quadra *f;* **apartment** ~ bloco *m* de apartamentos 4. *(barrier)* barreira *f;* **mental** ~ bloqueio *m* mental II. *vt (road, pipe)* bloquear, interromper; *(sb's progress)* impedir

♦ **block off** *vt* bloquear

blockade [blɑ:'keɪd, *Brit:* blɒ'-] I. *n* bloqueio *m* II. *vt* bloquear

blockage ['blɑ:kɪdʒ, *Brit:* 'blɒk-] *n* entupimento *m*

bloke [bloʊk] *n Brit, inf* cara *m,* sujeito *m*

blond(e) [blɑ:nd, *Brit:* blɒnd] I. *adj (hair)* louro, -a; **she is** ~ ela é loura II. *n* louro, -a *m, f*

blood [blʌd] *n no pl* sangue *m;* **in cold** ~ a sangue frio

blood bank *n* banco *m* de sangue

bloodbath *n* banho *m* de sangue

blood pressure *n no pl* pressão *f* arterial

bloodshed *n no pl* matança *f*

bloodshot *adj (eyes)* injetado, -a

bloodstained *adj* manchado, -a de sangue

bloodstream *n* corrente *f* sangüínea

blood test *n* exame *m* de sangue

bloodthirsty *adj* sangüinário, -a

blood type *n* grupo *m* sangüíneo

bloody ['blʌdi] <-ier, -iest> I. *adj* 1. *(covered in blood)* ensangüentado, -a 2. *Aus, Brit, inf (for emphasis)* droga; ~ **hell!** inferno dos diabos! II. *adv Aus,*

blue

Brit, inf (for emphasis) **to be** ~ **useless** ser imprestável; **I don't** ~ **know** não faço a mínima!

bloom [blu:m] I. *n no pl, a. fig* flor *f;* **to come into** ~ florescer II. *vi* florir

blossom ['blɑ:səm, *Brit:* 'blɒs-] I. *n* flor *f;* **in** ~ em flor; **orange** ~ broto *m* de laranja II. *vi (tree)* desabrochar; *(mature: girl, friendship)* amadurecer

blot [blɑ:t, *Brit:* blɒt] I. *n* borrão *m,* nódoa *f* II. *vt* 1. *(mark)* to ~ **sth out** rasurar a. c.; to ~ **sth out of one's memory** *fig* apagar a. c. da mente 2. **to** ~ **sth dry** secar a. c.

blotch [blɑ:tʃ, *Brit:* blɒtʃ] *n* borrão *m;* *(on skin)* mancha *f*

blotchy [blɑ:tʃi, *Brit:* blɒ-] *adj (skin, complexion)* manchado, -a

blouse [blaʊs, *Brit:* -z] *n* blusa *f*

blow¹ [bloʊ, *Brit:* bləʊ] *n a. fig* golpe *m,* soco *m;* **a** ~ **to the face** um soco na cara; **to come to** ~**s (over sth)** sair no tapa (por a. c.)

blow² I. <**blew, blown**> *vi* 1. *(person)* soprar 2. ELEC *(fuse)* queimar; *(tire)* estourar II. *vt* 1. *(a whistle)* soar; **to** ~ **one's nose** assoar o nariz; **the wind blew the leaves** o vento carregou as folhas 2. *(fuse)* queimar 3. AUTO **to** ~ **the horn** buzinar 4. *inf (do poorly: test, interview)* dar-se mal

♦ **blow away** *vt* arrancar

♦ **blow out** *vt (candle)* apagar; **to** ~ **sth out of proportion** exagerar a. c.

♦ **blow over** *vi (scandal)* passar; *(argument, dispute)* ser esquecido

♦ **blow up** I. *vi (storm, gale)* rebentar II. *vt* 1. *(inflate)* encher 2. PHOT ampliar 3. *(explode)* explodir

blow-dry *vt* **to** ~ **one's hair** secar o cabelo com secador de cabelo

blow-dryer *n* secador *m* de cabelo

blown ['bloʊn, *Brit:* bləʊn] *vt, vi pp* of **blow**

blowtorch *n* maçarico *m*

blubber¹ ['blʌbər, *Brit:* -əʳ] *vi inf (cry)* abrir o berreiro

blubber² *n* espessa camada *f* de gordura (da baleia e outros mamíferos marinhos)

blue [blu:] I. *adj* 1. *(color)* azul 2. *(sad)* triste, melancólico, -a; **to feel** ~ sentir-se triste II. *n* azul *m;* **sky** ~ azul celeste; **out of the** ~ *fig* nem mais nem menos; **the** ~**s** MUS blues *m inv;* *(sadness)* melancolia *f*

bluebell n BOT campânula f
blueberry ['blu:beri, *Brit:* -ˌbəri] <-ies> n mirtilo m
blue jay <-s> n ZOOL gaio-azul m
blue jeans [-dʒi:nz] n pl jeans m inv
blueprint n plano m, projeto m
blue whale n baleia f azul
bluff [blʌf] I. vi blefar II. n blefe m; **to call sb's** ~ pagar para ver
blunder ['blʌndər, *Brit:* -də'] I. n erro m crasso, gafe f II. vi cometer um erro crasso; **to** ~ **into sth** topar com a. c.
blunt [blʌnt] adj 1. (*not sharp*) cego, -a; ~ **instrument** instrumento rombo 2. (*direct*) direto, -a
bluntly adv sem rodeios; **to put it** ~ para ser franco
blur [blɜ:r, *Brit:* blɜ:ʳ] I. vt <-rr-> turvar, borrar II. n no pl (*shape*) borrão m; (*vague memory*) vaga lembrança f
blurred adj embaçado, -a, turvo, -a; (*picture*) indistinto, -a
blush [blʌʃ] vi corar
blusher n blush m
bluster ['blʌstər, *Brit:* -tər] I. vi 1. (*speak*) esbravejar 2. (*wind*) zunir II. n no pl descaréu m
BO [ˌbi:'oʊ, *Brit:* -'əʊ] n abbr of **body odor** catinga f
boa ['boʊə, *Brit:* 'bəʊə] n estola f de plumas ou peles
boar [bɔ:r, *Brit:* bɔ:ʳ] n (*wild*) ~ javali m
board [bɔ:rd, *Brit:* bɔ:d] I. n 1. (*wood*) tábua f; (*blackboard*) lousa f; (*bulletin board*) quadro m de avisos; **above** ~ às claras; **across the** ~ fig geral 2. ADMIN conselho m; ~ **of directors** diretoria f; **Board of Trade** Am Câmara f de Comércio 3. (*in hotel*) **room and** ~ casa e comida; **full** ~ esp Brit pensão f completa; **half** ~ esp Brit meia pensão f 4. NAUT **on** ~ a bordo II. vt (*ship*) embarcar; (*bus, train, airplane*) subir a bordo III. vi (*stay*) hospedar-se; (*in school*) ser interno
boarding school n internato m
boardroom n sala f de reuniões
boardwalk n Am calçada f de tábuas ao longo da praia
boast [boʊst, *Brit:* bəʊst] vi gabar-se; **to** ~ **about-/of sth** vangloriar-se de a. c.
boat [boʊt, *Brit:* bəʊt] n barco m; (*small*) bote m; (*large*) navio m; **to go by** ~ ir de barco
boating n no pl **to go** ~ dar um passeio de barco

> **Culture** Uma **Boat Race** (competição de remo) é realizada todos os anos em um sábado de março no Rio Thames (Tâmisa). Oito remadores das Universidades Oxford e Cambridge competem nesta prova. É um evento nacional bastante importante acompanhado por 460 milhões de espectadores em todo o mundo.

bob [bɑ:b, *Brit:* bɒb] <-bb-> vi **to** ~ (**up and down**) balançar-se
bobby ['bɒbi] <-ies> n Brit, inf tira mf
bobby pin n Am grampo m de cabelo
bode [boʊd, *Brit:* bəʊd] vi **to** ~ **well/ill** ser um bom/mau sinal
bodily ['bɑ:dəli, *Brit:* 'bɒd-] adj físico, -a; (*harm*) corporal; (*function*) fisiológico, -a
body ['bɑ:di, *Brit:* 'bɒdi] <-ies> n 1. a. ANAT, ASTRON corpo m; (*corpse*) cadáver m; (*of water*) massa f; **over my dead** ~ por cima do meu cadáver; ~ **and soul** de corpo e alma 2. ADMIN, POL órgão m; **church/government/student** ~ organismo m eclesiástico/federal/estudantil
bodyguard n guarda-costas m inv, escolta f **body language** n no pl linguagem f corporal **body lotion** n loção f para o corpo **body psychotherapy** n no pl terapia f corporal **bodywork** n no pl AUTO carroceria f; (*therapy*) terapia f corporal
bog [bɑ:g, *Brit:* bɒg] I. n pântano m, brejo m II. <-gg-> vt **to get** ~ **down by** [o **in**] **sth** ser atravancado por a. c.
bogeyman ['bʊgimæn] n inf bichopapão m
boggle ['bɑ:gl, *Brit:* 'bɒgl] vi ficar atônito
bogus ['boʊgəs, *Brit:* 'bəʊ-] adj (*document*) falsificado, -a; (*argument*) ilusório, -a
boil [bɔɪl] I. vi, vt ferver II. n 1. no pl **to bring sth to the** ~ deixar a. c. ferver 2. MED furúnculo m
♦ **boil down to** vt fig resumir-se em
♦ **boil over** vi 1. GASTR transbordar 2. (*situation*) fugir ao controle
boiler ['bɔɪlər, *Brit:* -əʳ] n caldeira f, aquecedor m **boiler suit** n Aus, Brit macacão m

boiling *adj* fervente; (*day, weather*) abrasador(a); **I am ~** estou morrendo de calor

boisterous ['bɔɪstərəs] *adj* agitado, -a, alvoroçado, -a

bold [boʊld, *Brit:* bəʊld] <-er, -est> *adj* **1.** *inv* (*brave*) ousado, -a, atrevido, -a; **to be so ~ as to do sth** ter a ousadia de fazer a. c. **2.** (*attempt, assertion*) audacioso, -a **3.** (*color*) vivo, -a **4.** INFOR, TYP **~ (type)** negrito *m;* **in ~** em negrito

boldness *n no pl* ousadia *f*, atrevimento *m*

Bolivia [bə'lɪvɪə] *n* Bolívia *f*

Bolivian *adj* boliviano, -a

bolster ['boʊlstər, *Brit:* 'bəʊlstə^r] *vt* **1.** (*support*) **to ~ sth (up)** apoiar a. c. **2.** (*encourage*) **to ~ sb (up)** incentivar alguém

bolt [boʊlt, *Brit:* bəʊlt] **I.** *vi* sair em disparada **II.** *vt* **1.** (*food*) **to ~ sth (down)** comer a. c. às pressas **2.** (*lock, door, window*) trancar **III.** *n* **1.** (*on door*) ferrolho *m* **2.** (*screw*) parafuso *m* **3.** (*of lightning*) raio *m;* **a ~ from the blue** uma total surpresa **4. to make a ~ for the door** sair correndo pela porta **IV.** *adv* **~ upright** bem ereto

bomb [bɑːm, *Brit:* bɒm] **I.** *n* bomba *f;* **the ~** bomba *f* atômica; **to go like a ~** *Brit, inf* (*car*) ir a mil (por hora) **II.** *vt* bombardear **III.** *vi* **the car ~ed down the street** o carro ia a mil por hora pela rua

bombard [bɑːm'bɑːrd, *Brit:* bɒm'bɑːd] *vt* bombardear; **to ~ sb with questions** bombardear alguém com perguntas

bombardment *n* bombardeio *m*

bomber ['bɑːmər, *Brit:* 'bɒmə^r] *n* **1.** (*airplane*) bombardeiro *m* **2.** (*person*) pessoa que planta bombas

bombing *n* **1.** MIL bombardeio *m* **2.** (*by terrorists*) atentado *m* à bomba

bomb scare *n* ameaça *f* de bomba

bombshell *n* MIL bomba *f;* **the news hit like a ~** a notícia caiu como uma bomba

bona fide [,boʊnə'faɪd, *Brit:* ,bəʊnə'faɪdɪ] *adj* de boa fé

bond [bɑːnd, *Brit:* bɒnd] **I.** *n* **1.** (*connection*) vínculo *m;* (*of friendship*) laço *m* **2.** FIN obrigação *f; Am* (*bail*) fiança *f* **II.** *vi* ligar-se; **to ~ (together)** unir-se; **to ~ with sb** criar laços com alguém

bondage ['bɑːndɪdʒ, *Brit:* 'bɒn-] *n no pl, liter* servidão *f*

bone [boʊn, *Brit:* bəʊn] **I.** *n* ANAT osso *m;* (*of fish*) espinha *f; ~* **of contention** pomo *m* da discórdia; **to make no ~s about sth** não hesitar em dizer a. c.; **to have a ~ to pick with sb** *inf* ter contas a ajustar com alguém **II.** *adj* (*very*) **~ dry** completamente seco; **~ idle** bastante preguiçoso **III.** *vt* (*chicken*) desossar; (*fish*) tirar as espinhas **bone marrow** *n no pl* medula *f* óssea

bonfire ['bɑːnfaɪər, *Brit:* 'bɒnfaɪə^r] *n* fogueira *f*

bonkers ['bɑːŋkərz, *Brit:* 'bɒŋkəz] *adj inf* **to go ~** ficar pirado

bonnet ['bɑːnɪt, *Brit:* 'bɒnɪt] *n* **1.** (*hat*) gorro *m;* (*baby's*) touca *f* **2.** *Aus, Brit* AUTO (*hood*) capô *m*

bonus ['boʊnəs, *Brit:* 'bəʊ-] *n* **1.** (*money*) bônus *m*, bonificação *f;* **productivity ~** bônus *m* de produtividade **2.** (*advantage*) vantagem *f*

bony ['boʊni, *Brit:* 'bəʊ-] *adj* <-ier, -iest> ossudo, -a; (*fish*) cheio de espinhas

boo [buː] **I.** *vi* vaiar **II.** *interj* **~!** xô!, fora!

booby prize ['buː.bi-] *n* prêmio *m* de consolação **booby trap** *n* armadilha *f*

boogie board ['bʊgi,bɔːrd, *Brit:* 'buːgi,bɔːd] *n* prancha *f* bodyboard

boogie-boarder ['bʊgi,bɔːrdər, *Brit:* 'buːgi,bɔːdə^r] *n* bodyboarder *mf*

book [bʊk] **I.** *n* **1.** o livro *m;* (*of stamps*) álbum *m;* (*of tickets*) talão *m;* **the ~s** COM contabilidade; **to bring sb to ~** exigir explicações a alguém; **to cook the ~s** *inf* maquiar a contabilidade; **to do sth by the ~s** *fig* fazer a. c. seguindo à risca as normas; **to throw the ~ at sb** punir severamente alguém; **in my ~** na minha opinião **II.** *vt* **1.** (*reserve*) reservar **2.** (*charge with crime*) autuar **3. to be (all) ~ed up** (*not have tickets*) estar esgotado, estar lotado; (*not have time*) estar com a agenda tomada

bookcase *n* estante *f*

bookie ['bʊki] *n inf* corretor(a) *m(f)* de apostas

booking *n* reserva *f*

bookkeeping *n no pl* contabilidade *f*

booklet ['bʊklɪt] *n* folheto *m*

bookmaker *n* corretor(a) *m(f)* de apostas

bookmark *n a.* INFOR marcador *m*

book review *n* resenha *f* literária **book reviewer** *n* resenhista *mf* literário
bookseller *n* (*person*) livreiro, -a *m, f*; (*shop*) livraria *f* **bookshelf** <-shelves-> *n* estante *f* **bookshop** *n esp Brit* livraria *f* **bookstore** *n Am* livraria *f* **bookworm** *n* rato *m* de biblioteca
boom [bu:m] ECON **I.** *vi* retumbar, prosperar **II.** *n* **1.** (*sound*) estrondo *m* **2.** ECON, FIN rápido crescimento *m*, alta *f* repentina **III.** *interj* bum!
boon [bu:n] *n no pl* **to be a ~ (to sb)** ser de grande ajuda (para alguém)
boost [bu:st] **I.** *n no pl* incentivo *m*, impulso *m*; **a ~ in sth** um impulso em a. c. **II.** *vt* (*profits, the economy*) impulsionar; (*morale*) levantar
booster [bu:stər, *Brit:* -stə^r] *n* MED vacina *f* de reforço
boot [bu:t] **I.** *n* **1.** (*footwear*) bota *f*; **to give sb the ~** *inf* mandar alguém embora do emprego; **to ~** (*in addition*) ainda por cima **2.** *Brit, Aus* AUTO (*trunk*) porta-malas *m; inv* **II.** *vt inf* **1.** (*kick*) chutar **2.** INFOR iniciar
♦ **boot out** *vt inf* mandar embora
booth [bu:ð] *n* (*cubicle*) cabine *f*; (*at fair, market*) barraca *f*; **telephone ~** cabine *f* de telefone; (*polling ~*) cabine *f* eleitoral
bootleg ['bu:tleg] <-gg-> *adj* (*alcohol*) de contrabando; (*software*) pirata
booty ['bu:ti, *Brit:* -ti] *n no pl* despojo *m*
boo-yah [bu:'ja:] *interj Am, inf* ~! *pej, iron* argh!
booze [bu:z] *n no pl, inf* bebida *f* alcoólica; **to go out boozing** encher a cara
border ['bɔ:rdər, *Brit:* 'bɔ:də^r] **I.** *n* (*between countries*) fronteira *f*; (*edge, boundary*) limite *m*; (*on picture, cloth*) moldura *f*; (*in garden*) canteiro *m* **II.** *vt* margear
♦ **border on** *vi* fazer limite com; *fig* tocar as raias de
borderline ['bɔ:rdərlaɪn, *Brit:* 'bɔ:də-] *adj* limítrofe
bore[1] [bɔ:r, *Brit:* bɔ:^r] **I.** *n* (*thing*) chateação *f*; (*person*) chato, -a *m, f*; **what a ~!** que chatice! **II.** *vt* chatear, entediar
bore[2] *vt* perfurar; **to ~ a hole** abrir um buraco
bore[3] *pt of* **bear**
bored *adj* entediado, -a
boredom ['bɔ:rdəm, *Brit:* 'bɔ:d-] *n no pl* tédio *m*
boring *adj* chato, -a, aborrecido, -a; **to find sth ~** achar a. c. chata
born [bɔ:rn, *Brit:* bɔ:n] *adj* **1.** (*person*) nascido, -a; **to be ~** nascer; **where were you ~?** onde você nasceu?; **I wasn't ~ yesterday** *inf* não nasci ontem **2.** (*talented in*) nato, -a; **a ~ musician/leader** um músico/líder nato
borne [bɔ:rn, *Brit:* bɔ:n] *pp of* **bear**
borough ['bɜ:roʊ, *Brit:* 'bʌrə] *n* município *m*
borrow ['ba:roʊ, *Brit:* 'bɒrəʊ] *vt* tomar emprestado; **to ~ sth from sb** pedir a. c. emprestada de alguém; **to ~ a book from the library** pegar emprestado um livro na biblioteca; **may I ~ your pen?** pode me emprestar sua caneta?
borrower *n* pessoa *f* que toma emprestado
borrowing *n no pl* empréstimo *m;* **public sector ~** empréstimo do setor público
Bosnia ['ba:zniə, *Brit:* 'bɒz-] *n* Bósnia *f*
Bosnia-Herzegovina [-ˌhertsəgoʊ-'vi:nə, *Brit:* -ˌhɜ:tsə'gɒvɪnə] *n* Bósnia-Herzegovina *f*
Bosnian *adj* bósnio, -a
bosom ['bʊzəm] *n no pl* busto *m*, seio *m*
boss [ba:s, *Brit:* bɒs] **I.** *n* (*person in charge*) chefe *mf*; (*owner*) patrão, -oa *m, f* **II.** *vt inf* **to ~ sb around** mandar em alguém
bossy ['ba:si, *Brit:* 'bɒsi] <-ier, -iest> *adj* mandão, -ona
botanical [bə'tænɪkəl] *adj* botânico, -a
botanist ['ba:tnɪst, *Brit:* 'bɒtənɪst] *n* botânico, -a *m, f*
botany ['ba:tni, *Brit:* 'bɒtəni] *n no pl* botânica *f*
botch [ba:tʃ, *Brit:* bɒtʃ] *vt* **to ~ sth (up)** remendar a. c.
both [boʊθ, *Brit:* bəʊθ] **I.** *adj, pron* ambos, ambas, os dois *m*, as duas *f*, um e outro *m*, uma e outra *f*; **~ of them went/they ~ went** ambos foram/os dois foram; **~ of us went/we ~ went** fomos os dois/nós dois fomos; **~ (the) brothers** ambos os irmãos; **on ~ sides** em ambos os lados **II.** *adv* **~ Karen and Sarah** tanto Karen como Sarah; **to be ~ sad and pleased** estar ao mesmo tempo triste e contente
bother ['ba:ðər, *Brit:* 'bɒðə^r] **I.** *n* pro-

blema *m*, chateação *f*; **it is no** ~ não custa nada; **it is not worth the** ~ não vale a pena II. *vt* 1.(*annoy*) aborrecer; (*disturb*) incomodar; (*pester*) chatear 2.(*worry*) preocupar; (**not**) **to** ~ **to do sth** (não) se dar ao trabalho de fazer a. c.; **what** ~ **s me is ...** o que me preocupa é ...; **I can't be** ~ **ed cleaning up the mess** não estou com a menor vontade de arrumar esta bagunça; **I'm not** ~ **ed** *Brit* para mim tanto faz III. *interj esp Brit* ~! droga!

Botox® ['bouta:ks, *Brit:* 'bəʊtɒks] *n* botox *m*

Botswana [ba:t'swa:nə, *Brit:* bɒt'-] *n* Botsuana *f*

bottle ['ba:tl, *Brit:* 'bɒtl] I. *n* 1.(*container*) garrafa• *f*; (*of ink, perfume*) frasco *m*; (*baby's*) mamadeira *f*; **to hit the** ~ *inf* encher a cara 2.**I lost my** ~ *Brit, inf* perdi a coragem II. *vt* engarrafar; **to** ~ **one's anger/frustration up** conter a raiva/frustração

bottled *adj* de garrafa

bottle opener *n* abridor *m* de garrafa

bottom ['ba:təm, *Brit:* 'bɒtəm] I. *n no pl* 1.(*of stairs, page*) pé *m*; (*of sea, street, glass*) fundo *m*; **at the** ~ **of the class** o último da classe; **from the** ~ **of one's heart** do fundo do coração; **from top to** ~ dos pés à cabeça; **to get to the** ~ **of sth** ir ao fundo de a. c.; **to hit rock** ~ chegar ao fundo do poço 2. ANAT nádegas *fpl* 3. *pl* bikini ~**s** calcinha *f* do biquíni; **pajama** ~**s** calças *fpl* de pijama II. *adj* (*lower: shelf, drawer, rung*) inferior, de baixo; **in** ~ **gear** *esp Brit* em primeira

bough [baʊ] *n* galho *m* de árvore

bought [bɑ:t, *Brit:* bɔ:t] *vt pt, pp of* **buy**

boulder ['boʊldər, *Brit:* 'bəʊldə'] *n* pedregulho *m*

bounce [baʊnts] I. *vi* (*ball*) quicar; (*check*) ser devolvido II. *vt* fazer quicar; **to** ~ **a check** devolver um cheque; **to** ~ **an idea off sb** pedir a opinião de alguém; **to be** ~**d into doing sth** *esp Brit* ser forçado a fazer a. c.; **to be** ~**d from sth** (*thrown out*) ser expulso de a. c.; (*fired*) ser demitido de a. c. III. *n* 1.(*rebound*) rebote *m*; (*in economy, sales*) salto *m* 2. *no pl* (*vitality*) vitalidade *f*

♦ **bounce back** *vi inf* recuperar-se

bouncer ['baʊntsər, *Brit:* -ə'] *n inf* leão-de-chácara *m*

bound¹ [baʊnd] I. *vi* (*leap*) saltitar II. *n* salto *m*; **by leaps and** ~**s** em ritmo acelerado

bound² *adj* **to be** ~ **for ...** rumar para ...

bound³ I. *pt, pp of* **bind** II. *adj* 1.(*sure*) **she's** ~ **to come** certamente ela virá; **it was** ~ **to happen sooner or later** mais cedo ou mais tarde isso estava fadado a acontecer 2.(*obliged*) ~ **by sth** compelido por a. c.; **to be** ~ **to do sth** ser obrigado a fazer a. c.

boundary ['baʊndri] <-ies> *n* 1. *a. fig* (*line*) limite *m* 2.(*border*) fronteira *f*

boundless *adj* (*love, patience*) sem limites; (*energy*) inesgotável

bounds *n pl* limites *mpl*; **to know no** ~ não ter limites; **to be beyond the** ~ **of possibility** não ser possível; **this area is out of** ~ **to civilians** a entrada de civis é proibida nesta área; **within** ~ dentro dos limites

bounty ['baʊnti, *Brit:* -ti] <-ies> *n* generosidade *f*

bouquet [boʊ'keɪ, *Brit:* bʊ'-] *n* (*of flowers*) buquê *m*

bout [baʊt] *n* 1.(*of flu, measles, fever*) ataque *m*; ~ **of insanity** acesso de loucura; **drinking** ~ bebedeira *f* 2. SPORTS assalto *m*

bow¹ [boʊ, *Brit:* bəʊ] *n* 1.(*weapon, a. for violin*) arco *m* 2.(*knot*) laço *m*, laçada *f*

bow² [baʊ] *n* NAUT proa *f*

bow³ [baʊ] I. *vi* 1.(*greet*) saudar, fazer uma reverência 2.(*yield*) **to** ~ **to sth** submeter-se a a. c. II. *vt* (*one's head*) inclinar; (*body*) curvar III. *n* reverência *f*; **to take a** ~ agradecer os aplausos com reverência

♦ **bow out** *vi* afastar-se

bowel ['baʊəl] *n* ANAT intestino *m*

bowl¹ [boʊl, *Brit:* bəʊl] *n* tigela *f*; (*larger*) vasilha *f*

bowl² SPORTS I. *vi* (*play tennis*) jogar; (*in cricket*) arremessar a bola II. *n pl* bocha inglesa *f* (*jogo de bolas praticado na grama*)

bowler ['boʊlər, *Brit:* 'bəʊlə'] *n* 1.(*in bowling*) jogador(a) de boliche *m* 2.(*hat*) chapéu-coco *m* 3. *Brit* (*in cricket*) lançador(a) *m(f)*

bowling *n no pl* boliche *m*

bowling alley *n* pista *f* de boliche

bow tie *n* gravata-borboleta *f*

box¹ [ba:ks, *Brit:* bɒks] *vi* SPORTS boxear

box² I. *n* 1.(*of cookies, tissues, cereal*)

box in caixa *f*; **the ~** *inf* (*television*) a TV; **to go outside the ~** *Am* ir mais além; **to think outside the ~** inovar **2.** (*space on form*) caixa *f* (de seleção) **3.** (*in soccer*) pequena área *f* **4.** THEAT camarote *m* II. *vt* **to ~ sth** (**up**) encaixotar a. c.
◆**box in** *vt* cercar

boxer ['bɑːksər, *Brit:* 'bɒksəʳ] *n* **1.** SPORTS pugilista *mf*, boxeador(a) *m(f)* **2.** (*dog*) bóxer *mf*

boxer shorts *npl* cueca *f* samba-canção
boxing *n no pl* boxe *m*

> **Culture** O **Boxing Day** é comemorado em 26 de dezembro. É assim chamado porque os aprendizes de um ofício, no dia seguinte ao Natal, coletavam em **boxes** (caixas) as gratificações dadas pelos clientes da oficina de seu mestre. Anteriormente, era chamada de **Christmas box** a gratificação de Natal dada aos empregados.

box office *n* bilheteria *f*
boy [bɔɪ] I. *n* (*child*) menino *m*, garoto *m*; (*young man*) rapaz *m*; (*son*) filho *m* II. *interj* oh ~! nossa!; ~, **was I tired!** nossa, eu estava cansado!
boycott ['bɔɪkɑːt, *Brit:* -kɒt] I. *vt* boicotar II. *n* boicote *m*
boyfriend *n* (*partner*) namorado *m*; (*friend*) amigo *m*
boyhood ['bɔɪhʊd] *n no pl* infância *f* (de meninos)
boyish *adj* (*enthusiasm*) infantil; (*woman*) de menino
bra [brɑː] *n* sutiã *m*
brace [breɪs] I. *vt* preparar-se; **to ~ oneself for sth** preparar-se para a. c. II. *n* **1.** *pl* (*for teeth*) aparelho *m* **2.** *pl, Aus, Brit* (*suspenders*) suspensórios *mpl*
bracelet ['breɪslɪt] *n* pulseira *f*
bracket ['brækɪt] *n* **1.** *pl, esp Brit* TYP (*parentheses*) parêntese *m*; **in ~s** entre parênteses; **curly ~s** INFOR chave *f*; **square ~s** colchetes *mpl* **2.** (*category*) categoria *f*; **age ~** faixa *f* etária; **tax ~** faixa *f* tributária **3.** (*for shelf*) suporte *m* II. *vt* **1.** TYP pôr entre parênteses **2.** *fig* (*include*) categorizar
brag [bræɡ] <-gg-> *vi inf* **to ~ about sth** gabar-se de a. c.

braid [breɪd] I. *n* **1.** *Am* (*in hair*) trança *f* **2.** *no pl* FASHION galão *m* II. *vt* **to ~ one's hair** trançar os cabelos
brain [breɪn] *n* **1.** (*organ*) cérebro *m* **2.** *pl* (*substance*) miolos *mpl* **3.** (*intelligence*) inteligência *f*; **to have ~s** ser inteligente **4.** *inf* (*intelligent person*) crânio *m*
brainchild *n no pl* idéia *f* original
brain damage *n* lesão *f* cerebral
brainless *adj* estúpido, -a
brainstorm I. *n* estalo *m*, idéia *f* brilhante II. *vi* lançar idéias em grupo
brainwash *vt* fazer lavagem cerebral em; **to ~ sb into doing sth** doutrinar alguém para fazer a. c. **brainwave** *n inf* luz *f*, estalo *m*
brainy <-ier, -iest> *adj* inteligente
brake [breɪk] I. *n* freio *m*; **to put on** [*o* **to step on**] **the ~s** pisar no freio II. *vi* frear; **to ~ hard** dar uma freada brusca
bramble ['bræmbl] *n* **1.** (*bush*) sarça *f* **2.** *Brit* (*fruit*) amora-preta *f*
bran [bræn] *n no pl* farelo *m*
branch [bræntʃ, *Brit:* brɑːntʃ] <-es> I. *n* **1.** (*of tree*) galho *m*; (*of river*) braço *m* **2.** (*of company*) filial *f*, sucursal *f*; (*of union*) seção *f* II. *vi* **to ~ (off)** (*street*) bifurcar-se
◆**branch out** *vi* ampliar-se
brand [brænd] I. *n* COM marca *f* II. *vt* **to ~ sb** (**as**) **sth** taxar alguém de a. c.
brandish ['brændɪʃ] *vt* (*a weapon*) brandir
brand name *n* marca *f*
brand-new *adj inv* novo, -a em folha
brandy ['brændi] <-ies> *n* conhaque *m*
brash [bræʃ] *adj* **1.** (*attitude*) insolente **2.** (*colors*) berrante
brass [bræs, *Brit:* brɑːs] *n no pl* latão *m*
brat [bræt] *n inf* pirralho, -a *m, f*
bravado [brəˈvɑːdoʊ, *Brit:* -dəʊ] *n no pl* bravata *f*
brave [breɪv] *adj* corajoso, -a
bravery ['breɪvəri] *n no pl* coragem *f*
brawl [brɑːl, *Brit:* brɔːl] I. *n* pancadaria *f* II. *vi* brigar
brazen ['breɪzn] *adj* descarado, -a
Brazil [brəˈzɪl] *n* Brasil *m*
Brazilian *adj* brasileiro, -a
brazilian *n abbr of* **brazilian wax** depilação (à brasileira) com a virilha bem cavada
Brazil nut *n* castanha-do-pará *f*
breach [briːtʃ] I. *n* **1.** (*infraction: of regulation*) infração *f*, violação *f*; (*of*

agreement) quebra *f*; (*of confidence*) abuso *m*; (*of contract*) rompimento *m*; **to be in ~ of the law** ter violado a lei **2.** (*opening*) brecha *f* **II.** *vt* (*law*) violar; (*agreement, contract*) romper; (*security*) falhar

bread [bred] *n* **1.** pão *m*; **a loaf of ~** um pão; **a slice of ~** uma fatia de pão **2.** *no pl, inf* (*money*) grana *f*; **to be sb's ~ and butter** *fig* ser o ganha-pão de alguém

bread box *n* porta-pão *m*
breadcrumbs *npl* farinha *f* de rosca
breaded *adj* empanado, -a
breadth ['bretθ] *n no pl* largura *f*
break [breɪk] **I.** *n* **1.** (*in glass, pottery*) rachadura *f* **2.** (*interruption*) intervalo *m*; (*from work*) pausa *f*; **to take a ~** fazer uma pausa; (*short vacation*) recesso *m*; **coffee ~** hora do cafezinho **3.** *Brit* SCH recreio *m* **4.** (*opportunity*) chance *f*; **give me a ~!** me deixa em paz!; **to make a ~ for it** tentar fugir (da prisão, polícia) **5.** (*beginning*) começo *m*; **the ~ of day** o raiar do dia; **to make a clean ~** *fig* cortar pela raiz **II.** <broke, broken> *vt* **1.** (*plate, glass, leg, arm*) quebrar; **to ~ sb's heart** magoar alguém **2.** (*circuit*) interromper **3.** (*put an end to*) suspender; (*peace, silence*) quebrar; (*strike*) acabar com; (*habit*) abandonar; **~ it up!** (*stop fighting*) pára com isso! **4.** (*violate: agreement, treaty, the law*) violar; (*promise*) quebrar **5. to ~ a record** bater um recorde **6.** (*tell*) **to ~ the news to sb that ...** dar a alguém a notícia de que ... **III.** <broke, broken> *vi* **1.** (*shatter*) despedaçar; **to ~ even** não ter lucro nem prejuízo; **to ~ free** libertar-se; **to ~ loose** soltar-se; **to ~ into pieces** espatifar **2.** (*voice*) mudar **3.** (*interrupt*) **shall we ~ (off) for lunch?** vamos fazer uma pausa para o almoço? **4.** (*weather*) piorar **5.** (*news, scandal*) vir à tona

◆**break away** *vi* desvencilhar-se; (*region*) afastar-se

◆**break down I.** *vi* quebrar; (*car, machine*) enguiçar; (*marriage*) acabar; (*negotiations*) fracassar; (*psychologically*) sofrer uma crise nervosa; **~ and cry** desatar a chorar **II.** *vt* **1.** (*door*) derrubar **2.** (*resistance*) vencer **3.** (*data*) analisar

◆**break in I.** *vi* **1.** (*burgle*) invadir **2.** (*interrupt*) interromper **II.** *vt* abrandar; (*animal*) domar

◆**break into** *vi* **1.** (*enter: car, house*) arrombar **2.** (*start doing*) **to ~ laughter/tears** desatar a rir/chorar

◆**break off I.** *vt* (*detach*) separar; **to ~ sth off from** [*o of*] **sth** separar a. c. de a. c. **2.** (*relationship*) romper **II.** *vi* interromper-se; (*stop speaking*) parar de falar

◆**break out** *vi* **1.** (*escape*) fugir **2.** (*begin*) começar; (*war*) irromper; **to ~ out in a sweat** começar a suar; **to ~ in a rash** aparecer uma erupção na pele

◆**break through** *vi* avançar; (*sun*) aparecer

◆**break up I.** *vt* (*meeting*) terminar; (*coalition, union*) dissolver; (*fight*) apartar **II.** *vi* **1.** (*end relationship*) separar-se **2.** (*come to an end: marriage*) desfazer-se; (*meeting*) interromper-se

breakaway *adj* dissidente
breakdown *n* **1.** TECH pane *f*; (**nervous**) **~** PSYCH crise *f* nervosa **2.** (*in relationship*) rompimento *m*; (*in negotiations*) interrupção *f* **3.** (*statistics*) análise *f*
breakfast ['brekfəst] *n* café *m* da manhã; **to have ~** tomar o café da manhã
breakout ['breɪkaʊt] *n* acne *f*
breakthrough *n* (*in science*) grande avanço *m*; MIL avanço *m*
breakup *n* (*of marriage*) rompimento *m*; (*of group, empire, company*) dissolução *f*; (*of talks*) interrupção *f*; (*of family*) desagregação *f*
breast [brest] *n* **1.** ANAT seio *m* **2.** GASTR peito *m*
breast cancer *n no pl* câncer *m* de mama
breast feed *vt* amamentar
breast stroke *n* nado *m* de peito
breath [breθ] *n* respiração *f*, hálito *m*; **bad ~** mau hálito; **to be out of ~** estar sem fôlego; **to be short of ~** ter falta de ar; **to get one's ~ back** recuperar o fôlego; **to hold one's ~** a. *fig* aguardar ansiosamente; **to mutter sth under one's ~** sussurrar a. c. a alguém; **in the same ~** ao mesmo tempo; **to take sb's ~ away** deixar alguém perplexo; **take a deep ~** respirar fundo
breathe [briːð] *vi*, *vt* respirar; **to ~ again** respirar aliviado; **to ~ in/out** inspirar/expirar; **to ~ deeply** respirar fundo
breather ['briːðər, *Brit*: -əʳ] *n no pl*, *inf* **to take a ~** descansar

breathing n no pl respiração f; **heavy ~** respiração pesada
breathless ['breθlɪs] adj sem fôlego
breathtaking adj impressionante, de tirar o fôlego
breathwork n no pl controle m da respiração
bred [bred] pt, pp of **breed**
breed [bri:d] **I.** vt <bred, bred> procriar; (disease, violence) gerar **II.** vi <bred, bred> reproduzir-se **III.** n ZOOL raça f
breeder ['bri:dər, Brit: -ə'] n criador(a) m(f)
breeding n no pl **1.** (of animals) reprodução f, criação f **2.** fig educação f
breeze [bri:z] n brisa f; **to be a ~** inf ser sopa
brew [bru:] **I.** vi **1.** (beer) fermentar; (tea) preparar; **to let the tea ~** deixar o chá em infusão **2.** (storm, trouble) armar-se; **there's something ~ing** há qualquer coisa no ar **II.** vt (beer) produzir; (tea, coffee) fazer chá, coar café
brewery ['bru:əri, Brit: 'bruə-] <-ies> n cervejaria f
bribe [braɪb] **I.** vt subornar **II.** n suborno m
bribery ['braɪbəri] n no pl suborno m
brick [brɪk] n tijolo m
 ♦ **brick up** vt recobrir com tijolos
bricklayer n pedreiro m
bridal ['braɪdəl] adj (suite) nupcial; (gown) de noiva
bride ['braɪd] n noiva f; **the ~ and groom** os noivos
bridegroom ['braɪdgru:m, Brit: -grʊm] n noivo m
bridesmaid n dama-de-honra f
bridge [brɪdʒ] **I.** n **1.** ARCHIT ponte f **2.** (of nose) cavalete m **3.** (link) ligação f **4.** no pl GAMES bridge m **5.** NAUT ponte f (de comando) **II.** vt **to ~ a gap between** fazer uma ponte entre, reduzir a diferença entre
bridle ['braɪdl] **I.** n rédea f **II.** vi **to ~ at sth** ficar contrariado com a. c.
brief [bri:f] **I.** adj (short) curto, -a; (concise) breve; **in ~** em resumo **II.** n Aus, Brit (task) instruções fpl **III.** vt informar
briefcase n pasta f
briefing n **1.** (instructions) instruções fpl **2.** (information session) briefing m
briefly adv (for short time) brevemente; (concisely) resumidamente; **~, ...** em suma, ...

briefs [bri:fs] npl cueca f
brigade [brɪ'geɪd] n MIL brigada f
bright [braɪt] adj **1.** (light) brilhante; (room) claro, -a **2.** (color) vivo, -a **3.** (intelligent) inteligente; (idea) brilhante **4.** (promising) promissor(a); **to look on the ~ side of sth** ver o lado bom de a. c.
brighten ['braɪtən] **I.** vi iluminar; (eyes) brilhar; **to ~ up** (sky) clarear; (the future) prometer; (become cheerful) alegrar-se; (sb's face) iluminar-se **II.** vt **to ~ sth (up) 1.** (room) alegrar **2.** (party, mood) animar
brightness n no pl brilho m; (of sound) agudeza f
brilliance ['brɪliəns] n no pl **1.** (cleverness) inteligência f **2.** (of diamond, etc) brilho m
brilliant ['brɪljənt, Brit: -iənt] adj **1.** (color) cintilante; (sunlight, smile) brilhante **2.** (clever) esperto, -a; (idea) brilhante **3.** Brit, inf (excellent) bárbaro, -a
brim [brɪm] n (of hat) aba f; (of vessel) borda f; **to fill sth to the ~** encher a. c. até a borda
bring [brɪŋ] <brought, brought> vt **1.** (carry) trazer; **to ~ sth in** introduzir a. c.; **to ~ news** trazer novidades **2.** (take) trazer; **to ~ sth with oneself** trazer a. c. consigo **3.** (cause to come) **to ~ sth to a close** terminar a. c.; **to ~ sb to justice** levar alguém à justiça; **to ~ sb luck** dar sorte a alguém; **to ~ sth to life** dar vida a a. c.; **to ~ sb up to date** pôr alguém em dia com a. c.; **~ a friend along, if you like** traga um amigo, se quiser **4.** LAW **to ~ an action (against sb)** abrir um processo (contra alguém) **5.** (force) **to ~ oneself to do sth** ter coragem de fazer a. c.
 ♦ **bring about** vt provocar
 ♦ **bring back** vt **1.** (give back) devolver **2.** (death penalty, prohibition) reintroduzir **3.** (memories) recordar
 ♦ **bring down** vt **1.** (benefits, level) reduzir; (temperature) baixar **2.** (person) derrubar; (government) depor
 ♦ **bring in** vt **1.** (reforms, new ideas) introduzir **2.** (money) render; (national guard, minority groups) convocar
 ♦ **bring on** vt **1.** (cause to occur) provocar; **to ~ sth on sb/oneself** causar a. c. a alguém/a si próprio **2.** (improve)

to ~ **sb on** estimular alguém a aperfeiçoar-se
◆ **bring out** *vt* produzir; (*book*) publicar; (*CD, video*) lançar; **to ~ the best in sb** fazer sobressair o que há de melhor em alguém
◆ **bring up** *vt* 1. (*child*) criar, educar; **to ~ sb up to do sth** educar alguém para fazer a. c. 2. (*mention*) mencionar
brink [brɪŋk] *n no pl* beira *f fig;* **on the ~ of disaster** na iminência de um desastre
brisk [brɪsk] *adj* 1. (*fast: pace, walk*) ligeiro, -a 2. (*weather, breeze*) fresco, -a 3. (*manner*) enérgico, -a 4. (*sales*) ativo, -a
bristle ['brɪsl] I. *n* (*of animal*) pêlo *m;* (*on face*) barba *f* curta; (*of brush*) cerda *f* II. *vi* arrepiar-se; **to ~ with anger** *fig* enfurecer-se
Britain ['brɪtən] *n* Grã-Bretanha *f*
British ['brɪtɪʃ, *Brit:* -t-] I. *adj* britânico, -a II. *n pl* **the ~** os britânicos *mpl*
British Columbia *n* Colúmbia *f* Britânica **British Isles** *n* **the ~** as Ilhas Britânicas
Briton ['brɪtn] *n* britânico, -a *m, f*
Brittany ['brɪtəni] *n* Bretanha *f*
brittle ['brɪtl, *Brit:* -t-] *adj* frágil, quebradiço, -a
broach [broʊtʃ, *Brit:* brəʊtʃ] *vt* (*subject*) abordar
broad [brɑːd, *Brit:* brɔːd] *adj* extenso, -a; (*shoulders, smile*) largo, -a; (*accent*) carregado, -a; **~ interests** amplos interesses; **a ~ mind** uma mente aberta
broadcast ['brɑːdkæst, *Brit:* 'brɔːdkɑːst] I. *n* TV, RADIO transmissão *f,* programa *m;* (*of concert*) difusão *f* II. *vi, vt* <broadcast *Am:* broadcasted, broadcast *Am:* broadcasted> 1. TV, RADIO transmitir 2. (*tell openly*) difundir; (*rumor*) espalhar
broadcaster *n* (*person*) locutor(a) *m(f);* (*station*) emissora *f*
broadcasting *n no pl* TV transmissão *f;* RADIO radiodifusão *f*
broaden ['brɑːdn, *Brit:* 'brɔː-] *vt* alargar, ampliar; **to ~ the mind** abrir a cabeça
broadly *adv* (*amply: smile*) de orelha a orelha; (*generally*) em linhas gerais

Culture Broadway é o nome de uma grande avenida em Nova York. Nela está o conhecido bairro da Broadway, famoso pela intensa atividade teatral. Lá são encenadas praticamente todas as peças de teatro americanas de importância. As peças de produções baratas ou experimentais são chamadas de **off-Broadway plays**.

broccoli ['brɑːkəli, *Brit:* 'brɒk-] *n no pl* brócolis *mpl*
brochure [broʊ'ʃʊr, *Brit:* 'brəʊʃər] *n* folheto *m*
broil [brɔɪl] *vt* grelhar
broke [broʊk, *Brit:* brəʊk] I. *pt of* **break** II. *adj inf* duro; **to go ~** *inf* quebrar, falir
broken ['broʊkən, *Brit:* 'brəʊ-] I. *pp of* **break** II. *adj* quebrado, -a; (*line*) descontínuo, -a; (*marriage*) desfeito, -a; **~ English** inglês mal falado; **~ heart** mágoa
broker ['broʊkər, *Brit:* 'brəʊkər] *n* FIN corretor(a) *m(f);* (*of agreement*) mediador(a) *m(f)*
bronchitis [brɑːŋ'kaɪtɪs, *Brit:* brɒŋ'kaɪtɪs] *n no pl* bronquite *f;* **I've got ~** estou com bronquite
bronze [brɑːnz, *Brit:* brɒnz] I. *n* bronze *m* II. *adj* de bronze
brooch [broʊtʃ, *Brit:* brəʊtʃ] *n* broche *m*
brood [bruːd] I. *n* (*of mammals, of birds*) ninhada *f* II. *vi* **to ~ over sth** remoer a. c.
brook [brʊk] *n* riacho *m*
broom [bruːm] *n* vassoura *f*
broomball ['bruːmbɔːl] *n no pl, Am* SPORTS *uma espécie de hóquei sobre o gelo em que cada jogador leva uma vassoura em vez do bastão, usa roupas normais e tênis em vez de patins*
broomstick *n* cabo *m* de vassoura
broth [brɑːθ, *Brit:* brɒθ] *n no pl* caldo *m*
brothel ['brɑːθl, *Brit:* 'brɒ-] *n* bordel *m*
brother ['brʌðər, *Brit:* -ər] *n* irmão *m;* **I haven't got any ~s or sisters** não tenho irmãos
brotherhood ['brʌðərhʊd, *Brit:* '-əhʊd] *n + sing/pl vb* fraternidade *f*
brother-in-law <brothers-in-law *Brit:* brother-in-laws> *n* cunhado *m*
brought [brɑːt, *Brit:* brɔːt] *pt, pp of* **bring**

brow [braʊ] *n no pl* (*forehead*) testa *f*; (*eyebrow*) sobrancelha *f*; (*of hill*) cume *m*

brown [braʊn] **I.** *n* marrom *m* **II.** *adj* marrom; (*eyes, hair*) castanho, -a; (*skin*) moreno, -a; (*bread, rice*) integral

brownie ['braʊni] *n Am* brownie *m*

brown paper *n* papel *m* pardo **brown sugar** *n* açúcar *m* mascavo

browse [braʊz] *vi* folhear, dar uma olhada; INFOR navegar

browser ['braʊzər, *Brit*: -əʳ] *n* INFOR navegador *m*

brr [bɜːr] *interj* ~ ! ≈ que frio!

bruise [bruːz] **I.** *n* hematoma *m*; (*on fruit*) amassado *m* **II.** *vt* (*arm, leg*) machucar; (*fruit*) amassar; **to ~ one's arm** machucar o braço

brunch [brʌntʃ] *n* brunch *m*

brunt [brʌnt] *n no pl* **to bear the ~ of sth** resistir ao impacto de a. c.

brush [brʌʃ] **I.** *n* **1.** (*for hair*) escova *f* **2.** (*small broom*) vassoura *f* **3.** (*for painting*) pincel *m*; (*bigger*) brocha *f* **4.** (*encounter*) passagem *f* rápida **II.** *vt* **1.** (*teeth, hair*) escovar **2.** (*touch lightly*) pincelar; **to ~ up against sb** roçar em alguém
 ◆ **brush aside** *vt* **1.** (*push to one side*) pôr de lado **2.** (*disregard*) não fazer caso; (*criticism*) rechaçar
 ◆ **brush off** *vt* (*person*) ignorar
 ◆ **brush up** *vt* (*a skill, one's English*) desenferrujar, repassar

Brussels ['brʌsəlz] *n* Bruxelas *f*

Brussels sprouts *npl* couve-de-bruxelas *f*

brutal ['bruːtəl, *Brit*: -t-] *adj* (*attack*) brutal, cruel; (*words*) grosseiro, -a; (*honesty*) atroz

brutality [bruːˈtæləti, *Brit*: -ti] <-ies> *n* (*of attack*) brutalidade *f*; (*of words*) grosseria *f*; (*of truth*) crueldade *f*

brute [bruːt] **I.** *n* bruto *m* **II.** *adj* ~ **force** força bruta

BSc [ˌbiːesˈsiː] *abbr of* **Bachelor of Science** bacharel *m* em Ciências

BSE [ˌbiːesˈiː] *n abbr of* **bovine spongiform encephalopathy** EEB

bubble ['bʌbl] **I.** *n* bolha *f*; (*in comics*) balão *m*; **to blow ~** fazer bolhas **II.** *vi* borbulhar

bubble bath *n* banho *m* de espuma **bubble gum** *n* chiclete *m*

buck¹ [bʌk] <-(s)> *vi* (*horse*) dar pinotes

buck² *n* **1.** *Am, Aus, inf* (*dollar*) dólar *m*; **to make a fast ~** ganhar dinheiro fácil **2. to pass the ~** *fig* jogar a responsabilidade nos outros

bucket ['bʌkɪt] *n* balde *m*; **to kick the ~** *fig, inf* bater as botas

bucketful <-s *o* bucketsful> *n* um balde *m*

> **Culture** O **Buckingham Palace** é a residência londrina da família real britânica. O palácio possui cerca de 600 cômodos e foi construído por John Nash por vontade expressa do Rei George IV entre 1821 e 1830. O edifício foi inaugurado em 1837 com a coroação da Rainha Vitória.

buckle ['bʌkl] **I.** *n* fivela *f* **II.** *vt* **1.** (*fasten: belt*) afivelar; **to ~ sb in** colocar o cinto (de segurança) em alguém **2.** (*bend*) vergar **III.** *vi* (*bend: legs*) dobrar-se; **he ~d under the pressure** ele cedeu à pressão
 ◆ **buckle up** *vi* colocar o cinto de segurança

bud [bʌd] *n* (*of leaf*) broto *m*; (*of flower*) botão *m*

Buddhism ['buːdɪzəm, *Brit*: 'bʊd-] *n no pl* budismo *m*

Buddhist *adj* budista

buddy ['bʌdi] *n Am, inf* chapa *m*

budge [bʌdʒ] **I.** *vi* mexer-se; (*change opinion*) ceder **II.** *vt* (*move*) mover

budget ['bʌdʒɪt] **I.** *n* orçamento *m*, verba *f* **II.** *vt* orçar; (*wages, time*) planejar **III.** *vi* **to ~ for sth** incluir a. c. no orçamento

budget deficit *n* déficit *m* orçamentário

budgie [ᵛbʌdʒi] *n inf* periquito *m*

buff [bʌf] **I.** *adj* de cor amarelo-claro **II.** *n inf* entusiasta *mf*; **film ~** aficionado, -a *m, f* por cinema **III.** *vt* polir

buffalo ['bʌfəloʊ, *Brit*: -ləʊ] <-(es)> *n* búfalo *m*

buffer ['bʌfər, *Brit*: -əʳ] *n* **1.** *Brit a.* RAIL pára-choque *m*; **a ~ against sth** um anteparo contra a. c. **2.** INFOR buffer *m*

buffet¹ [bəˈfeɪ, *Brit*: 'bʊ-] *n* **1.** (*meal*) bufê *m* **2.** (*bar*) lanchonete *f*

buffet² ['bʌfɪt] *vt* fustigar

bug [bʌg] **I.** *n* **1.** ZOOL inseto *m*; *inf* (*any insect*) bicho *m* **2.** *inf* MED germe *m*; **she's caught the travel ~** *fig* ela pegou a mania de viajar **3.** INFOR bug *m* **4.** (*for eavesdropping*) grampo *m;* **to plant a ~** fazer escuta clandestina **II.** *vt* <-gg-> **1.** (*telephone*) grampear; (*conversation*) escutar clandestinamente **2.** *inf* (*annoy*) atazanar

buggy ['bʌgi] *n* <-ies> *Am* (*baby carriage*) carrinho *m* de bebê

build [bɪld] **I.** *vt* <built, built> (*house*) construir; (*car*) fabricar; (*trust*) criar; (*relationship*) estabelecer **II.** *vi* <built, built> **1.** (*construct*) edificar; *fig* erguer **2.** (*increase: tension, stress, anticipation*) aumentar **III.** *n* construção *f*
◆ **build on** *vt* **to ~ sth** fundamentar-se em a. c.
◆ **build up I.** *vt* **1.** (*increase, accumulate: savings, debts*) acumular **2.** (*establish: business, a library*) estabelecer **3.** (*strengthen: muscles, strength*) fortalecer **II.** *vi* (*pressure, tension, expectations, hopes*) intensificar-se; (*traffic, line*) aumentar; (*debt*) acumular-se; (*town*) desenvolver-se

builder ['bɪldər, *Brit:* -əʳ] *n* construtor(a) *m(f)*

building *n* edifício *m*, prédio *m*

building society *n* *Aus, Brit* sociedade *f* imobiliária, financiadora *f*

build-up *n* acúmulo *f*

built [bɪlt] *pt, pp of* **build**

built-in *adj* **1.** (*cupboard*) embutido, -a **2.** (*feature*) acoplado, -a **3.** (*advantage*) incorporado, -a

bulb [bʌlb] *n* **1.** BOT bulbo *m* **2.** ELEC lâmpada *f*

Bulgaria [bʌlˈgerɪə, *Brit:* -ˈgeər-] *n* Bulgária *f*

Bulgarian *adj* búlgaro, -a

bulge [bʌldʒ] **I.** *vi* (*eyes, stomach*) ficar saliente; (*bag*) ficar estufado **II.** *n* saliência *f*

bulk [bʌlk] *n* **1.** *no pl* (*magnitude*) grandeza *f* **2.** *no pl* (*large quantity*) grande quantidade *f*; **in ~ a** granel; **the ~ of** o grosso de

bulky ['bʌlki] <-ier, iest> *adj* (*awkward to carry*) volumoso, -a; (*person*) corpulento, -a

bull [bʊl] *n* touro *m*

bulldog *n* buldogue *m*

bulldozer ['bʊldoʊzər, *Brit:* -dəʊzəʳ] *n* escavadeira *f*

bullet ['bʊlɪt] *n* bala *f*

bulletin ['bʊlətɪn] *n* boletim *m;* **news ~** boletim de notícias

bulletin board *n Am* a. INFOR quadro *m* de avisos

bulletproof *adj* à prova de bala

bullfight *n* tourada *f*

bullfighter *n* toureiro, -a *m, f*

bullock ['bʊlək] *n* novilho *m*

bullring *n* arena *f* para touradas

bull's eye *n* centro *m* do alvo

bullshit *n no pl, sl* bobagem *f*

bully ['bʊli] **I.** <-ies> *n* (*person*) valentão, -ona *m, f* **II.** <-ie-> *vt* intimidar, tiranizar

bulwark ['bʊlwərk, *Brit:* -wək] *n* baluarte *m*

bum [bʌm] *n* **1.** *Am* (*lazy person*) preguiçoso, -a *m, f* **2.** *Am* (*tramp*) vagabundo, -a *m, f* **3.** *Aus, Brit, inf* (*bottom*) traseiro *m*

bumble ['bʌmbl] *vi* fazer trapalhadas

bumblebee ['bʌmblbi:] *n* abelhão *m*

bump [bʌmp] **I.** *n* **1.** (*lump*) inchaço *m*; (*on head*) galo *m*; (*on road*) solavanco *m* **2.** (*sound*) baque *m* **II.** *vt* dar um encontrão; **to ~ one's head against sth** bater com a cabeça em a. c.
◆ **bump into 1.** (*collide with*) esbarrar em **2.** (*meet*) topar com
◆ **bump off** *vt inf* **to bump sb off** acabar com alguém

bumper ['bʌmpər, *Brit:* -əʳ] **I.** *n* AUTO pára-choque *m* **II.** *adj* (*crop*) recorde

bumper-to-bumper ['bʌmpərtəˌbʌmpər, *Brit:* 'bʌmpəˈ-] *adv* AUTO **~ traffic** tráfego parado

bumpy ['bʌmpi] <-ier, iest> *adj* (*surface*) acidentado, -a; (*journey*) turbulento, -a

bun [bʌn] *n* **1.** (*pastry*) pãozinho *m* **2.** *Am* (*for hamburger*) pão *m* de hambúrguer **3.** (*in hair*) coque *m*

bunch [bʌntʃ] <-es> **I.** *n* (*of grapes*) cacho *m*; (*of bananas*) penca *f*; (*keys*) molho *m*; (*of flowers*) ramalhete *m*; (*of people*) turma *f*; **to be the best of the ~** ser o melhor da turma **II.** *vi* **to ~** (*together*) amontoar-se

bundle ['bʌndl] *n* (*of clothes*) trouxa *f*; (*of money*) maço *m*; (*of sticks*) pacote *m*; **to be a ~ of laughs** ser muito engraçado; **to be a ~ of nerves** estar uma pilha de nervos
◆ **bundle up** *vi* agasalhar-se

bungalow ['bʌŋgəloʊ, *Brit:* -əʊ] *n* bangalô *m*

bunk bed *n* beliche *m*

bunker ['bʌŋkər, *Brit:* -əʳ] *n* abrigo *m*

subterrâneo
bunny ['bʌni] *n* <-ies> coelhinho *m*
buoy ['bɔɪ] *n* bóia *f*
buoyant ['bɔɪjənt], *Brit:* 'bɔɪənt] *adj* flutuante; *(disposition)* animado, -a
burden ['bɜːrdən], *Brit:* 'bɜːd-] I. *n* carga *f*; **to be a ~ to sb** ser um peso para alguém II. *vt* sobrecarregar; **to be ~ed with sth** estar sobrecarregado de a. c.
bureau ['bjʊroʊ], *Brit:* 'bjʊərəʊ] <-x *Am, Aus:* -s> *n* **1.** *Am (dresser)* cômoda *f* **2.** *Brit (desk)* escrivaninha *f*
bureaucracy [bjʊ'rɑːkrəsi], *Brit:* bjʊə'rɒk-] *n* burocracia *f*
bureaucrat ['bjʊrəkræt], *Brit:* 'bjʊər-] *n* burocrata *mf*
bureaucratic [ˌbjʊrə'krætɪk, *Brit:* ˌbjʊərə'kræt-] *adj* burocrático, -a
burger ['bɜːrgər], *Brit:* 'bɜːgə] *n inf* hambúrguer *m*
burglar ['bɜːrglər], *Brit:* 'bɜːglə] *n* ladrão, -a *m, f*
burglary ['bɜːrgləri], *Brit:* 'bɜːg-] <-ies> *n* roubo *m*
burial ['beriəl] *n* enterro *m*
Burkina Faso [bɜːrˌkiːnə'fæsoʊ, *Brit:* bɜːˌkiːnə'fæsəʊ] *n* Burkina Faso *f*
burly ['bɜːrli], *Brit:* 'bɜːli] <-ier, -iest> *adj* robusto, -a
Burma ['bɜːrmə, *Brit:* 'bɜːmə] *n* Burma *f*
burn ['bɜːrn], *Brit:* 'bɜːn] I. <burnt *o* -ed, burnt *o* -ed> *vi* **1.** *(with flames)* queimar; **to ~ with desire** arder de desejo; *(sting)* arder **2.** *(lamp, lights)* queimar II. <burnt *o* -ed, burnt *o* -ed> *vt* **1.** queimar; **to burn a fire** acender um fogo; *(building)* incendiar; **to ~ one's bridges** *fig* queimar as chances **2.** *(use as fuel)* consumir III. *n* queimadura *f*
◆ **burn down** *vi (house)* incendiar-se; *(fire, candle)* ficar reduzido a cinzas
◆ **burn out** I. *vi (engine)* queimar(-se); *(fire, candle)* extinguir-se II. *vt* **to burn oneself out** ficar exausto
burner ['bɜːrnər], *Brit:* 'bɜːnə] *n* **1.** *(on stove)* boca *f* (de fogão); *(in furnace)* acendedor *m* **2.** TECH maçarico *m*
burning *adj* **1.** *(hot)* ardente; **to be ~ing to do sth** estar ansioso para fazer a. c. **2.** *(issue)* urgente

Culture A **Burns Night** acontece em 25 de janeiro, quando se comemora o nascimento do poeta escocês Robert Burns (1759-1796). Esta comemoração atrai entusiastas da obra de Burns, não apenas da Escócia mas também de todo o mundo. Neste dia é servida uma refeição especial, a **Burns Supper**, composta de **haggis** (um tipo de picadinho assado de miúdos de ovelha temperados e misturados com aveia e cebola. A carne é cozida dentro da tripa da ovelha e depois dourada no forno), **neeps** (nabos) e **mashed tatties** (purê de batatas).

burnt I. *pt, pp of* **burn** II. *adj* queimado, -a
burp [bɜːrp, *Brit:* bɜːp] I. *n* arroto *m* II. *vi* arrotar
burrow ['bɜːroʊ, *Brit:* 'bʌrəʊ] I. *n* toca *f* II. *vi* cavar uma toca
burst [bɜːrst, *Brit:* bɜːst] I. *n (explosion)* explosão *f*; MIL *(of fire)* rajada *f*; **a ~ of applause** uma salva de aplausos; **a ~ of laughter** uma gargalhada II. <burst, burst> *vi* estourar; **to ~ into flames** pegar fogo; **to ~ into tears** cair no choro; **to be ~ing to do sth** estar louco para fazer a. c. III. <burst, burst> *vt* arrebentar; **the river ~ its banks** o rio transbordou
◆ **burst in** *vi* entrar de repente
◆ **burst out** *vi* **1.** *(exclaim)* exclamar **2.** *(break out)* **to ~ laughing/crying** desatar a rir/chorar
Burundi [bʊ'rʊndi] *n* Burundi *m*
bury ['beri] <-ie-> *vt* enterrar; **to ~ oneself in sth** mergulhar em a. c.
bus [bʌs] <-es> *n* ônibus *m*; **to miss the ~** *fig* dormir no ponto
bus driver *n* motorista *mf* de ônibus
bush [bʊʃ] <-es> *n* **1.** BOT arbusto *m* **2.** *no pl (land)* **the ~** o matagal; **to beat around the ~** *fig* usar de rodeios
bushy ['bʊʃi] <-ier, -iest> *adj* **1.** *(hair)* basto, -a; *(beard)* cerrado, -a; *(eyebrows)* grosso, -a; *(tail)* estufado, -a **2.** *(plant)* denso, -a
busily *adv* **to be ~ doing sth** estar ocupado fazendo a. c.
business ['bɪznɪs] <-es> *n* **1.** *no pl (trade, commerce)* negócio *m*; **on ~ a** trabalho; **to do ~ with sb** fazer negócio com alguém; **to get down to ~** pôr-se a trabalhar; **to go out of ~** encerrar

businesslike 50 **by**

atividades; **to mean ~** *fig* falar a sério; **like nobody's ~** *inf: como louco* **2.**(*sector*) ramo *m*; **big ~** grande negócio **3.**(*firm*) empresa *f*; **to start up a ~** abrir um negócio **4.** *no pl* (*matter*) assunto *m*; **to have no ~ doing sth** não ter direito de fazer a. c.; **an unfinished ~** um assunto pendente; **it's none of your ~!** *inf* não é da sua conta!

businesslike *adj* metódico, -a, profissional

businessman <-men> *n* executivo *m*, homem *m* de negócios

business trip *n* viagem *f* de negócios

businesswoman <-women> *n* executiva *f*, mulher *f* de negócios

bus stop *n* ponto *m* de ônibus

bust¹ [bʌst] *n* ANAT busto *m*

bust² [bʌst] **I.** *adj inf* **1.**(*bankrupt*) **to go ~** falir **2.**(*broken*) quebrado, -a **II.**<bust *Am:* busted, bust *Am:* busted> *vt inf* prender (um criminoso)

bustle ['bʌsl] **I.** *vi* **to ~ about** agitar-se **II.** *n* alvoroço *m*

busy ['bɪzi] <-ier, -iest> *adj* **1.**(*occupied*) ocupado, -a, atarefado, -a; **to be ~ with sth** estar ocupado com a. c. **2.**(*street, corner, intersection*) movimentado, -a; (*time, day*) cheio, -a **3.** *Am* TEL **to be ~** estar ocupado

busybody ['bɪzi,ba:di, *Brit:* -,bɒdi] <-ies> *n inf* enxerido, -a *m, f*

but [bʌt] **I.** *prep* exceto; **all ~ one** todos menos um; **anything ~ ...** tudo menos ...; **nothing ~ ...** nada mais que ...; **no one ~ me** ninguém apenas eu **II.** *conj* mas, senão; **I'm not an American ~ a Canadian** não sou americano mas canadense; **he has paper ~ no pen** ele tem papel mas não caneta; **to be tired ~ happy** estar cansado mas feliz **III.** *adv* apenas; **he is ~ a baby** ele só é um bebê; **I can't help ~ cry** só posso chorar; **~ for the storm, we would have gone** não fosse a tempestade, teríamos ido **IV.** *n* objeção *f*; **there are no ~s about it!** não há nenhuma objeção!

butcher ['bʊtʃər, *Brit:* -ə^r] **I.** *n* açougueiro, -a *m, f* **II.** *vt* **1.**(*animal*) abater **2.**(*murder*) chacinar

butler ['bʌtlər, *Brit:* -ə^r] *n* mordomo *m*

butt [bʌt] *n* **1.**(*of rifle*) coronha *f* **2.**(*of cigarette*) guimba *f* **3.**(*blow: with head*) cabeçada *f* **4.** *Am, inf*(*buttocks*) traseiro *m* **5.** *Brit* (*target*) alvo *m*; **he's the ~ of everyone's jokes** ele é o alvo das piadas **II.** *vt* (*with horns*) dar com os chifres; (*with head*) dar cabeçada

butter ['bʌtər, *Brit:* -tə^r] **I.** *n no pl* manteiga *f* **II.** *vt* passar manteiga

butterfly <-ies> *n* borboleta *f*

buttock ['bʌtək, *Brit:* -t-] *n* nádega *f*

button ['bʌtən] **I.** *n* botão *m* **II.** *vt, vi* abotoar

buy [baɪ] **I.** *n* compra *f*; **a good ~** um bom negócio **II.**<bought, bought> *vt* **1.**(*purchase*) comprar; **to ~ sth from sb** comprar a. c. de alguém; **to ~ sb lunch/a drink** convidar alguém para o almoço/um drinque **2.** *inf* (*believe*) acreditar, engolir

◆**buy up** *vt* apropriar-se por completo

buyer ['baɪər, *Brit:* -ə^r] *n* comprador(a) *m(f)*

buzz [bʌz] **I.** *vi* zumbir; (*doorbell*) tocar **II.** *n* zumbido *m*; **to give sb a ~** telefonar para alguém

buzzard ['bʌzərd, *Brit:* -əd] *n* **1.** *Am* (*turkey vulture*) urubu *m* **2.** *Brit*(*hawk*) gavião *m*

buzz cut ['bʌzkʌt] *n* corte *m* máquina 1

buzzer ['bʌzər, *Brit:* -ə^r] *n* campanhia *f*

buzzy ['bʌzi] *adj inf*(*club, pub, resort*) badalado, -a; (*atmosphere*) descolado, -a; **there are ~ cafés on the square** a praça tem cafés badalados

by [baɪ] **I.** *prep* **1.**(*near*) perto de; **close ~ ...** por perto ...; **~ the sea** à beira-mar **2.**(*during*) **~ day/night** de dia/noite; **~ moonlight** ao luar **3.**(*not later than*) até; **~ tomorrow/midnight** até amanhã/meia-noite; **~ then/now** até então/agora **4.**(*doer, cause*) por; **a novel ~ Joyce** um romance de Joyce; **to be killed ~ sth/sb** ser morto por a. c./alguém; **struck ~ lightening** atingido por um raio **5.**(*by means of*) **~ rail/plane** de trem/avião; **made ~ hand** feito à mão; **to hold sb ~ the arm** segurar alguém pelo braço; **~ chance/mistake** por acaso/engano **6.**(*according to*) por; **he's royalty by birth** ele é de origem nobre; **we're related by marriage** somos parentes por afinidade; **to be sth ~ profession** ser a. c. por profissão; **to call sb ~ his name** tratar alguém pelo nome; **it's all right ~ me** por mim, está tudo bem **7.**(*alone*) **to be ~ oneself** estar só; **to**

do sth ~ oneself fazer a. c. sozinho **8.** (*as promise to*) **to swear ~ God** jurar por Deus **9.** (*in measurement, arithmetic*) **to buy ~ the kilo** comprar por quilo; **to divide ~ 6** dividir por 6; **to increase ~ 10%** aumentar em 10%; **to multiply ~ 4** multiplicar por 4; **paid ~ the hour** pago por hora; **little ~ little** pouco a pouco **10. ~ the way,** ... a propósito, ... **II.** *adv* **– and ~** daqui a pouco; **to go ~** passar; **~ and large** de modo geral

bye(-bye) [,baɪ('baɪ)] *interj inf* tchau

bygone ['baɪgɑːn, *Brit:* -gɒn] **I.** *adj inv* passado, -a **II.** *n* **let ~s be ~s** ser águas passadas

by-law *n* (*regional law*) legislação *f*; (*of organization*) regulamento *m*

> **Culture** O **BYO-restaurant** (Bring Your Own) é um tipo de restaurante encontrado na Austrália que não tem licença para servir bebidas alcoólicas. Os clientes que desejam consumir este tipo de bebidas precisam trazê-las por conta própria.

by-pass *n* **1.** AUTO desvio *m* **2.** MED ponte *f* (no coração)
by-product *n* subproduto *m; fig* resultado *m*
bystander ['baɪstændər, *Brit:* -ə^r] *n* curioso(a) *m(f)*, transeunte *mf*
byte [baɪt] *n* byte *m*

C

C, c [siː] *n* **1.** (*letter*) c *m;* **~ as in Charlie** c de casa **2.** MUS dó *m*
C *after n abbr of* **Celsius** C
c. *abbr of* **century** séc.
cab [kæb] *n* **1.** *Am, Aus* táxi *m;* **by ~** de táxi **2.** (*of truck*) cabine *f* (do motorista), boléia *f*
CAB [,siːeː'biː] *n Am abbr of* **Civil Aeronautics Board** Conselho *m* de Aviação Civil
cabaret [,kæbə'reɪ, *Brit:* 'kæbəreɪ] *n* cabaré *m*
cabbage ['kæbɪdʒ] *n* repolho *m*
cabin ['kæbɪn] *n* **1.** (*house*) cabana *f* **2.** (*in ship, aircraft*) cabine *f*
cabinet ['kæbɪnɪt] *n* **1.** (*storage place*) armário *m;* **filing ~** arquivo *m* **2.** + *sing/pl vb* (*gov. ministers*) gabinete *m*
cable ['keɪbl] *n* cabo *m;* TV TV *f* a cabo
cable car *n* teleférico *m* **cable television** *n no pl* televisão *f* a cabo
cable TV *n no pl* TV *f* a cabo
cache [kæʃ] *n* **1.** (*stockpile*) depósito *m* secreto **2.** INFOR cache *m;* **~ memory** memória *f* cache
cackle ['kækl] **I.** *vi* (*hen*) cacarejar; (*person*) gargalhar **II.** *n* (*of hen*) cacarejo *m;* (*of person*) gargalhada *f*
cactus ['kæktəs] <-es *o* cacti> *n* cacto *m*
cadet [kə'det] *n a.* MIL cadete *mf*
Caesarean (section) *n Brit s.* **cesarian**
cafe [kæfeɪ, *Brit:* 'kæfeɪ] *n,* **café** *n* café *m* (bar)
cafeteria [,kæfɪ'tɪriə, *Brit:* -'tɪəri-] *n* restaurante *m* self-service, cantina *f* (de escola, fábrica)
caffeine ['kæfiːn] *n no pl* cafeína *f*
cage [keɪdʒ] **I.** *n* jaula *f* **II.** *vt* enjaular
cagey ['keɪdʒi] *adj* reservado, -a, misterioso, -a; **to be ~ about sth** fazer mistério sobre a. c.
Cairo ['kaɪroʊ, *Brit:* -rəʊ] *n* Cairo *m*
cake [keɪk] *n* **1.** GASTR bolo *m;* **to want to have one's ~ and eat it** *fig* querer assobiar e chupar cana ao mesmo tempo **2.** (*of soap*) barra *f*
caked *adj* **her shoes were ~ed with mud** os sapatos dela estavam pegados [*ou* empastados] de lama
cal. *n abbr of* **calorie** cal *f*
calamity [kə'læməti, *Brit:* -əti] <-ies> *n* calamidade *f*
calcium ['kælsɪəm] *n no pl* cálcio *m*
calculate ['kælkjəlert, *Brit:* -kjʊ-] **I.** *vt* calcular; **to ~ sth at ...** calcular a. c. em ... **II.** *vi* **1.** MAT calcular **2.** (*count on*) **to ~ on sth** contar com a. c.; **to ~ on (sb) doing sth** contar que alguém faça a. c.
calculated *adj* calculado, -a; **to be ~ to do sth** estar planejado para fazer a. c.; **~ risk** risco calculado
calculation [,kælkjə'leɪʃn, *Brit:* -kjʊ-] *n* cálculo *m*
calculator ['kælkjəleɪtər, *Brit:* -kjʊleɪtə^r] *n* calculadora *f*

calendar ['kælɪndər, *Brit:* -ər] *n* calendário *m*

calendar year *n* ano *m* civil

calf¹ [kæf, *Brit:* kɑːf] <calves> *n* ZOOL bezerro, -a *m*, *f*; (*of elephant, whale, seal*) filhote *m*

calf² <calves> *n* ANAT panturrilha *f*

California [ˌkælə'fɔːrnjə, *Brit:* -ɪ'fɔːnɪə] *n* Califórnia *f*

call [kɔːl] I. *n* 1. (*on telephone*) ligação *f*; **to give sb a ~** telefonar para alguém; **to be on ~** estar de plantão 2. (*visit*) visita *f*; **to pay a ~ on sb** fazer uma visita a alguém 3. (*shout*) grito *m* 4. (*of bird*) canto *m*; (*of animal*) grito 5. (*request*) a. POL convocação *f*; **a ~ for help** um pedido de ajuda II. *vt* 1. (*name*) chamar; **what's that actor ~ed?** como se chama aquele ator?; **to ~ sb names** xingar alguém; **let's ~ it a day** vamos dar por encerrado 2. (*on telephone*) telefonar; **to ~ sb back** ligar de volta para alguém 3. (*summon*) chamar; **to ~ sb's attention to sth** chamar a atenção de alguém para a. c.; **to ~ a witness** intimar uma testemunha 4. (*decide to have: meeting, strike*) convocar III. *vi* 1. (*on telephone*) telefonar 2. (*shout*) gritar; **to ~ for help** pedir ajuda 3. (*drop by*) passar (aqui/lá); ....: **he called here yesterday** ele passou aqui ontem

♦ **call for** *vi insep* 1. (*demand, require*) exigir, requerer; **to ~ sth** requerer a. c.; **this calls for a celebration** isto pede uma comemoração 2. (*pick up*) **to ~ sb/sth** ir buscar alguém/a. c

♦ **call in** I. *vt* (*specialist*) chamar II. *vi* (*give a short visit*) dar uma passada; **he always calls in on Saturdays** ele sempre dá uma passada por aqui aos sábados

♦ **call off** *vt* suspender, cancelar

♦ **call up** *vt* telefonar

call center ['kɔːlˌsentər, *Brit:* 'kɔːlˌsentər] *n* TELEC call *m* center

caller ['kɔːlər, *Brit:* -ər] *n* 1. (*on telephone*) pessoa *f* que está ligando 2. (*visitor*) visita *f*; (*in a shop*) cliente *mf*

callous ['kæləs] *adj* desumano, -a, insensível

calm [kɑːm] I. *adj* 1. (*not nervous*) calmo, -a; **to keep ~** ficar calmo 2. (*ocean, weather*) calmo 3. (*peaceful: street, neighborhood*) sossegado, -a II. *n* tranqüilidade *f*; **the ~ before the storm** *a. fig* a calmaria antes da tempestade III. *vt* acalmar; **to ~ oneself** acalmar-se

♦ **calm down** *vi* acalmar-se

calorie ['kæləri] *n* caloria *f*

calves *n pl of* **calf**

CAM [kæm] *n abbr of* **computer-aided manufacturing** CAM *f*

Cambodia [kæm'bəʊdɪə, *Brit:* -'bəʊ-] *n* Camboja *m*

Cambodian *adj, n* cambojano, -a

camcorder ['kæmkɔːdər, *Brit:* -ər] *n* filmadora *f* (digital), camcorder *f*

came [keɪm] *vi pt of* **come**

camel ['kæml] *n* ZOOL camelo *m*; (*color*) bege *m*

camera ['kæmərə] *n* PHOT câmera *f* fotográfica; CINE câmera *f*; **to be on ~** estar sendo filmado

cameraman <-men> *n* cameraman *m*

Cameroon [ˌkæmə'ruːn] *n* República *f* dos Camarões

Cameroonian *adj, n* camaronês, -esa

camomile ['kæməmiːl, *Brit:* -maɪl] *n* **~ tea** chá *m* de camomila

camouflage ['kæməˌflɑːʒ] I. *n no pl* camuflagem *f* II. *vt* camuflar; **to ~ oneself** camuflar-se

camp¹ [kæmp] I. *n* 1. acampamento *m*; **to pitch ~** acampar; **army ~** acampamento militar; **summer ~** *Am* acampamento de verão 2. (*for prisoners*) campo *m* II. *vi* acampar

camp² *adj* (*effeminate*) afetado, -a

campaign [kæm'peɪn] I. *n* (*organized action*) a. MIL, POL campanha *f*; **~ trail** campanha *f* eleitoral II. *vi* fazer campanha; **to ~ for sth/sb** fazer campanha para a. c./alguém

campaigner [kæm'peɪnər, *Brit:* -ər] *n* militante *mf*, defensor, -a *m*, *f*; **a ~ for sth** um defensor de a. c.

camper ['kæmpər, *Brit:* -ər] *n* 1. (*person*) campista *mf* (*pessoa que acampa*) 2. (*van*) trailer usado para acampamento 3. **happy ~** alguém feliz da vida

campground *n Am* área *f* de camping

camping *n no pl* acampamento *m*; **to go ~** ir acampar

campsite *n* área *f* de camping

campus ['kæmpəs] <-ses> *n* campus *m inv*

can¹ [kæn] I. *n* (*container*) lata *f* II. <-nn-> *vt* 1. (*put in cans*) enlatar

2. *Am, inf (stop)* dar um basta; ~ it! chega!; **to get ~ned** *(from job)* ser demitido

can² [kən] <could, could> *aux* **1.** *(be able to)* poder; **if I could** se eu pudesse; **I think she ~ help you** acho que ela pode ajudar você; **I could have kissed her** eu poderia tê-la beijado; **I ~ smell something funny** dá para sentir um cheiro estranho **2.** *(have skill, talent)* ser capaz; **~ you swim?** você sabe nadar? **3.** *(be permitted to)* ter permissão; **~ I help you?**, **~ I be of assistance?** posso lhe ajudar?; **you can't go** você não pode ir; **could I look at it?** posso dar uma olhada?

Canada ['kænədə] *n* Canadá *m*

Canadian [kə'neɪdiən] *adj, n* canadense

canal [kə'næl] *n* canal *m*

canary [kə'neri, *Brit:* -'neəri] <-ies> *n* canário *m*

Canary Islands *n* Ilhas *fpl* Canárias

cancel ['kænsl] <*Am:* -l-, *Brit:* -ll-,> **I.** *vt* cancelar, suspender; *(reservation, meeting, party)* cancelar; **oh, did I say yes? ~ that, I meant no** ah, eu disse sim? apaga, eu quis dizer não **II.** *vi* cancelar

cancellation [ˌkænsə'leɪʃn] *n* *(of reservation, meeting, party)* cancelamento *m*

Cancer ['kænsər, *Brit:* -ər] *n* Câncer *m*; **to be a ~** ser canceriano, -a, ser (de) Câncer; **to be born under the sign of ~** ser nativo de Câncer

cancer ['kænsər, *Brit:* -ər] *n* MED *no pl* câncer *m*; **~ cell** célula *f* cancerígena; **~ specialist** oncologista *mf*

candid ['kændɪd] *adj* franco, -a

candidacy ['kændɪdəsi] *n no pl* candidatura *f*

candidate ['kændɪdət] *n* **1.** POL candidato, -a *m, f*; **a ~ for sth** um candidato para a. c. **2.** *(possible choice)* aspirante *mf*; **a ~ for sth** um aspirante a a. c.

candle ['kændl] *n* vela *f*; **to burn one's ~ at both ends** *fig* fazer dupla jornada *(trabalhar de dia e farrear à noite)*

candlelight *n no pl* luz *f* de velas; **to do sth by ~** fazer a. c. à luz de velas

candlestick *n* castiçal *m*

candor *n Am*, **candour** ['kændər, *Brit:* -ər] *n no pl, Brit, Aus, form* franqueza *f*

candy ['kændi] <-ies> *n Am* **1.** *no pl* doce *m* **2.** bala *f*; *(chocolate)* chocolate *m*

cane [keɪn] *n no pl* **1.** *(for walking)* bengala *f* **2.** *(material)* vara *f* **3.** *(for furniture)* bambu *m*

canine ['keɪnaɪn] *adj* canino, -a

canister ['kænəstər, *Brit:* -ɪstə'] *n* *(metal)* lata *f*; *(plastic)* pote *m*

cannabis ['kænəbɪs] *n no pl* maconha *f*

canned [kænd] *adj Am* **1.** enlatado, -a, em conserva **2.** MUS, TV **~ music** música *f* enlatada

cannibal ['kænɪbl] *n* canibal *mf*

cannon ['kænən] *n* canhão *m*

cannot ['kænɑːt, *Brit:* -ɒt] *aux* = **can not** *s.* **can²**

canny ['kæni] <-ier, -iest> *adj* esperto, -a

canoe [kə'nuː] *n* canoa *f*; *Brit (kayak)* caiaque *m*

canoeing *n no pl* canoagem *f*; **to go ~** fazer canoagem

can opener *n Am* abridor *m* de latas

canopy ['kænəpi] <-ies> *n* *(outdoors)* toldo *m*; *(over bed)* dossel *m*

can't [kænt, *Brit:* kɑːnt] = **can + not** *s.* **can²**

cantaloupe *n* melão-cantalupo *m*

canteen [kæn'tiːn] *n* **1.** *(drink container)* cantil *m* **2.** *Brit (cafeteria)* cantina *f*

Cantonese [ˌkæntə'niːz] *adj* cantonês, -esa

canvas ['kænvəs] <-es> *n* **1.** *no pl (cloth)* lona *f* **2.** ART tela *f*, quadro *m*

canvass ['kænvəs] **I.** *vt* **1.** *(gather opinion)* sondar; **to ~ sth** sondar a. c. **2.** POL *(votes)* angariar **II.** *vi* POL fazer campanha; **to ~ for sb/sth** fazer campanha para alguém/a. c.

canyon ['kænjən] *n* canyon *m*

CAP [ˌsiːer'piː] *n abbr of* **Common Agricultural Policy** PAC *f*

cap¹ [kæp] **I.** *n* **1.** *(with brim)* boné *m*; *(without brim)* gorro *m* **2.** *(cover)* tampa *f*; **screw-on ~** tampa *f* rosqueada *c*. **2.** *(limit)* teto *m*; **salary ~** *Am* teto *m* salarial; **to put a ~ on sth** pôr um limite em a. c. **II.** <-pp-> *vt* **1.** *(limit)* limitar **2.** *esp Brit* SPORTS **he has been ~ped two times for Spain** ele foi convocado duas vezes para atuar pela Espanha

cap² *n abbr of* **capital (letter)** maiúscula *f*

capability [ˌkeɪpə'bɪləti, *Brit:* -əti] <-ies> *n* **1.** *(power to do sth)* capacidade *f*; **to have nuclear capabilities** ter potencial nuclear **2.** *(skill)* habili-

dade *f*; **to be beyond sb's capabilities** estar além da capacidade de alguém

capable ['keɪpəbl] *adj* 1.(*able to*) capaz; **to be ~ of doing sth** ser capaz de fazer a. c. 2.(*competent*) competente

capacity [kə'pæsəti, *Brit:* -əti] <-ies> *n* 1. *no pl* (*of space, stadium*) capacidade *f*; **seating ~** lotação *f* 2. *no pl* (*max. level*) **at** (**full**) **~** com potência total 3.(*ability to do*) **to have the ~ for sth** [*o* **to do sth**] ter aptidão para a. c. 4.(*role*) **in one's ~ as ...** na qualidade de ...

cape[1] [keɪp] *n* GEO cabo *m*
cape[2] *n* (*cloak*) capa *f*
caper[1] ['keɪpər, *Brit:* -ə^r] *n* (*prank*) travessura *f*
caper[2] *n* BOT, GASTR alcaparra *f*
Cape Town *n* Cidade *f* do Cabo
Cape Verde ['keɪpvɜːrd, *Brit:* -vɜːd] *n* Cabo *m* Verde

capital ['kæpətl, *Brit:* -ɪtl] **I.** *n* 1.(*city*) capital *f* 2. TYP maiúscula *f* 3. FIN capital *m*; **to make ~ (out) of sth** *fig* tirar proveito de a. c. **II.** *adj* 1.(*principal*) fundamental 2. LAW (*crime, offense*) capital

capital city *n* capital *f* **capital gains** *npl* ganhos *mpl* de capita **capital investment** *n* FIN investimento *m* de capital

capitalism ['kæpətəlɪzəm, *Brit:* -pɪtə-] *n no pl* capitalismo *m*

capitalist ['kæpətəlɪst, *Brit:* -pɪtə-] **I.** *n* capitalista *mf* **II.** *adj* capitalista

capitalize ['kæpətəlaɪz, *Brit:* -pɪtə-] *vt* capitalizar

capital letter *n* letra *f* maiúscula; **in ~s** em letras maiúsculas **capital punishment** *n no pl* pena *f* capital [*ou* de morte]

cappuccino [ˌkæpə'tʃiːnoʊ, *Brit:* -oˈtʃiːnəʊ] *n* cappuccino *m*

Capricorn ['kæprəkɔːrn, *Brit:* -rɪkɔːn] *n* Capricórnio *m*; **to be a ~** ser capricorniano, -a, ser (de) Capricórnio; **to be born under the sign of ~** ser nativo de Capricórnio

capsize ['kæpsaɪz, *Brit:* kæp'saɪz] *vt, vi* NAUT soçobrar

capsule ['kæpsl, *Brit:* -sjuːl] *n* cápsula *f*

captain ['kæptɪn] **I.** *n* capitão, capitã *m, f* **II.** *vt* (*ship*, GASTR) capitanear

caption ['kæpʃn] *n* (*heading*) cabeçalho *m*; (*to an illustration, film*) legenda *f*

captivate ['kæptəveɪt, *Brit:* -tɪ-] *vt* cativar

captive ['kæptɪv] *adj* cativo, -a; **to hold sb ~** manter alguém cativo

captivity [kæp'tɪvəti, *Brit:* -əti] *n no pl* cativeiro *m*; **to be in ~** estar em cativeiro

capture ['kæptʃər, *Brit:* -ə^r] **I.** *vt* 1.(*person, animal*) capturar 2.(*curiosity, attention*) atrair **II.** *n* captura *f*

car [kɑːr, *Brit:* kɑː^r] *n* 1. AUTO carro *m* 2. RAIL vagão *m*

caramel ['kɑːrml, *Brit:* 'kærəməl] *n* 1. *no pl* (*burnt sugar, candy*) caramelo *m* 2.(*color*) caramelo *m*

carat ['kær-] <-(s)> *n* Brit *s.* **karat**

caravan ['kerəvæn, *Brit:* 'kær-] *n* 1.(*convoy*) **gypsy ~** caravana *f* de ciganos 2. Brit (*camper*) trailer *m*

carbohydrate [ˌkɑːrboʊ'haɪdreɪt, *Brit:* ˌkɑːbəʊ-] *n* carboidrato *m*; **~ content** teor *m* de carboidrato

carbon ['kɑːrən, *Brit:* 'kɑːb-] *n no pl* carbono *m*

carbon dioxide *n no pl* gás *m* carbônico **carbon monoxide** *n no pl* monóxido *m* de carbono **carbon paper** *n* papel-carbono *m*

carburetor ['kɑːrbəreɪtər] *n Am*, **carburettor** [ˌkɑːbjə^ʳretə^r] *n Brit* carburador *m*

carcass ['kɑːrkəs, *Brit:* 'kɑːk-] <-es> *n* carcaça *f*

card [kɑːrd, *Brit:* kɑːd] *n* 1.(*paper, plastic*) cartão; **business/greeting ~** cartão *m* comercial/de apresentação; **credit/phone ~** cartão *m* de crédito/de telefone; **membership ~** carteirinha *f* de sócio 2. GAMES carta *f*; **pack of ~s** baralho *m*; **to play ~s** jogar cartas; **to play one's ~s right** *fig* dar a cartada certa; **to put one's ~s on the table** abrir o jogo 3. *no pl* cartolina *f*

cardboard *n no pl* papelão *m*

cardiac ['kɑːrdiæk, *Brit:* 'kɑːd-] *adj* cardíaco, -a; (*disease*) do coração

cardigan ['kɑːrdɪgən, *Brit:* 'kɑːd-] *n* cardigã *m*

cardinal ['kɑːrdnl, *Brit:* 'kɑːd-] **I.** *n* 1. REL, ZOOL cardeal *m* 2.(*number*) cardinal *m* **II.** *adj* (*important: rule*) fundamental; (*sin*) capital

care [ker, *Brit:* keə^r] **I.** *n* 1.(*attention*) cuidado *m*; **to take ~ of sb/sth** (*children, the house*) tomar conta de alguém/a. c.; **take ~ (of yourself)!**

cuide-se!; **handle with** ~ manusear com cuidado **2. to take** ~ **of sth** (*organize: the drinks, music*) encarregar-se de a. c. **3.** (*in letters*) ~ **of** aos cuidados de **4.** (*worry*) preocupação *f*; **to not have a** ~ **in the world** não ter preocupações **II.** *vi* **1.** (*be concerned*) importar-se; **to** ~ **about sb/sth** importar-se com alguém/a. c.; **who** ~ **s?** e daí?; **I couldn't** ~ **less** não estou nem aí; **I don't** ~ pouco me importa **2.** (*feel affection*) **to** ~ **for sb** gostar de alguém **3.** (*like*) **would you** ~ **for some coffee?** aceita um café?, quer (tomar) um café?; **I don't** ~ **for chocolate** eu não gosto de chocolate; **would you** ~ **to join us?** quer vir conosco?

career [kə'rɪr, *Brit*: -'rɪəʳ] **I.** *n* **1.** (*profession*) profissão *f* **2.** (*working life*) carreira *f* **II.** *vi* disparar; **to** ~ **out of control** (*car*) perder o controle

carefree *adj* despreocupado, -a

careful *adj* cuidadoso, -a, atento, -a; **to be** ~ **of sth** ter cuidado com a. c.; **be** ~**!** tenha cuidado!; **after careful consideration, I have come to the conclusion that ...** depois de refletir bem, eu cheguei à conclusão de que ...; **you can never be too** ~ *prov* cautela nunca é demais *prov*

carefully *adv* cuidadosamente, atentamente

carefulness *n no pl* (*caution*) cautela *f*

caregiver *n esp Am* acompanhante *mf*

careless *adj* descuidado, -a, desatento, -a; **to be** ~ **about sth** ser descuidado com a. c.

carelessness *n no pl* descuido *m*, desatenção *f*

carer [keərəʳ] *n Brit s.* **caregiver**

caress [kə'res] **I.** <-es> *n* carícia *f* **II.** *vt* acariciar

caretaker *n* zelador(a) *m(f)*

cargo ['kɑːrgoʊ, *Brit*: 'kɑːgəʊ] <-(e)s> *n* **1.** *no pl* (*freight*) carga *f* **2.** (*load of freight*) carregamento *m*

Caribbean [ˌkerɪ'biːən, *Brit*: ˌkærɪ'biː-] **I.** *adj* caribenho, -a **II.** *n* (*person*) caribenho, -a *m, f*; **the** ~ o Caribe

caricature ['kerəkətʃʊr, *Brit*: 'kærɪkətjʊəʳ] **I.** *n a.* ART caricatura *f* **II.** *vt* LIT caricaturar

caring *adj* afetuoso, -a

carnation [kɑːr'neɪʃn, *Brit*: kɑːˈ-] *n* BOT cravo *m*

carnival ['kɑːrnəvl, *Brit*: 'kɑːnɪ-] *n* **1.** (*festa*) carnaval *m* **2.** *Am* parque *m* de diversões

car park *n Brit, Aus* estacionamento *m*

carpenter ['kɑːrpntər, *Brit*: 'kɑːpəntəʳ] *n* carpinteiro, -a *m, f*

carpentry *n no pl* carpintaria *f*

carpet ['kɑːrpət, *Brit*: 'kɑːpɪt] *n* (*wall to wall*) carpete *m*; (*area rug*) tapete *m*; **to sweep sth under the** ~ *fig* varrer a. c. para debaixo do tapete

carriage ['kerɪdʒ, *Brit*: 'kær-] *n* **1.** (*horse-drawn*) carruagem *f* **2.** *Brit* (*train wagon*) vagão *m* **3.** (*posture*) modos *mpl*

carriageway *n Brit* (*lane*) pista; **dual** ~ rodovia *f* de pista dupla

carrier ['kærɪər, *Brit*: -əʳ] *n* **1.** (*person*) carregador(a) *m(f)*, portador(a) *m(f)* **2.** (*vehicle*) veículo *m* de transporte; **aircraft** ~ porta-aviões *m* **3.** MED portador(a) *m(f)*

carrier bag *n Brit* sacola *f* de compras

carrot ['kerət, *Brit*: 'kær-] *n* cenoura *f*; ~ **and stick approach** sistema de punição e recompensa

carry ['keri, *Brit*: 'kæri] <-ies, -ied> **I.** *vt* **1.** (*in hands*) levar, carregar **2.** (*in vehicle*) transportar **3.** (*gun, money, credit card*) portar **4.** MED (*a disease*) transmitir **II.** *vt* (*voice*) projetar

♦ **carry away** *vt* **1.** (*remove*) levar **2. to get carried away (by sth)** deixar-se levar (por a. c.), empolgar-se (com a. c.)

♦ **carry off** *vt* **1.** (*remove*) levar à força **2.** (*do successfully: plan*) realizar com sucesso

♦ **carry on I.** *vt insep* continuar; ~ **the good work!** continue com o bom trabalho! **II.** *vi* **1.** (*continue*) continuar; **to** ~ **doing sth** continuar a fazer a. c. **2.** *inf* (*make a fuss*) armar uma confusão

♦ **carry out** *vt* realizar

carry-on luggage *n* bagagem *m* de mão

cart [kɑːrt, *Brit*: kɑːt] **I.** *n* **1.** (*vehicle*) carroça *f*, carreta *f* **2.** *Am* (*at supermarket*) carrinho *m* **II.** *vt* **to** ~ **sth off/away** levar a. c.

cartel [kɑːˈrtel, *Brit*: kɑːˈ-] *n* cartel *m*

carton ['kɑːrtn, *Brit*: 'kɑːtn] *n* **1.** (*box*) caixa *f* de papelão **2.** (*of juice, milk*) caixa *f*; (*of yogurt*) pote *m*

cartoon [kɑːrˈtuːn, *Brit*: kɑːˈ-] *n* **1.** (*animated*) desenho *m* animado; (*in news-*

cartoonist 56 **catalogue**

paper) charge *f*, história *f* em quadrinhos **2.** ART esboço *m*
cartoonist *n* cartunista *mf*
cartridge ['kɑ:rtrɪdʒ, *Brit:* 'kɑ:t-] *n* cartucho *m*
cartwheel *n* ESPORT estrela *f*; **to do a ~** dar uma estrela
carve [kɑ:rv, *Brit:* kɑ:v] *vt* **1.** (*cut: initials, etc*) gravar, entalhar **2.** (*in stone, wood*) esculpir **3.** (*turkey, roast*) trinchar
carving *n* ART gravura *f*, escultura *f*; (*of wood*) entalhe *m*
cascade [kæs'keɪd] **I.** *n* cascata *f* **II.** *vi* cascatear
case[1] [keɪs] *n* **1.** caso *m*; **in any ~** de qualquer maneira; **in that ~** nesse caso; **just in ~** se por acaso; **in ~ it rains** [*o* **in ~ of rain**] caso chova; **that is not the ~** não é assim **2.** MED, LING caso *m*; **a bad ~ of ...** um caso grave de ... **3.** LAW causa *f*
case[2] *n* **1.** (*box, for camera, musical instrument*) caixa *f*; (*for jewels, glasses*) estojo *m*; **glass ~** vitrine *f* **2.** *Brit* (*suitcase*) maleta *f*
cash [kæʃ] **I.** *n no pl* dinheiro *m*; **to pay in ~** pagar em dinheiro (vivo); **~ in advance** pagamento *m* adiantado; **to be short on ~** estar com pouco dinheiro **II.** *vt* (*check*) descontar
♦ **cash in I.** *vt* converter em dinheiro **II.** *vi* **to ~ on sth** lucrar com a. c.
cashback card ['kæʃbæk,kɑ:rd, *Brit:* kɑ:d] *n* cartão *m* cashback (*tipo de cartão de crédito que oferece retorno em dinheiro ou bônus proporcional aos seus gastos*)
cash card *n* (*bank, store*) cartão *m* eletrônico; **pre-paid ~** cartão pré-pago; **reloadable ~** cartão recarregável **cash cow** *n* galinha *f* dos ovos de ouro
cashew *n* castanha-de-caju *f* **cash flow** *n* FIN fluxo *m* de capital
cashier [kæʃ'ɪr, *Brit:* kæ'ʃɪə'] *n* caixa *mf*
cash machine *n* caixa *m* eletrônico
cash register *n* caixa *f* registradora
casino [kə'si:noʊ, *Brit:* -nəʊ] *n* cassino *m*
cask [kæsk, *Brit:* kɑ:sk] *n* tonel *m*; (*of wine*) barril *m*
casket ['kæskɪt, *Brit:* 'kɑ:s-] *n* caixão *m*; (*for jewelry*) porta-jóias *m*
Caspian Sea ['kæspiən] *n* Mar *m* Cáspio
casserole ['kæsəroʊl, *Brit:* -əʊl] *n*

1. (*dish*) travessa *f* para forno **2.** GASTR ensopado *m*
cassette [kə'set] *n* cassete *m*; **video ~** videocassete *m*
cassette player *n* toca-fitas *m*
cassette recorder *n* gravador *m*
cast [kæst, *Brit:* kɑst] **I.** *n* **1.** THEAT, CINE elenco *m*; **supporting ~** elenco *m* de apoio **2.** (*mold*) molde *m* **3.** MED gesso *m*; **my leg's in a ~** a minha perna está engessada **II.** <cast, cast> *vt* **1.** (*throw*) atirar **2.** (*direct*) **to ~ doubt on sth** lançar dúvida sobre a. c.; **to ~ a shadow** fazer sombra (a a. c.); **to ~ a spell (on sb)** enfeitiçar (alguém) **3.** **to ~ a vote** votar **4.** THEAT (*allocate roles*) distribuir os papéis (de uma peça); **to ~ sb as sb/sth** dar a alguém o papel de alguém/a. c.
♦ **cast off I.** *vt* **1.** (*throw off*) livrar(-se) **2.** (*stitch*) arrematar **II.** *vi* **1.** NAUT soltar as amarras **2.** (*in knitting*) fazer o arremate
castaway *n* náufrago, -a *m*, *f*
caste [kæst, *Brit:* kɑ:st] *n* (*social class*) casta *f*; **~ system** sistema *m* de castas
cast iron I. *n no pl* ferro *m* fundido **II.** *adj* de ferro fundido; *fig* (*promise, will*) ferrenho, -a
castle ['kæsl, *Brit:* 'kɑ:sl] *n* castelo *m*
casual ['kæʒu:əl, *Brit:* -ʒʊ-] *adj* **1.** (*relaxed*) descontraído, -a, sem cerimônia **2.** (*sex, relationship, work*) ocasional **3.** (*informal: clothes, meeting*) informal **4. a ~ acquaintance** um conhecido, -a *m*, *f*
casualty ['kæʒu:əlti, *Brit:* -ʒʊ-] <-ies> *n* **1.** (*victim*) vítima *f* (de acidente); (*injured*) ferido, -a *m*, *f*; (*dead*) morto, -a *m*, *f*; MIL baixa *f* **2.** *fig* (*victim*) vítima *f*
casualty department *n Brit* (*emergency department*) pronto-socorro *m*
cat [kæt] *n* gato, -a *m*, *f*; (*lion, etc*) felino, -a *m*, *f*
CAT [kæt] *n* **1.** INFOR *abbr of* **computer-assisted translation** tradução *f* assistida por computador **2.** MED *abbr of* **computerized axial tomography** TC *f*; **~ scan** exame *m* de tomografia computadorizada
Catalan ['kæṭələn, *Brit:* ˌkæṭə'læn] *adj*, *n* catalão, catalã
catalog ['kæṭəlɑ:g] *Am*, **catalogue** ['kæṭəlɒg] *Brit* **I.** *n* catálogo *m*; **a ~ of**

mistakes *fig* uma série de erros **II.** *vt* catalogar

Catalonia [ˌkætəlouniə, *Brit:* -'ləu-] *n* Catalunha *f*

Catalonian *adj s.* **Catalan**

catalyst ['kætəlɪst, *Brit:* 'kæt-] *n a. fig* catalisador *m*

catapult ['kætəpʌlt, *Brit:* 'kæt-] *n esp Brit* (*slingshot*) estilingue *m;* HIST catapulta *f*

cataract *n* MED catarata *f* (no olho)

catastrophe [kə'tæstrəfi] *n* catástrofe *f*

catch [kætʃ] <-es> **I.** <caught, caught> *vt* **1.** (*ball, etc*) apanhar, pegar **2.** (*capture*) capturar, prender; **to ~ sb's attention** atrair a atenção de alguém; **to ~ sb at a bad moment** pegar alguém num mau momento; **to ~ sb off balance** pegar alguém desprevenido; **to ~ sight of sb/sth** avistar alguém/a. c. **3.** (*bus, taxi*) pegar, tomar **4.** (*the flu, a cold*) pegar **5. to ~ fire** pegar fogo **6.** (*discover doing wrong*) **to ~ sb** (**doing sth**) pegar alguém (fazendo a. c.); **to ~ sb red handed** *fig* pegar alguém com a mão na massa; **to ~ sb by surprise** pegar alguém de surpresa **7.** (*hear*) ouvir **II.** *n* **1.** *no pl* (*of fish*) pesca *f* **2.** *fig* partido; **he's a good ~** ele é um bom partido **3.** (*ball*) jogo *m* de arremesso e apanhar uma bola **4.** (*fastening device*) trinco *m* **5.** (*negative point*) ardil *m*, mutreta *f*
◆**catch on** *vi* **1.** (*become popular*) virar moda **2.** *inf* (*understand*) entender; **to ~ to sth** entender a. c.
◆**catch up I.** *vi* **to ~ with sb** alcançar alguém; *fig* nivelar-se a alguém; **to ~ with sth** (*make up lost time*) pôr-se em dia com a. c. **II.** *vt* **to catch sb up** *Brit, Aus* alcançar alguém

catchy ['kætʃi] <-ier, -iest> *adj* atraente, fácil de lembrar

categorise *vt Brit, Aus,* **categorize** ['kætəgəraɪz, *Brit:* 'kætə-] *vt Am* categorizar, classificar

category ['kætəgɔ:ri, *Brit:* -tɪgəri] <-ies> *n* categoria *f*

cater ['keɪtər, *Brit:* -tə'] **I.** *vt* (*party, event*) fornecer serviço de bufê **II.** *vi* **1. to ~ for sth** atender a a. c. **2.** *fig* **to ~ to sb** tentar satisfazer alguém

catering service *n* serviço *m* de bufê

caterpillar ['kætərpɪlər, *Brit:* 'kætəpɪlə'] *n* **1.** ZOOL lagarta *f* **2.** (*vehicle*) caterpilar *m*, trator *m* de lagarta

catfish *n* bagre *m*

cathedral [kə'θi:drəl] *n* catedral *f;* **~ city** (arqui)diocese *f*, (cidade) da sé

Catholic ['kæθəlɪk] *adj, n* católico, -a

Catholicism [kə'θɑ:ləsɪzəm, *Brit:* -'θɒl-] *n no pl* catolicismo *m*

cattle ['kætl, *Brit:* -tl] *npl* gado *m;* **beef ~** gado *m* bovino; **dairy ~** gado *m* leiteiro

> **Grammar** **cattle** (= o gado) é plural em inglês: "The cattle are in the field."

catty ['kæti, *Brit:* -ti] <-ier, -iest> *adj* maldoso, -a, ferino, -a

cat-walk *n* passarela *f*

caught [kɑ:t, *Brit:* kɔ:t] *pt, pp of* **catch**

cauliflower ['kɑ:lɪˌflaʊər, *Brit:* 'kɒlɪflaʊə'] *n* couve-flor *f*

cause [kɔ:z] **I.** *n* **1.** (*a reason for*) causa *f*, motivo *m;* **this is no ~ for ...** isto não é motivo para ...; **the ~ of the accident was ...** a causa do acidente foi ... **2.** *no pl* (*objective*) causa *f;* **to do sth for a good ~** fazer a. c. por uma boa causa **II.** *vt* causar; (*an accident*) provocar; **to ~ sb/sth to do sth** fazer com que alguém/a. c. faça a. c.

caution ['kɑ:ʃn, *Brit:* 'kɔ:-] **I.** *n no pl* **1.** (*carefulness*) cautela *f*, prudência *f;* **to exercise ~** tomar cuidado; **to treat sth with ~** tratar a. c. com cautela; **~ is advised** recomenda-se cautela **2.** (*warning*) aviso *m*, advertência *f;* **a note of ~** um aviso; **~!** cuidado! **II.** *vt* **to ~ sb about sth** avisar alguém de a. c.; **to ~ sb against doing sth** advertir alguém contra a. c.

cautious ['kɑ:ʃəs, *Brit:* 'kɔ:-] *adj* cauteloso, -a, prudente; **to be ~ about doing sth** ser cauteloso em fazer a. c.; **to be ~ in sth** ser prudente com a. c.

cautiously *adv* cautelosamente

cavalry ['kævlri] *n* MIL cavalaria *f*

cave [keɪv] *n* (*natural*) caverna *f*, gruta *f;* (*man-made*) cova *f*
◆**cave in** *vi* **1.** (*collapse*) desmoronar **2.** *fig* ceder

cavern ['kævərn, *Brit:* -ən] *n* caverna *f*

caviar(e) ['kæviɑ:r, *Brit:* -ɑ:'] *n no pl* caviar *m*

cavity ['kævɪti, *Brit:* -ti] <-ies> *n* cavidade *f;* **nasal ~** cavidade *f* nasal; (*in tooth*) cárie *f*

Cayman Islands ['keɪmən-] *n* Ilhas *fpl*

Cayman

CBI [ˌsiːbiːˈaɪ] n Brit abbr of **Confederation of British Industry** Confederação f da Indústria Britânica

cc [ˌsiːˈsiː] abbr of **cubic centimeters** cc

CCTV [ˌsiːsiːtiːˈviː] n abbr of **closed-circuit television** circuito m fechado de televisão

CD [ˌsiːˈdiː] n abbr of **compact disc** CD m

CD-player n abbr of **compact disc player** aparelho m de CD, CD-player m **CD-ROM** [ˌsiːdiːˈrɑːm, Brit: -ˈrɒm] n abbr of **compact disc read-only memory** CD-ROM m; **on ~** em CD-ROM **CD-ROM drive** n unidade f de CD-ROM

cease [siːs] form **I.** vi cessar; **to ~ to do sth** parar de fazer a. c.; **it never ~s to amaze me** nunca deixa de me surpreender **II.** vt cessar, suspender

cease-fire n MIL cessar-fogo m; **~!** MIL cessar fogo!

ceaseless adj form incessante

ceiling [ˈsiːlɪŋ] n **1.** ARCHIT, AVIAT teto m **2.** (upper limit) teto m, limite m; **to impose a ~ on sth** pôr um limite em a. c.

celebrate [ˈselɪbreɪt] **I.** vi celebrar, comemorar; **let's ~!** vamos comemorar! **II.** vt celebrar; **they ~d him as a hero** ele foi celebrado como herói

celebrated adj célebre

celebration [ˌselɪˈbreɪʃn] n **1.** (party) festa f, comemoração f **2.** (of an occasion) celebração f; **this calls for a ~!** isto pede uma comemoração!

celebrity [səˈlebrəti, Brit: sɪˈlebrəti] n <-ies> celebridade f

celeriac [səˈleriæk] n aipo-rábano m

celery [ˈseləri] n no pl aipo m

celery-root n aipo-rábano m

celibate [ˈselɪbət] adj a. REL celibatário, -a

cell [sel] n **1.** (phone) celular m **2.** (in prison) cela f **3.** BIO, POL célula f; **a single ~ animal** um organismo unicelular; **terrorist ~** célula terrorista

cellar [ˈselər, Brit: -əʳ] n (basement) porão m; (for wine) adega f

cellist [ˈtʃelɪst] n MUS violoncelista mf

cello [ˈtʃeloʊ, Brit: -ləʊ] <-s> n MUS violoncelo m

cell phone n, **cellular phone** [ˈseljʊlər, Brit: -əʳ] n (telefone) celular m

Celsius [ˈselsiəs] adj PHYS Celsius

Celt [kelt, selt] n HIST celta mf

Celtic [ˈkeltɪk, ˈsel-] adj celta; (language) celta

cement [sɪˈment] n no pl cimento m

cement mixer n betoneira f

cemetery [ˈsemətəri, Brit: -tri] <-ies> n cemitério m

censor [ˈsensər, Brit: -əʳ] **I.** n censor(a) m(f) **II.** vt censurar

censorship n no pl censura f

census [ˈsensəs] <-es> n censo m

cent [sent] n centavo m

centennial [senˈteniəl] esp Am, **centenary** [ˈsentənəri, Brit: senˈtiːnəri] <-ies> esp Brit **I.** n centenário m **II.** adj centenário, -a; **~ year** ano m do centenário

center [ˈsentər] n Am **1.** centro m **2.** PHYS, POL, SPORTS centro m; **~ party** partido m do centro **3.** (of population) centro m

◆ **center on** vi concentrar-se em

centimeter [ˈsentəˌmiːtər] n Am, **centimetre** [ˈsentɪˌmiːtəʳ] n Brit, Aus centímetro m

centipede [ˈsentɪpiːd, Brit: -tɪ-] n centopéia f

central [ˈsentrəl] adj **1.** (at the middle) central; (street) do centro; **in ~ Toronto** no centro de Toronto **2.** (important) fundamental; **to be ~ to sth** ser fundamental para a. c.; **the ~ character** o(a) m(f) protagonista

Central African adj centro-africano, -a

Central African Republic n República f Centro-Africana

Central American adj centro-americano, -a

Central Bank n Banco m Central

central heating n aquecimento m central

centralization [ˌsentrəlrˈzeɪʃn, Brit: -laɪ-] n no pl centralização f

centralize [ˈsentrəlaɪz] vt centralizar

centre [ˈsentəʳ] n Brit s. **center**

centre-forward n FUT centroavante m

centre spot n FUT centro m do campo

century [ˈsentʃəri] <-ies> n século m; **the twenty-first ~** o século 21

CEO [ˌsiːiːˈoʊ, Brit: -ˈəʊ] n abbr of **chief executive officer** diretor-presidente, diretora-presidente m, f

ceramic [səˈræmɪk, Brit: sɪ-] adj de cerâmica

ceramics n pl cerâmica f

cereal [ˈsɪriəl, Brit: ˈsɪər-] n **1.** no pl

(*grain*) cereal *m* **2.** (*for breakfast*) cereais *mpl* matinais

cereal bar ['sɪrɪəl,bɑ:r, *Brit:* 'sɪərɪəl,bɑ:ʳ] *n* cereal *m* em barra

cerebral ['serəbrəl, *Brit:* ˌserɪ-] *adj* cerebral; ~ **palsy** paralisia *f* cerebral

ceremonial [ˌserə'moʊnɪəl, *Brit:* -ɪ'məʊ-] *adj* ritual, solene

ceremonious [ˌserə'moʊnɪəs, *Brit:* -ɪ'məʊ-] *adj* cerimonioso, -a

ceremony ['serəmoʊni, *Brit:* -əməni] <-ies> *n a.* REL cerimônia *f*

certain ['sɜ:rtn, *Brit:* 'sɜ:tn] **I.** *adj* **1.** (*sure*) seguro, -a; **to be ~ about sth** ter certeza de a. c.; **for ~** com certeza; **it is ~ that ...** é certo que ...; **to make ~ that ...** assegurar-se de que ..., não deixar de ...; **she is ~ to come** ela vem com certeza **2.** (*specified*) certo, -a; **a ~ Steve Rukus** um tal de Steve Rukus; **to a ~ extent** até certo ponto **II.** *pron* ~ **of** alguns, -mas

certainly *adv* **1.** (*surely*) certamente, **she ~ is good-looking, isn't she?** ela é sem dúvida bonita, não é?; ~ **not!** de jeito nenhum! **2.** (*gladly*) claro

certainty ['sɜ:rtənti, *Brit:* 'sɜ:t-] <-ies> *n* certeza *f*

certificate [sər'tɪfɪkət, *Brit:* sə'-] *n* (*document*) certificado *m*; **doctor's ~** atestado *m* médico; (*of baptism, birth, death*) certidão *f*

certification [ˌsɜ:rtəfɪ'keɪʃn, *Brit:* ˌsɜ:tɪ-] *n no pl* **1.** (*process*) certificação *f* **2.** (*document*) atestado *m*

certified *adj* diplomado, -a; **certified copy** cópia *f* autenticada

certify ['sɜ:rtəfaɪ, *Brit:* 'sɜ:tɪ-] <-ie-> *vt* certificar, atestar; **he is certified to practice medicine** ele está habilitado a exercer a medicina

cervical ['sɜ:rvɪkl, *Brit:* 'sɜ:v-] *adj* **1.** (*neck*) cervical; ~ **vertebra** vértebra *f* cervical **2.** (*cervix*) do colo do útero

cesarean *n* cesariana *f*

cf. *abbr of* **compare** cf.

CFC [ˌsi:ef'si:] *n abbr of* **chlorofluorocarbon** CFC *m*

Chad [tʃæd] *n no pl* Tchad *m*

Chadian *adj, n* tchadiano, -a

chain [tʃeɪn] **I.** *n* **1.** corrente *f*; ~ **gang** fila *f* de presos acorrentados; **to be in ~s** estar acorrentado **2.** ECON (*of stores*) cadeia *f* **II.** *vt* acorrentar; **to ~ sth/sb (up) to sth** acorrentar a. c./alguém a a. c.

chain reaction *n* reação *f* em cadeia

chainsaw *n* motosserra *f*

chain-smoke *vi, vt* fumar um cigarro atrás do outro

chain store *n* filial *f* de uma cadeia de lojas

chair [tʃer, *Brit:* tʃeəʳ] **I.** *n* **1.** (*seat*) cadeira *f* **2.** (*head*) presidente *mf*; **to be ~ of a department** ser diretor [*ou* chefe] de um departamento **II.** *vt* (*a meeting*) presidir

chairman <-men> *n* presidente *m*

chairmanship *n* presidência *f*

chairperson *n* presidente *mf*

chalet [ʃæl'eɪ, *Brit:* 'ʃæleɪ] *n* chalé *m*

chalk [tʃɔ:k] *n no pl* **1.** (*stone*) calcário *m* **2.** (*for writing*) giz *m*; **to be as different as ~ and cheese** *Brit, fig* ser completamente diferentes

challenge ['tʃælɪndʒ] **I.** *n* (*a call to competition*) desafio *m*; **to be faced with a ~** enfrentar um desafio **II.** *vt* **1.** (*ask to compete*) desafiar; **to ~ sb to a duel** desafiar alguém para um duelo **2.** (*question*) contestar

challenger ['tʃælɪndʒər, *Brit:* -əʳ] *n* desafiante *mf*; (*for a title*) concorrente *mf*

chamber ['tʃeɪmbər, *Brit:* -əʳ] *n* **1.** (*room*) câmara *f* **2.** (*anat, pol*) câmara *f*, câmara *f* de deputados; **Upper/ Lower ~** Câmara Alta/Baixa; ~ **of Commerce** Câmara de Comércio **3.** TECH (*of a gun*) tambor *m*; **combustion ~** câmara de combustão

chambermaid *n* camareira *f*

chamber music *n* música *f* de câmara

champ [tʃæmp] *n inf* campeão, campeã *m, f*

champagne [ʃæm'peɪn] *n no pl* champanhe *mf*

champion ['tʃæmpiən] *n* **1.** SPORTS campeão, campeã *m, f* **2.** (*supporter*) defensor(a) *m(f)*; **a ~ of sth** um defensor de a. c.

championship *n* campeonato *m*

chance [tʃæns, *Brit:* tʃɑ:ns] **I.** *n* **1.** *no pl* (*random force*) chance *f*; **by ~** por acaso **2.** *no pl* (*likelihood*) possibilidade *f*; ~**s are that ...** existe a possibilidade de ...; **there's not much of a ~ of my coming to the party** é pouco provável que eu venha à festa; **is he coming by any ~?** por acaso ele vem? **3.** (*opportunity*) oportunidade *f*; **to give sb a ~ (to do sth)** dar uma chance a alguém

chancellor 60 **chart**

(de fazer a. c.) **4.** (*risk*) risco *m;* **to take a ~** assumir um risco; **don't take ~s** não se arrisque **II.** *vt* **to ~ it** arriscar

chancellor ['tʃænsələr, *Brit:* 'tʃɑːnsələr] *n* **1.** POL chanceler *m;* **~ of the Exchequer** *Brit* ministro, -a *m, f* da Fazenda **2.** UNIV reitor(a) *m(f)*

chandelier [ʃændəˈlɪr, *Brit:* -ˈlɪər] *n* lustre *m*

change ['tʃeɪndʒ] **I.** *n* **1.** (*alteration*) mudança *f;* **for a ~** para variar; **that would make a** (**nice**) **~** seria bom para variar **2.** *no pl* (*coins*) dinheiro *m* trocado; **small ~** trocado *m* **3.** *no pl* (*money returned*) troco *m;* **no ~ given** aceita-se apenas dinheiro trocado **II.** *vi* **1.** (*alter*) mudar; **to ~ into sth** transformar-se em a. c. **2.** (*put on different clothes*) trocar de roupa **III.** *vt* (*exchange*) trocar; **to ~ sth/sb into sth** transformar a. c./alguém em a. c.; **to ~ one's clothes** trocar de roupa; **to ~ one's mind** mudar de idéia

channel ['tʃænl] **I.** *n* **1.** TV canal *m* **2. The** (**English**) **~** o Canal da Mancha; **irrigation ~** canal *m* de irrigação **II.** <*Brit:* -ll-, *Am also:* -l-> *vt* canalizar; *fig* canalizar; **to ~ sth into sth** concentrar a. c. em a. c.

Channel Tunnel *n no pl, inf* túnel *m* do Canal da Mancha

chant [tʃænt, *Brit:* tʃɑːnt] **I.** *n* REL canto *m;* (*singing*) cântico *m;* **gregorian ~** canto *m* gregoriano **II.** *vi* **1.** (*intone*) entoar **2.** (*repeat*) gritar em uma só voz (para incentivar um time, para protestar) **III.** *vt* **1.** (*sing*) cantar; (*speak in a monotone*) recitar em tom monótono **2.** (*repeat*) gritar em uma só voz

chaos ['keɪɑːs, *Brit:* -ɒs] *n no pl* caos *m inv*

chaotic [-ˈɑːtɪk, *Brit:* kerˈɒtɪk] *adj* caótico, -a

chap [tʃæp] *n Brit* (*fellow*) camarada *m,* cara *m;* **old ~** meu camarada

chapel ['tʃæpl] *n* **1.** (*church*) templo *m* **2.** (*room*) capela *f;* **funeral ~** câmara-ardente *f*

chaplain ['tʃæplɪn] *n* REL capelão *m*

chapt. *n abbr of* **chapter** cap. *m*

chapter ['tʃæptər, *Brit:* -əʳ] *n* **1.** (*of book, in history*) capítulo *m;* **to quote ~ and verse** citar literalmente **2.** *Am* (*society*) filial *f,* sede *f* local

character ['kerəktər, *Brit:* 'kærəktəʳ] *n* **1.** *no pl* (*qualities*) caráter *m;* **to be in/out of ~ for sb/sth** ser/não ser do feitio de alguém/a. c. **2.** (*unique person, acted part*) personagem *mf;* **in the ~ of ...** no papel de ...

characteristic [ˌkerəktəˈrɪstɪk, *Brit:* ˌkær-] **I.** *n* característica *f* **II.** *adj* característico, -a, típico, -a; **with her ~ dignity** com sua dignidade característica

characterization [ˌkerəktərɪˈzeɪʃn, *Brit:* ˌkærəktəraɪ-] *n* caracterização *f*

characterize ['kerəktəraɪz, *Brit:* 'kær-] *vt a.* CINE, THEAT representar

charcoal ['tʃɑːrkoʊl, *Brit:* 'tʃɑːkəʊl] *n no pl* **1.** (*fuel*) carvão *m* **2.** ART carvão *m* **3.** (*color*) cinza-escuro *m*

charge [tʃɑːrdʒ, *Brit:* tʃɑːdʒ] **I.** *n* **1.** (*load*) carga *f* **2.** (*cost*) preço *m;* **free of ~** grátis **3.** LAW (*accusation*) acusação *f;* **to bring ~s against sb** fazer uma acusação contra alguém **4.** *no pl* (*authority*) responsabilidade *f,* encargo *m;* **to be in ~ of sb/sth** estar encarregado de alguém/a. c.; **who is in ~ here?** quem é o responsável aqui?; **to take ~ of sth** assumir a responsabilidade de a. c. **5.** *no pl* ELEC carga *f* **II.** *vi* **1.** FIN cobrar **2.** (*attack*) **to ~ at sb/sth** investir contra alguém/a. c.; MIL carregar; **~! **preparar! **III.** *vt* **1.** FIN cobrar; (*with credit card*) pôr no cartão; **to ~ sth to sb's account** debitar a. c. da conta de alguém; **how much did they ~ you?** quanto te cobraram? **2.** LAW acusar; **she's been ~d with murder** ela foi acusada de assassinato **3.** MIL, ELEC carregar

charitable ['tʃɛrɪtəbl, *Brit:* 'tʃær-] *adj* (*person*) generoso, -a; (*gifts, donation*) caridoso, -a; (*activity, organization*) de caridade

charity ['tʃɛrəti, *Brit:* 'tʃærəti] <-ies> *n* **1.** *no pl* (*generosity*) caridade *f;* **to depend on ~** depender de donativo **2.** (*organization*) instituição *f* beneficente

charm [tʃɑːrm, *Brit:* tʃɑːm] **I.** *n* **1.** (*quality*) charme *m;* **she used all her ~s** ela usou todo o seu charme **2.** (*talisman*) talismã *m,* amuleto *m;* (*on bracelet*) balangandã *m;* **to work like a ~** funcionar direitinho **II.** *vt* encantar; **to ~ sb into doing sth** persuadir alguém com charme para fazer a. c.

charming *adj* charmoso, -a, encantador(a)

chart [tʃɑːrt, *Brit:* tʃɑːt] **I.** *n* **1.** (*for*

charter *information*) tabela *f*; **weather ~** mapa *m* meteorológico **2.** *pl* MUS **the ~s** a parada de sucessos **II.** *vt a. fig* mapear; **the map ~s the course of the river** o mapa registra o curso do rio

charter ['tʃɑːrtər, *Brit:* 'tʃɑːtə'] **I.** *n* **1.** (*government statement*) estatuto *m* **2.** (*document stating aims*) carta *f* de intenções **3.** *no pl* COM alvará *m* **II.** *vt* **1.** (*sign founding papers*) licenciar **2.** COM (*airplane, ship*) fretar

chartered *adj* **1.** COM (*airplane, ship*) fretado, -a **2.** *Brit, Aus* (*qualified*) licenciado, -a

chase [tʃeɪs] **I.** *n* **1.** (*pursual*) perseguição *f*; **to give ~ to sb** perseguir alguém **2. the ~** (*hunt*) a caça *f* **II.** *vt* perseguir; **he is always chasing women** ele está sempre correndo atrás das mulheres
 ◆ **chase away** *vt* afugentar, enxotar

chasm ['kæzəm] *n* abismo *m*

chaste [tʃeɪst] *adj form* casto, -a

chastity ['tʃæstəti, *Brit:* -ti] *n no pl* castidade *f*

chat [tʃæt] **I.** *n* **1.** (*bate-papo m, conversa f*) **II.** *vi* <-tt-> bater papo, conversar; **to ~ with sb** (**about sth**) bater um papo com alguém (sobre a. c.)
 ◆ **chat up** *vt Brit, inf* cantar (alguém)

chat room *n* COMPUT sala *f* de bate-papo

chatter ['tʃætər, *Brit:* -tə'] **I.** *n no pl* tagarelice *f* **II.** *vi* **1.** tagarelar; **to ~ about sth** papaguear [*ou* tagarelar] sobre a. c. **2.** (*teeth*) bater os dentes, tiritar

chauffeur [ʃoʊ'fər, *Brit:* 'ʃəʊfə'] *n* motorista *mf*

cheap [tʃiːp] *adj* **1.** (*inexpensive*) barato, -a; **dirt ~** a preço de banana; **~ labor** mão-de-obra *f* barata; **to get sth ~** comprar a. c. barato **2.** (*poor quality*) de má qualidade, de mau gosto **3.** *esp Am, inf* (*not sharing*) pão-duro *mf*

cheat [tʃiːt] **I.** *n* trapaça *f*; (*in school*) cola *f* **II.** *vi* (*in school*) colar; **to ~ at sth** trapacear em a. c. **III.** *vt* enganar, ludibriar; **to ~ sb out of sth** lesar alguém em a. c.; **to ~ the taxman** fraudar [*ou* sonegar] o fisco

check [tʃek] **I.** *n* **1.** (*inspection*) inspeção *f*, controle *m*; **security ~** controle *m* de segurança; **to keep sth in ~** controlar a. c. **2.** (*a look*) verificação *f* **3.** GAMES xadrez *m*; **to be in ~** estar em xeque **4.** *Am* cheque *m*; **open ~** cheque ao portador **5.** (*in restaurant*) conta *f*; **waiter, we'd like the check please** garçom, a conta por favor **II.** *adj* xadrez **III.** *vt* **1.** (*inspect*) checar; **to ~ sth for errors** conferir a. c. **2.** (*prevent*) deter **IV.** *vi* (*examine*) revisar
 ◆ **check in I.** *vi* **1.** (*at airport*) fazer o check in **2.** (*at hotel*) registrar-se **II.** *vt* despachar (as malas)
 ◆ **check out I.** *vi* (*at hotel*) pagar a conta e deixar o hotel **II.** *vt inf* **to ~ sth out** dar uma conferida

check through *vt* despachar (a bagagem) direto

checkbook *n Am* talão *m* de cheques

checkers *npl* damas *fpl*

check-in desk *n* balcão *m* de check in

check mark *n Am* sinal *m* de conferido, tique *m*

checkmate *n* xeque-mate *m* **checkpoint** *n* ponto *m* de controle

check-up *n* **1.** MED check-up, *m* ,, exame *m* médico completo **2.** (*of vehicle*) revisão *f*

cheek [tʃiːk] *n* **1.** ANAT bochecha *f* **2.** *no pl, esp Brit* (*impertinence*) atrevimento *m*, desfaçatez *f*

cheeky <-ier, -iest> *adj esp Brit* descarado, -a; **to be ~ to sb** ser descarado com alguém

cheer [tʃɪr, *Brit:* tʃɪə'] **I.** *n* viva *f*, aplauso *m*; **three ~s for the champion!** três vivas para o campeão!; **to give a ~** dar vivas **II.** *interj* **1.** **~s!** (*toast*) saúde! **2.** *Brit, inf* (*goodbye*) tchau; (*thanks*) obrigado, -a **III.** *vi* **to ~ for sb** torcer para alguém
 ◆ **cheer on** *vt* torcer
 ◆ **cheer up** *vi* animar-se; **~!** ânimo!

cheerful *adj* animado, -a

cheerio *interj Brit, inf* tchau

cheerleader *n Am* animadora *f* de torcida

Culture Cheerleaders nos Estados Unidos são as moças que animam um time esportivo. Sua função consiste basicamente em conduzir as canções e gritos de incentivo da torcida e entreter o público com coreografias curtas em que elas usam os característicos **pompons**. Elas costumam usar um vestido curto ou saia e blusa, meias e sapatos de couro, todos das cores do time ou da escola.

cheery <-ier, -iest> *adj* alegre
cheese [tʃi:z] *n* queijo *m;* **hard** ~ queijo curado
cheesecake *n* torta *f* de queijo
cheesecloth *n* estopa *f*
chef [ʃef] *n* chef *m* (de cozinha)
chemical ['kemɪkl] **I.** *n* produto *m* químico **II.** *adj* químico, -a
chemist ['kemɪst] *n* **1.** CHEM químico, -a *m, f* **2.** *Brit, Aus (pharmacist)* farmacêutico, -a *m, f;* **the** ~ **'s** (**shop**) a farmácia
chemistry ['kemɪstri] *n no pl* química *f*
chemotherapy [ˌki:moʊ'θerəpi, *Brit:* ˌki:mə-] *n no pl* quimioterapia *f;* **to undergo** ~ fazer quimioterapia
cheque [tʃek] *n Brit, Aus s.* **check**
cherish ['tʃerɪʃ] *vt* prezar, acalentar
cherry ['tʃeri] <-ies> *n (fruit)* cereja *f;* ~ **tree** cerejeira *f*
cherub ['tʃerəb] <-s *o* -im> *n* querubim *m*
chess [tʃes] *n no pl* xadrez *m*
chessboard *n* tabuleiro *m* de xadrez
chest [tʃest] *n* **1.** *(torso)* peito *m*, tórax *m;* ~ **pains** dores *mpl* no peito; **to get sth off one's** ~ *fig* desabafar a. c. **2.** *(breasts)* peitos *mpl* **3.** *(trunk)* baú *m*, arca *f;* ~ **of drawers** cômoda; *f;* **medicine** ~ armário de remédios
chestnut ['tʃesnʌt] **I.** *n (nut)* castanha *f; (tree, wood)* castanheiro *m* **II.** *adj* castanho, -a
chew [tʃu:] *vt* mastigar
♦ **chew over** *vt inf* ruminar
chic [ʃi:k] *adj* chique, elegante
chick [tʃɪk] *n* **1.** *(baby chicken)* pintinho *m* **2.** *(young bird)* filhote *m* de pássaro **3.** *inf (young woman)* mina *f*
chicken ['tʃɪkɪn] *n* **1.** *(bird)* galinha *f* **2.** *no pl (meat)* galinha *f*, frango *m;* **fried/roasted** ~ frango frito/assado **3.** *(coward)* medroso, -a *m, f*
chicken out *vi inf* amarelar
chicken pox *n* catapora *f*
chick magnet ['tʃɪkmægnɪt] *n Am, sl* homem *m* pegador de mulher
chief [tʃi:f] **I.** *n* **1.** *(boss)* chefe *mf;* ~ **executive officer** diretor-presidente, diretora-presidente *m, f* **2.** *(of a tribe)* cacique *m* **II.** *adj* principal
chiefly *adv* principalmente
child [tʃaɪld] <children> *n* **1.** *(young person)* criança *f;* **only** ~ filho único; **unborn** ~ feto *m;* **children's department** *(in store)* seção infantil **2.** *(off-spring)* filho, -a *m, f;* **illegitimate** ~ filho ilegítimo
child abuse *n no pl* abuso *m* sexual de crianças **childbirth** *n no pl* parto *m* **childhood** *n no pl* infância *f*
childish *adj pej* infantil, imaturo, -a; **don't be** ~! não seja infantil!
childless *adj* sem filhos
childlike *adj* infantil
children ['tʃɪldrən] *n pl of* **child**
Chile ['tʃɪli] *n* Chile *m*
Chilean [tʃɪ'li:ən, *Brit:* 'tʃɪliən] *adj, n* chileno, -a
chili ['tʃɪli] <-es> *n Am,* **chili pepper** *n Am* pimenta *f* picante
chill [tʃɪl] **I.** *n* **1.** *no pl (coldness)* friagem *f*, frio *m;* **to catch a** ~ resfriar-se **2.** *(shiver)* calafrio *m* **II.** *vt* deixar esfriar
♦ **chill out** [ˌtʃɪl'aʊt] *vi inf* relaxar
chilli ['tʃɪli] <-es> *n esp Brit s.* **chili**
chill-out ['tʃɪlaʊt] *adj inf (room, area)* de relax
chilly ['tʃɪli] <-ier, -iest> *adj a. fig* frio; **to feel** ~ sentir frio
chime [tʃaɪm] **I.** *n* repique *m;* **wind** ~**s** carrilhão *m* **II.** *vi* repicar
chimney ['tʃɪmni] *n* chaminé *f*
chin [tʃɪn] *n* queixo *m;* **to keep one's** ~ **up** *fig* não desanimar; ~ **up!** ânimo!
china ['tʃaɪnə] *n no pl* porcelana *f; (dishes)* louça *f*
China ['tʃaɪnə] *n* China *f*
Chinese [tʃaɪ'ni:z] **I.** *adj* chinês, -esa **II.** *n* chinês, -esa *m, f;* **the** ~ os chineses
chink [tʃɪŋk] *n* fresta *f*
chip [tʃɪp] **I.** *n* **1.** *(flake)* lasca *f;* **he's a** ~ **off the old block** *fig, inf* é a cara de um focinho do outro **2.** *pl, Brit (French fries)* batata *f* frita; *Am (potato chip)* batata *f* frita (em saco) **3.** INFOR chip *m* **4.** *(in casino)* ficha *f* **II.** *vt* <-pp-> lascar **III.** *vi* <-pp-> lascar-se
chipmunk *n* esquilo norte-americano com lista no dorso
chirp **I.** *n (of bird)* pio *m; (of cricket)* cricri *m* **II.** *vi (bird)* piar; *(cricket)* cricrilar
chisel ['tʃɪzl] **I.** *n* cinzel *m* **II.** *vt* <*Brit:* -ll-, *Am also:* -l-> *vt (cut)* talhar
chivalry ['ʃɪvlri] *n no pl* **1.** *(gallant behavior)* cavalheirismo *m* **2.** HIST cavalaria *f*
chives ['tʃaɪvz] *n pl* cebolinha *f sing*
chlorine ['klɔ:ri:n] *n no pl* cloro *m*
chocolate ['tʃɑ:klət, *Brit:* 'tʃɒk-] *n no pl* chocolate *m;* **a bar of** ~ uma barra de chocolate; **hot** ~ chocolate quente;

dark ~ chocolate *m* amargo; **milk ~ chocolate** *m* ao leite *m;* **~ milk** leite achocolatado; **she loves ~** ela adora o chocolate **2.** (*in box*) bombom *m;* **a box of ~s** uma caixa de bombons
chocolate-chip cookie *n Am:* biscoito com lascas de chocolate
chocolate chips *npl* lascas *fpl* de chocolate
choice ['tʃɔɪs] *n* **1.** (*possibility of selection*) escolha *f;* **to make a ~** fazer uma escolha; **if I had the ~ ...** se eu pudesse escolher ...; **we had no ~ but to leave** não tivemos escolha senão ir embora **2.** (*selection*) seleção *f;* **a wide ~ of sth** uma ampla seleção de a. c.
choir ['kwaɪər, *Brit:* -əʳ] *n* coro *m*
choke [tʃoʊk, *Brit:* tʃəʊk] **I.** *vi* engasgar-se; **to ~ on sth** engasgar-se com a. c.; **to ~ to death** morrer asfixiado **II.** *n* AUTO afogador *m* **III.** *vt* sufocar
cholera ['kɑ:lərə, *Brit:* 'kɒl-] *n no pl* cólera *mf*
cholesterol [kə'lestərɑ:l, *Brit:* -rɒl] *n no pl* colesterol *m*
choose [tʃu:z] <chose, chosen> **I.** *vi* **1.** (*select*) escolher; **~ between the red ones and the green ones** escolher entre os vermelhos e os verdes **2.** (*decide*) **you may come whenever you ~** venha quando lhe convier **II.** *vt* **1.** (*select*) escolher, optar por; **she chose him as her representative** ela o escolheu como seu representante; **they chose her to reorganize the company** ela foi escolhida para reorganizar a empresa **2.** (*decide*) **to ~ to do sth** decidir fazer a. c.
choos(e)y ['tʃu:zi] <-ier, -iest> *adj* exigente, difícil de contentar
chop [tʃɑ:p, *Brit:* tʃɒp] **I.** *vt* <-pp-> cortar; **to ~ finely** picar **II.** *n* (*meat*) costeleta *f*
 ♦ **chop off** *vt* decepar
chopper ['tʃɑ:pər, *Brit:* 'tʃɒpəʳ] *n inf* helicóptero *m*
chopping board *n* tábua de cortar
choppy *adj* (*seas*) agitado, -a
chopsticks *npl* pauzinhos *mpl* para comida oriental
chord ['kɔ:rd, *Brit:* 'kɔ:d] *n* MUS acorde *m*
chore [tʃɔ:r, *Brit:* tʃɔ:ʳ] *n* (*routine job*) tarefa *f;* **household ~s** tarefas *fpl* domésticas
choreography [ˌkɔ:rɪ'ɑ:grəfi, *Brit:* ˌkɒrɪ'ɒg-] *n no pl* coreografia *f*
chorus ['kɔ:rəs] <-es> *n* **1.** (*refrain*) refrão *m;* **to join in the ~** cantar o refrão **2.** + *sing/pl vb* (*group of singers*) coro *m* **3.** + *sing/pl vb* (*supporting singers*) coro *m;* **~ girl** corista *f;* **in ~** em coro
chose [tʃoʊz, *Brit:* tʃəʊz] *pt of* **choose**
chosen ['tʃoʊzn, *Brit:* 'tʃəʊ-] *pp of* **choose**
Christ [kraɪst] **I.** *n* Cristo *m* **II.** *interj inf* santo cristo!; **for ~'s sake** pelo amor de Deus
christen ['krɪsn] *vt* **1.** (*baptise*) batizar **2.** (*give name to: ship*) inaugurar; **they ~ed their second child Sara** a segunda filha recebeu o nome de Sara
Christian ['krɪstʃən] *n* cristão, cristã *m, f*
Christianity [ˌkrɪstʃi'ænəti, *Brit:* -sti'ænəti] *n no pl* cristianismo *m*
Christmas ['krɪstməs] <-es *o* -ses> *n no pl* Natal *m;* **at ~** no Natal; **Merry** [*o Brit* **Happy**] **~!** Feliz Natal!; **Father ~** *esp Brit* (*Santa Claus*) Papai *m* Noel

> **Culture** Na Grã-Bretanha, o envio de **Christmas cards** (cartões de Natal) começa no princípio de dezembro. Este costume surgiu em meados do século XIX. Uma outra tradição natalina britânica é pendurar as **Christmas stockings** (meias compridas) ou fronhas de travesseiro para que elas apareçam cheias de presentes na manhã seguinte. Este ritual natalino é feito pelas crianças na **Christmas Eve** (Noite de Natal) que é um dia útil na Grã-Bretanha. A comida tradicional do **Christmas Day** é peru com batatas salteadas e, de sobremesa, **Christmas pudding** ou **plum pudding**, um pudim com uvas passas e frutas cristalizadas. Os **Christmas crackers** (outra criação britânica que data de meados do século XIX) são uns pequenos tubos de papelão decorados contendo um pequeno presente, um provérbio e uma coroa de papel. Este tubo é aberto durante a ceia de Natal por

duas pessoas simultaneamente, uma de cada lado.

Christmas carol n canção f de Natal
Christmas Day n Dia m de Natal
Christmas Eve n Noite f de Natal
Christmas tree n árvore f de Natal
Christopher ['krɪstəfər, Brit: -əʳ] n Cristóvão m; ~ **Columbus** HIST Cristóvão Colombo
chrome [kroʊm, Brit: krəʊm] n no pl cromo m
chromosome ['kroʊməsoʊm, Brit: 'krəʊməsəʊm] n cromossomo m
chronic ['krɑːnɪk, Brit: 'krɒn-] adj crônico, -a
chronic fatigue syndrome n síndrome f da fadiga crônica
chronicle ['krɑːnɪkl, Brit: 'krɒn-] I. vt relatar II. n crônica f, narrativa f
chronological [ˌkrɑːnəˈlɑːdʒɪkl, Brit: ˌkrɒnəˈlɒdʒ-] adj cronológico, -a; **in ~ order** em ordem cronológica
chubby adj rechonchudo, -a
chuck [tʃʌk] vt **1.** inf (throw) jogar **2.** Brit, inf (get rid of) jogar fora, livrar-se de; **to ~ sb** livrar-se de alguém
♦ **chuck out** vt jogar fora
chuckle ['tʃʌkl] I. n risinho m de satisfação II. vi dar um risinho (de satisfação)
chum [tʃʌm] n inf amigo, -a m, f; (roommate) colega mf de quarto
chunk [tʃʌŋk] n pedaço m, naco m
Chunnel n inf abbr of **Channel Tunnel** Eurotúnel m (túnel do Canal da Mancha)
church [tʃɜːrtʃ, Brit: tʃɜːtʃ] n igreja f; ~ **hall** salão m paroquial; **to go to ~** ir à igreja
churchyard n cemitério m da igreja
churn [tʃɜːrn, Brit: tʃɜːn] I. n desnatadeira f, manteigueira f II. vt agitar vigorosamente; (past) revolver III. vi agitar-se; **my stomach was ~ing** fiquei de estômago virado
♦ **churn out** vt inf produzir em baciada
chute [ʃuːt] n calha f de escoamento; **garbage ~** Am, **rubbish ~** Brit duto m da lixeira
CIA [ˌsiːaɪˈeɪ] n Am abbr of **Central Intelligence Agency** CIA f
cider ['saɪdər, Brit: -əʳ] n **1.** Am suco m de maçã (não filtrado) **2.** Brit sidra f, vinho m de maçã
cigar [sɪˈɡɑːr, Brit: -ɡɑːʳ] n charuto m

cigarette [ˌsɪɡəˈret] n cigarro m
cigarette butt n ponta f de cigarro
cinch n inf **to be a ~** ser uma moleza
Cinderella [ˌsɪndəˈrelə] n Cinderela f, gata f borralheira
cinema ['sɪnəmə] n **1.** (medium) cinema m **2.** Brit (movie theater) (sala de) cinema m
cinnamon ['sɪnəmən] n no pl canela f; ~ **stick** casca de canela
circa ['sɜːrkə, Brit: 'sɜːkə] prep por volta de; ~ **1850** por volta de 1850
circle ['sɜːrkl, Brit: 'sɜːkl] I. n círculo m; **to go around in ~s** andar em círculos; **to be running in ~s** dar voltas sem sair do lugar; **they stood in a ~** fizeram uma roda II. vt circular III. vi dar a volta
circuit ['sɜːrkɪt, Brit: 'sɜːk-] n circuito m
circular ['sɜːrkjələr, Brit: 'sɜːkjʊləʳ] adj circular
circulate ['sɜːrkjəleɪt, Brit: 'sɜːkjʊ-] I. vt fazer circular, divulgar II. vi circular
circulation [ˌsɜːrkjʊˈleɪʃn, Brit: ˌsɜːk-] n no pl circulação f; **to be out of ~** estar fora de circulação
circumference [sərˈkʌmfərəns, Brit: sə-] n circunferência f
circumstance [ˈsɜːrkəmstæns, Brit: ˈsɜːkəmstəns] n circunstância f; **under no ~s** de modo algum; **under the ~ ...** neste caso ...
circumstantial [ˌsɜːrkəmˈstænʃl, Brit: ˌsɜːk-] adj circunstancial
circus ['sɜːrkəs, Brit: 'sɜːk-] <-es> n circo m
CIS [ˌsiːaɪˈes] n abbr of **Commonwealth of Independent States** CEI f
cistern ['sɪstərn, Brit: -tən] n cisterna f
cite [saɪt] vt (quote) citar; POL fazer referência a
citizen ['sɪtɪzn, Brit: 'sɪt-] n **1.** (of country) cidadão, cidadã m, f **2.** (of town) habitante mf
citizenship n no pl cidadania f
citrus ['sɪtrəs] <inv o -es> n cítrico m
citrus fruit n fruta f cítrica
city ['sɪti, Brit: -ti] <-ies> n cidade f

Culture Muitas **cities** (grandes cidades) americanas são conhecidas por apelidos. **New York** é conhecida como **Gotham** ou **The Big Apple**. **Los Angeles** como **The Big Orange** ou **The City of the**

Angels. Da mesma forma, **Chicago** é conhecida como **The Windy City**. A expressão **The City of Brotherly Love** é usada para se referir à **Philadelphia**. **Denver**, por sua localização, é conhecida como **The Mile-High City** e **Detroit**, por sua indústria automobilística, como **Motor City**.

city hall *n Am* prefeitura *f*
civic ['sɪvɪk] *adj* cívico, -a
civil ['sɪvl] *adj* civil; *(politeness)* gentil
civilian [sɪ'vɪljən, *Brit:* -iən] *n* civil *m*
civilization [ˌsɪvəlaɪ'zeɪʃn, *Brit:* ˌsɪvəlaɪ-] *n* civilização *f*
civilized ['sɪvəlaɪzd] *adj* civilizado, -a
civil rights *npl* direitos *mpl* civis **civil servant** *n* funcionário, -a *m*, *f* público
Civil Service *n* Administração *f* Pública

Culture Na Grã-Bretanha, o **Civil Service** faz parte da administração central do país. Nele estão o corpo diplomático, **Inland Revenue** (Fazenda), Seguridade Social e os centros de ensinos públicos. Os **civil servants** (funcionários públicos) são fixos e, como não ocupam postos políticos, não são afetados pelas mudanças de governo.

civil war *n* guerra *f* civil
claim [kleɪm] I. *n* 1. *(assertion)* afirmação *f*, alegação *f* 2. *(written demand)* reivindicação *f* II. *vt* 1. *(assert)* afirmar, sustentar; **I don't ~ to be an expert** não alego ser um perito 2. *(declare ownership)* reivindicar; *(reward, title)* reclamar; **to ~ damages** reclamar indenização por danos 3. *(lives)* custar
claimant ['kleɪmənt] *n* reclamante *mf*
clam [klæm] *n* marisco *m*
♦ **clam up** *vi* <-mm-> ficar de bico calado
clammy *adj* frio e úmido, fria e úmida, pegajoso, -a
clamor ['klæmər] *n* *Am*, **clamour** [-məʳ] I. *n Brit* clamor *m* II. *vi* **to ~ for sth** clamar por a. c.

clamp [klæmp] I. *n* ARCHIT braçadeira *f* II. *vt* 1. *(fasten together)* prender 2. *Brit (immobilize a vehicle)* **to ~ a car** travar a roda de um carro (com um jacaré)
♦ **clamp down** *vi* **to ~ on sb/sth** impor um controle rígido a alguém/a. c.
clan [klæn] *n* + *sing/pl vb* clã *m*
clap [klæp] <-pp-> I. *vi, vt* 1. *(audience)* aplaudir 2. **to ~ one's hands** bater palmas II. *n (of thunder)* estrondo *m*
claret ['klerət, *Brit:* 'klær-] *n (wine)* clarete *m*, vinho *m* tinto leve
clarification [ˌklerɪfɪ'keɪʃn, *Brit:* ˌklær-] *n no pl* esclarecimento *m*
clarify ['klerɪfaɪ, *Brit:* 'klær-] <-ie-> *vt* esclarecer
clarinet [ˌklerɪ'net, *Brit:* ˌklær-] *n* clarinete *m*
clarity ['klerəti, *Brit:* 'klærəti] *n no pl* claridade *f*
clash [klæʃ] I. *vi* 1. *(fight)* entrar em conflito; **to ~ with sb over sth** entrar em conflito com alguém por a. c. 2. *(contradict)* divergir 3. *(not match: colors)* destoar; **to ~ with sth** destoar de a. c. II. <-es> *n* 1. *(hostile encounter)* embate *m*; **a ~ over sth** um embate por a. c. 2. *(incompatibility)* conflito *m*
clasp [klæsp, *Brit:* klɑːsp] I. *n* fecho *m*, aperto *m* II. *vt (grip)* agarrar; **to ~ sb in one's arms** abraçar alguém com força
class [klæs, *Brit:* klɑːs] I. <-es> *n* classe *f* II. *vt* classificar; **to ~ sb as sth** classificar alguém como a. c.; **to ~ sb among sth** considerar alguém como a. c.
classic ['klæsɪk] *adj*, **classical** ['klæsɪkl] *adj* clássico, -a
classical music *n* música *f* clássica
classification [ˌklæsəfɪ'keɪʃn, *Brit:* ˌklæsɪ-] *n* classificação *f*
classified ['klæsɪfaɪd] I. *adj* 1. *(secret)* confidencial 2. *(organized)* classificado, -a II. *n Am (ad)* (anúncio) *m* classificado
classified ads *npl* (anúncios) *mpl* classificados
classify ['klæsɪfaɪ] <-ie-> *vt* classificar
classmate *n* colega *mf* de classe **classroom** *n* sala *f* de aula
clause [klɔːz, *Brit:* klɔːz] *n* cláusula *f*; LING oração *f*
claw [klɔː, *Brit:* klɔː] *n* garra *f*; *(of*

lobsters, etc) quela *f*
clay [kleɪ] *n no pl* argila *f*, barro *m*
clean [kli:n] **I.** *adj* **1.** (*not dirty*) limpo, -a; (*air, water*) puro, -a; ~ **energy** energia limpa; **to wipe sth** ~ limpar a. c. **2.** (*morally acceptable*) íntegro, -a; ~ **joke** piada limpa; ~ **police record** ficha *f* policial limpa; **to come** ~ abrir o jogo **II.** *vt* limpar; **to** ~ **sth off of sth** retirar a sujeira de a. c. **III.** *vi* limpar; **the coffee stain** ~**ed off easily** a mancha do café saiu com facilidade

◆**clean out** *vt* **1.** (*person*) deixar a zero **2.** (*room, etc.*) fazer uma boa faxina

◆**clean up I.** *vt* limpar; (*tidy up*) pôr em ordem; **to** ~ **the city** limpar a cidade **II.** *vi* limpar

cleaner ['kli:nər, *Brit:* -ər] *n* **1.** (*person*) faxineiro, -a *m, f* **2.** (*establishment*) **the cleaner's** a lavanderia, a tinturaria; **I took my blouse to the** ~**s** levei a minha blusa para a lavanderia

cleaning *n no pl* limpeza *f*, faxina *f*; **to do the** ~ fazer a limpeza

cleanliness ['klɛnlɪnəs] *n no pl* asseio *m*

cleanly *adv* com lisura, igualmente

clear [klɪr, *Brit:* klɪər] **I.** *adj* **1.** claro, -a; **to make oneself** ~ fazer-se entender; **as** ~ **as day** claro como o dia; **to be** ~ **of sth** estar livre de a. c.; **I'm not too** ~ **about this** não entendi isso muito bem **2.** (*certain*) evidente **3. a** ~ **conscience** consciência limpa **II.** *vt* **1.** (*remove obstacles*) desimpedir; **to** ~ **the table** tirar a mesa **2.** (*remove blockage*) desobstruir; **to** ~ **the way** abrir caminho **3.** (*remove doubts*) esclarecer; **to** ~ **one's head** aclarar as idéias **III.** *vi* (*water*) clarear; (*weather*) melhorar **IV.** *adv* claramente; **stand** ~ **of the doorway** deixar a passagem livre

◆**clear up I.** *vt* clarear; (*tidy*) arrumar **II.** *vi* abrir (o tempo)

clearance ['klɪrəns, *Brit:* 'klɪər-] *n no pl* **1.** (*act of clearing*) desocupação *f* **2.** (*permission*) autorização *f*

clearance sale *n* liquidação *f*

clear-cut *adj* bem definido, -a, claro, -a

clearing *n* clareira *f*

clearly *adv* evidentemente, claramente

cleavage ['kli:vɪdʒ] *n no pl* (*in a dress*) decote *m*

cleft [klɛft] **I.** *adj* fendido, -a **II.** *n* fenda *f*

clench [klɛntʃ] *vt* (*fists, teeth*) cerrar

clergy ['klɜ:rdʒi, *Brit:* 'klɜ:dʒi] *n + sing/pl vb* **the** ~ clero *m*

clergyman <-men> *n* clérigo *m*; (*protestant*) pastor *m* anglicano

clerical ['klɛrɪkl] *adj* **1.** (*of the clergy*) eclesiástico, -a **2.** (*of offices*) de escritório; ~ **staff** pessoal *m* administrativo; ~ **worker** funcionário, -a *m, f* de escritório

clerk [klɜ:rk, *Brit:* klɑ:k] *n* (*office worker*) funcionário, -a *m, f* de escritório, escriturário, -a *m, f;* (*at hotel,*) recepcionista *mf;* (*in shop*) vendedor(a) *m(f)*

clever ['klɛvər, *Brit:* -ər] *adj* inteligente, hábil

click [klɪk] **I.** *vi* **1.** (*make sound*) fazer clique, estalar **2.** INFOR clicar; **to** ~ **on a symbol** clicar num símbolo **3.** (*become friendly*) dar-se bem **4.** (*become clear*) ter um estalo **II.** *vt* **1.** (*make sound*) estalar, bater (os calcanhares) **2.** INFOR clicar

client ['klaɪənt] *n* cliente *mf*

clientele [ˌklaɪən'tɛl, *Brit:* ˌkli:ɒn'-] *n* clientela *f*

cliff [klɪf] *n* despenhadeiro *m*; (*on coast*) penhasco *m*

climate ['klaɪmɪt] *n* **1.** (*weather*) clima *m*; **hot** ~ clima *m* quente **2.** (*general conditions*) tempo *m*; **the** ~ **of opinion** o clima geral

climax ['klaɪmæks] <-es> *n* clímax *m*

climb [klaɪm] **I.** *n* subida *f*, escalada *f* **II.** *vt* **1.** (*stairs*) subir; (*mountain*) escalar; **to** ~ **a tree** trepar numa árvore; **to** ~ **in the window** entrar pela janela **2.** (*preços, temperatura*) subir **III.** *vi* (*avião*) escalar; **the road** ~**ed steeply** a rua tinha uma subida íngreme

◆**climb down I.** *vi* descer **II.** *vt* voltar atrás

◆**climb out I.** *vi* descer **II.** *vt* sair, baixar; **to** ~ **the window** sair pela janela

◆**climb up I.** *vi* subir **II.** *vt* trepar

climber ['klaɪmər, *Brit:* -ər] *n* (*of mountains*) alpinista *mf*; (*of rock faces*) escalador(a) *m(f)*

climbing *n no pl* **1.** (*mountains*) alpinismo *m*; **to go** ~ fazer alpinismo **2.** (*rock faces*) escalada *f*; **to go** ~ fazer uma escalada

clinch [klɪntʃ] *vt* (*settle decisively*) resolver; (*a deal*) fechar

cling [klɪŋ] <clung, clung> *vi* agarrar-

clingfilm *n Brit* filme *m* de PVC
clingy *adj* **1.** *pej* (*person*) pegajoso, -a **2.** (*clothes*) colante
clinic ['klɪnɪk] *n* clínica *f*
clinical ['klɪnɪkl] *adj* **1.** clínico, -a **2.** (*emotionless*) frio, -a
clink [klɪŋk] **I.** *vi* tilintar **II.** *n* tinido *m*
clip¹ [klɪp] **I.** *n* (*fastener*) presilha *f*; (*for paper*) clipe *m*; (*for hair*) grampo *m* **II.** <-pp-> *vt* grampear
clip² [klɪp] <-pp-> **I.** *vt* **1.** (*cut*) recortar; (*hair, nails*) aparar, cortar **2.** (*attach*) prender **II.** *n* recorte *m*; **video ~** videoclipe *m*
clipper ['klɪpər, *Brit:* -ə^r] *n* NAUT clíper *m*
clipping *n* recorte *m* de jornal, clipagem *f*
clique [kli:k] *n* panelinha *f*
cloak [klouk, *Brit:* kləʊk] *n a. fig* capa *f*
cloakroom *n* **1.** guarda-volumes *m*, chapelaria *f*; (*for outdoor clothing*) vestiário **2.** *Brit, euph* (*toilet*) toalete *f*
clock [klɑ:k, *Brit:* klɒk] *n* relógio *m*; **alarm ~** despertador *m*; **around the ~** as 24 horas; **to run against the ~** correr contra o relógio
clockwise *adj, adv* no sentido horário
clockwork *n no pl* maquinismo *m*; **like ~** mecanicamente
cloister ['klɔɪstər, *Brit:* -əʳ] *n pl* claustro *m*
clone [kloun, *Brit:* kləʊn] **I.** *n* **1.** BIO clone *m* **2.** INFOR clone *m* **II.** *vt* clonar
cloning *n no pl* clonagem *f*
close¹ [klous, *Brit:* kləʊs] **I.** *adj* **1.** (*near in location*) perto, -a; **their house is ~ to ours** a casa deles é vizinha da nossa; **~ combat** combate *m* corpo a corpo **2.** (*intimate*) íntimo, -a; **to be ~ to sb** ser íntimo de alguém; **~ relatives** parentes *mpl* próximos **3.** (*attention, examination*) minucioso, -a **4.** (*stuffy*) abafado, -a **5.** (*almost even*) parelho, -a; (*contest, competition*) apertado, -a **6.** (*almost*) por pouco; **a ~ call** por um fio; **~ to tears/death** à beira do choro/da morte **II.** *adv* **they live ~ to the airport** eles moram próximo ao aeroporto; **~ by** perto; **~ at hand** bem perto
close² [klouz, *Brit:* kləʊz] **I.** *n no pl* (*end*) término *m*; (*finish*) fim *m*; **to bring sth to a ~** terminar a. c. **II.** *vt* **1.** (*shut*) fechar **2.** (*end*) terminar; **to ~ a deal** fechar um negócio **III.** *vi*

1. (*shut*) fechar **2.** (*end: meeting*) encerrar
♦ **close down I.** *vi* fechar (em definitivo) **II.** *vt* fechar (em definitivo), encerrar
♦ **close in** *vi* **1.** (*surround*) fechar o cerco **2.** (*get shorter*) ficar mais curto
♦ **close up** *vi* (*wound*) cicatrizar
closed *adj* fechado, -a; **behind ~ doors** a portas fechadas
closely ['klousli, *Brit:* 'kləʊ-] *adv* **1.** (*near*) de perto **2.** (*carefully*) atentamente
closeness ['klousnɪs, *Brit:* 'kləʊs-] *n* **1.** *no pl* (*nearness*) proximidade *f* **2.** *no pl* (*intimacy*) intimidade *f*
closet ['klɑ:zɪt, *Brit:* 'klɒz-] *n esp Am* armário *m* embutido; **to come out of the ~** *fig* sair do armário
close-up ['klousʌp, *Brit:* 'kləʊs-] *n* CINE close *m*
closing I. *adj* final; (*speech*) de encerramento **II.** *n no pl* (*ending*) conclusão *f*; (*act*) encerramento *m*
closing date *n* data *f* de encerramento
closing price *n* preço *m* final **closing time** *n Brit* horário *m* de fechamento
closure ['kloʊʒər, *Brit:* 'kləʊʒə^r] *n* (*closing*) fechamento *m*; *Brit* (*in Parliament*) encerramento *m* dos debates
clot [klɑ:t, *Brit:* klɒt] **I.** *n* MED coágulo *m* **II.** <-tt-> *vi* (*blood*) coagular
cloth [klɑ:θ, *Brit:* klɒθ] *n* (*material*) tecido *m*; (*for cleaning*) pano *m*
clothe [kloʊð, *Brit:* kləʊð] *vt* vestir; *fig* prover
clothes [kloʊðz, *Brit:* kləʊ-] *npl* roupa *f*

> **Grammar** Para **clothes** (= roupa) não existe singular: "Susan's clothes are always smart."

clothing ['kloʊðɪŋ, *Brit:* 'kləʊ-] *n no pl* vestuário *m*; **article of ~** peça *f* de vestuário

> **Grammar clothing** (= vestuário) nunca é usado no plural: "In winter we wear warm clothing."

cloud [klaʊd] **I.** *n* nuvem *f*; **every ~ has a silver lining** *prov* há males que vêm para bem *prov*; **to be on ~ nine** *fig* estar nas nuvens **II.** *vt a. fig* nublar
♦ **cloud over** *vi* (*sky*) ficar nublado; (*face*) anuviar-se

cloud forest ['klaʊd,fɔːrɪst, *Brit:* -,fɒrɪst] *n* floresta *f* tropical de montanha

cloudy <-ier, -iest> *adj* **1.** (*sky*) nublado, -a **2.** (*liquid*) turvo, -a

clove [kloʊv, *Brit:* kləʊv] *n* cravo-da-índia *m*; ~ **of garlic** dente *m* de alho

clover ['kloʊvər, *Brit:* 'kləʊvəʳ] *n no pl* trevo *m*

clown [klaʊn] *n* palhaço, -a *m, f*

club [klʌb] **I.** *n* **1.** (*disco*) boate *f* **2.** (*group*) associação *f* **3.** (*team*) clube *m* **4.** SPORTS taco *m* de golfe **5.** (*weapon*) porrete *m* **6.** (*playing card*) paus *mpl*; (*in Spanish cards*) ás *m* de paus **II.** <-bb-> *vt* dar cacetadas em

clubs *npl* (*in cards*) paus *mpl*

club soda *n* água *f* com gás

clue [kluː] *n* **1.** (*hint*) pista *f*; **to have a ~ to sth** ter uma pista sobre a. c. **2.** (*idea*) idéia *f*; **I haven't got a ~** *inf* não faço a menor idéia; **he hasn't got a ~** (*he's useless*) ele é uma nulidade

clumsy ['klʌmzi] <-ier, -iest> *adj* desajeitado, -a

clung [klʌŋ] *pt, pp of* **cling**

cluster ['klʌstər, *Brit:* -əʳ] **I.** *n* agrupamento *m* **II.** *vi* agrupar

clutch [klʌtʃ] **I.** *vi* **to ~ at sth** tentar agarrar-se em a. c. **II.** *vt* agarrar **III.** *n* **1.** AUTO embreagem *f* **2.** *pl, pej* (*control*) **to be in the ~s of sb/sth** estar nas garras de alguém/a. c.

clutter ['klʌtər, *Brit:* -təʳ] *n no pl* desordem *f*

cm *n abbr of* **centimeter** cm *m*

Co [koʊ, *Brit:* kəʊ] *abbr* **company** cia. *f*

c/o *abbr of* **care of** a/c

coach [koʊtʃ, *Brit:* kəʊtʃ] **I.** <-es> *n* **1.** SPORTS técnico, -a *m, f*, treinador(a) *m(f)* **2.** *Brit* (*bus*) ônibus *m* **3.** (*railway passenger car*) vagão *m* (de segunda classe) **II.** *vt* **1.** SPORTS (*pessoa*) treinar **2.** (*give private lessons*) **to ~ sb** (**in sth**) dar aulas particulares a alguém (em a. c.)

coaching *n no pl* SPORTS **1.** treinamento *m* **2.** (*for business*) preparação *f*

coagulate [koʊˈægjəleɪt, *Brit:* kəʊˈægjuː-] **I.** *vi* coagular-se **II.** *vt* coagular

coal [koʊl, *Brit:* kəʊl] *n* **1.** *no pl* carvão *m* **2. hot ~s** brasas

coalition [ˌkoʊəˈlɪʃn, *Brit:* ˌkəʊ-] *n* coalizão *f*

coal mine *n* mina *f* de carvão

coarse [kɔːrs, *Brit:* kɔːs] <-r, -st> *adj* **1.** (*rough: fabric, skin*) áspero, -a; (*meal, sand*) grosso, -a **2.** (*vulgar: language, person*) grosseiro, -a, vulgar

coast [koʊst, *Brit:* kəʊst] *n* costa *f*; **the ~ is clear** *fig, inf* está tudo barra limpa

coastal ['koʊstl, *Brit:* 'kəʊ-] *adj* litorâneo, -a; **~ traffic** cabotagem *f*

coast guard *n* guarda *f* costeira

coastline *n* litoral *m*

coat [koʊt, *Brit:* kəʊt] *n* **1.** (*jacket*) jaqueta *f*; (*overcoat*) casaco *m* **2.** (*of paint*) demão *f* **3.** (*of animal*) pêlo *m*

coat-hanger *n* cabide *m*

coax [koʊks, *Brit:* kəʊks] *vt* **to ~ sb into doing sth** persuadir alguém a fazer a. c.
 ◆ **coax out** *vt* **to ~ sth out of sb** passar a lábia em alguém; **to ~ sb out of doing sth** dissuadir alguém de fazer a. c.

cobblestone ['kɑːblstoʊn, *Brit:* 'kɒblstəʊn] *n* paralelepípedo *m*

cobra ['koʊbrə, *Brit:* 'kəʊ-] *n* serpente *f*

co-brand ['koʊˌbrænd, *Brit:* 'kəʊ-] *vi* ECON **to ~ with sb** criar uma parceria de marcas com alguém

cobweb ['kɑːbweb, *Brit:* 'kɒb-] *n* teia *f* de aranha

cocaine [koʊˈkeɪn, *Brit:* kəʊˈ-] *n no pl* cocaína *f*

cock [kɑːk, *Brit:* kɒk] *n* **1.** (*rooster*) galo *m* **2.** *vulg* (*penis*) pau *m*

cockney ['kɑːkni, *Brit:* 'kɒk-] *n* dialeto da região leste de Londres, falado em geral por pessoas da classe trabalhadora

cockpit ['kɑːkpɪt, *Brit:* 'kɒk-] *n* cockpit *m*

cockroach ['kɑːkroʊtʃ, *Brit:* 'kɒkrəʊtʃ] <-es> *n* barata *f*

cocktail ['kɑːkteɪl, *Brit:* 'kɒk-] *n* coquetel *m*

cocky ['kɑːki, *Brit:* 'kɒki] <-ier, -iest> *adj inf* convencido, -a

cocoa ['koʊkoʊ, *Brit:* 'kəʊkəʊ] *n no pl* **1.** cacau *m* **2.** (*drink*) chocolate *m*

coconut ['koʊkənʌt, *Brit:* 'kəʊ-] *n* coco *m*

cocoon [kəˈkuːn] *n* casulo *m*

cod [kɑːd, *Brit:* kɒd] *n inv* bacalhau *m*

COD [ˌsiːoʊˈdiː, *Brit:* -əʊˈ-] *abbr of* **cash on delivery** pagamento *m* no ato da entrega

code [koʊd, *Brit:* kəʊd] *n* **1.** (*ciphered language*) código *m* **2.** LAW código *m*

coded *adj* codificado, -a
code name *n* codinome *m* **code of conduct** *n* código *m* de conduta
codify ['kɑːdɪfaɪ, *Brit:* 'kəʊ-] <-ie-> *vt* codificar
co-ed ['koʊed, *Brit:* 'kəʊed] *adj Am, inf* (*school, college*) misto, -a
co-education [ˌkoʊedʒʊ'keɪʃn, *Brit:* ˌkəʊ-] *n no pl* educação *f* mista
coefficient [ˌkoʊɪ'fɪʃnt, *Brit:* ˌkəʊ-] *n* coeficiente *m*
coercion [koʊ'ɜːrʒn, *Brit:* kəʊ'ɜːʃn] *n no pl* coerção *f*
coffee ['kɑːfi, *Brit:* 'kɒfi] *n* café *m*
coffee break *n* intervalo *m* **coffee cake** *n* pão *m* doce com nozes e frutas **coffee shop** *n* café *m* **coffee table** *n* mesa *f* de centro
coffin ['kɔːfɪn, *Brit:* 'kɒf-] *n* caixão *m*
cog [kɑːɡ, *Brit:* kɒɡ] *n* TECH dente *m* de roda; (*wheel*) roda *f* dentada; **to be a ~ in a machine** ser apenas uma peça na engrenagem (de uma empresa)
cognac ['koʊnjæk, *Brit:* 'kɒn-] *n* conhaque *m*
cognitive ['kɑːɡnətɪv, *Brit:* 'kɒɡnɪtɪv] *adj* cognitivo, -a
coherence [koʊ'hɪrəns, *Brit:* kəʊ'hɪər-] *n no pl* coerência *f*
coherent [koʊ'hɪrənt, *Brit:* kəʊ'hɪər-] *adj* coerente
coherently *adv* de modo coerente
cohesion [koʊ'hiːʒn, *Brit:* kəʊ-] *n no pl* coesão *f*
cohesive [koʊ'hiːsɪv, *Brit:* kəʊ-] *adj* coeso, -a
coil [kɔɪl] I. *n* 1. rolo *m* 2. ELEC bobina *f* II. *vi* enrolar-se III. *vt* enrolar
coiled *adj* enrolado, -a
coin [kɔɪn] I. *n* moeda *f*; **to toss a ~** tirar cara ou coroa II. *vt* cunhar; **to ~ a phrase ...** como se costuma dizer ...
coincide [ˌkoʊɪn'saɪd, *Brit:* ˌkəʊ-] *vi* coincidir; **to ~ with sth** coincidir com a. c.
coincidence [koʊ'ɪnsɪdəns, *Brit:* kəʊ-] *n* coincidência *f*; **what a ~!** que coincidência!
coincidental [koʊˌɪnsɪ'dentəl, *Brit:* kəʊˌɪnsɪ'dentəl] *adj* coincidente
coincidentally *adv* coincidentemente
coke [koʊk, *Brit:* kəʊk] *n no pl* 1. (*fuel*) coque *m* 2. (*drink*) coca-cola *f* 3. *inf* (*drug*) cocaína *f*
cold [koʊld, *Brit:* kəʊld] I. *adj* frio, -a; **to be ~** (*person*) estar com frio;

(*weather*) fazer frio; (*place*) estar frio; **to go ~** (*soup, coffee*) esfriar; **to get ~ feet** *fig, inf* ficar com medo; **to give sb the ~ shoulder** dar um gelo em alguém II. *n* 1. METEO frio *m* 2. MED resfriado *m*; **to catch a ~** pegar um resfriado; **to have a ~** ter um resfriado
cold-blooded *adj* 1. BIO de sangue frio 2. (*insensitive*) insensível; **~ murder** assassinato *m* a sangue frio
coldness *n no pl* frieza *f*
cold sore *n* herpes *minv* do lábio
cold storage *n* armazenamento *m* a frio
cold war *n* guerra *f* fria
coleslaw ['koʊlslɑː, *Brit:* 'kəʊlslɔː] *n no pl* salada *f* de repolho cru
coliseum *n* coliseu *m*
collaborate [kə'læbəreɪt] *vi* colaborar
collaborator [kə'læbəreɪtər, *Brit:* -tər] *n* 1. colaborador(a) *m(f)* 2. *pej* colaboracionista *mf*
collage [kɑː'lɑːʒ, *Brit:* 'kɒl-] *n* colagem *f*
collapse [kə'læps] I. *vi* (*bridge, building*) desmoronar, desabar; (*person*) ter um colapso; (*the economy*) falir II. *n* colapso *m*, desmantelamento *m*
collar ['kɑːlər, *Brit:* 'kɒlər] *n* 1. (*on shirt*) colarinho *m*; (*on blouse, coat, dress*) gola *f* 2. (*for dog, cat*) coleira *f*
collateral [kə'lætərəl, *Brit:* -'læt-] I. *n* FIN garantia *f* II. *adj* colateral
colleague ['kɑːliːɡ, *Brit:* 'kɒl-] *n* colega *mf*
collect [kə'lekt] I. *vi* 1. (*gather*) reunir-se 2. (*money: contributions*) arrecadar; (*money: payments due*) cobrar II. *vt* 1. (*gather*) reunir, coletar; (*money*) arrecadar; (*stamps, coins, etc.*) colecionar 2. (*pick up*) recolher III. *adv* **to call (sb) ~** fazer uma ligação a cobrar (para alguém)
collection [kə'lekʃn] *n* 1. (*act of getting*) a. REL coleta *f* 2. (*money*) arrecadação *f* 3. (*objects*) coleção *f*
collective [kə'lektɪv] *adj* coletivo, -a
collectively *adv* coletivamente
collector [kə'lektər, *Brit:* -ər] *n* 1. (*of stamps, etc*) colecionador(a) *m(f)* 2. (*of payments*) cobrador *m*
college ['kɑːlɪdʒ, *Brit:* 'kɒlɪdʒ] *n* 1. (*university*) faculdade *f* 2. *Brit* (*school*) escola *f* particular

> **Culture** O termo **college** indica o tempo necessário na universidade

para obter o **bachelor's degree**, que é de aproximadamente 4-5 anos. As universidades em que os estudantes apenas podem obter o **bachelor's degree** são chamadas de **colleges**, o mesmo nome que recebem algumas escolas profissionalizantes. As universidades, no sentido estrito, são as que proporcionam também **higher degrees** (títulos superiores), por exemplo, **master's degrees** e **doctorates**. Nos **junior colleges** pode-se cursar os dois primeiros anos da universidade ou formar-se numa profissão técnica.

collide [kəˈlaɪd] vi colidir; **to ~ with sb/sth** colidir com alguém/a. c.
collision [kəˈlɪʒn] n colisão f
cologne [kəˈloʊn, Brit: -ləʊn] n no pl, Am água-de-colônia f
Colombia [kəˈlʌmbiə] n Colômbia f
Colombian adj colombiano, -a
colon [ˈkoʊlən, Brit: ˈkəʊ-] n 1. ANAT cólon m 2. LING dois-pontos mpl
colonel [ˈkɜrnl, Brit: ˈkɜːnl] n coronel m
colonial [kəˈloʊniəl, Brit: -ləʊ-] I. adj colonial II. n colono, -a m, f
colonization [ˌkɑːlənɪˈzeɪʃn, Brit: ˌkɒlənaɪ-] n no pl colonização f
colonize [ˈkɑːlənaɪz, Brit: ˈkɒl-] vt colonizar
colony [ˈkɑːləni, Brit: ˈkɒl-] <-ies> n a. ZOOL colônia f
color [ˈkʌlər, Brit: -ə r] n Am cor f; **primary ~** cor primária; **what ~ are your eyes?** de que cor são
color-blind adj daltônico, -a
colored adj Am 1. colorido, -a; (pencil) de cor 2. pej (person) negro, -a
colored contact lenses npl lentes fpl de contato coloridas
color film n filme m colorido
colorful adj Am colorido, -a, animado, -a
coloring n no pl 1. colorido m 2. (complexion) tez f 3. (chemical) coloração f
colorless adj Am 1. (having no color) incolor 2. (bland) sem graça; **a grey, ~ city** uma cidade cinza, monótona
color scheme n esquema f cromático
colossal [kəˈlɑːsl, Brit: -ˈlɒsl] adj colossal, enorme

colour n Brit s. **color**
coloured adj Brit s. **colored**
colourful adj Brit s. **colorful**
colouring n no pl, Brit s. **coloring**
colourless adj Brit s. **colorless**
colt [koʊlt, Brit: kəʊlt] n potro m
Columbia [kəˈlʌmbiə] n **the District of ~** Distrito de Colúmbia
Columbus Day [kəˈlʌmbəs-] n no pl, Am Dia f do Descobrimento da América

> **Culture** **Columbus Day** é o dia em que se comemora a descoberta do Novo Mundo por Colombo em 12 de outubro de 1492. Desde 1971, este dia é comemorado sempre na segunda segunda-feira do mês de outubro.

column [ˈkɑːləm, Brit: ˈkɒl-] n a. ARCHIT, ANAT, TYP coluna f; **spinal ~** coluna vertebral
columnist [ˈkɑːləmnɪst, Brit: ˈkɒl-] n colunista f
coma [ˈkoʊmə, Brit: ˈkəʊ-] n coma m; **to go into a ~** entrar em coma
comb [koʊm, Brit: kəʊm] I. n 1. (for hair) pente m; (decorative) travessa f 2. ZOOL crista f (de galo) II. vt pentear
combat [ˈkɑːmbæt, Brit: ˈkɒm-] I. n no pl combate m; **hand-to-hand ~** combate corpo a corpo II. vt combater
combination [ˌkɑːmbəˈneɪʃn, Brit: ˌkɒmbɪˈ-] n combinação f
combine [kəmˈbaɪn] vt combinar; (ingredients) juntar; **to ~ sth with sth** combinar a. c. com a. c.
combined adj combinado, -a
combustion [kəmˈbʌstʃən] n no pl combustão f
come [kʌm] <came, come, coming> vi 1. (move towards) vir; **to ~ towards sb** vir em direção a alguém 2. (go) ir; **are you coming to the pub with us?** você vem ao pub conosco? 3. (arrive) chegar; **January ~s before February** janeiro vem antes de fevereiro; **the year to ~** o ano que vem; **to ~ to an agreement** chegar a um acordo; **to ~ to a decision** chegar a uma decisão; **to ~ home** vir para casa; **to ~ to sb's rescue** socorrer alguém; **to ~ first/second/third** chegar em primeiro/segundo/terceiro lugar 4. (become) tornar-

se; **my dream has ~ true** o meu sonho se concretizou [*ou* realizou]; **to ~ open** abrir **5.** *inf* (*have an orgasm*) gozar
♦ **come about** *vi* acontecer, surgir
♦ **come across I.** *vt insep* deparar-se com, topar com; **to ~ a problem** deparar-se com um problema **II.** *vi* **1.** (*be evident*) surgir **2.** (*create an impression*) dar a impressão
♦ **come from** *vt* vir de; (*a family*) descender de; **where do you ~?** de onde você é?; **to ~ a good family** ser de boa família
♦ **come in** *vi* entrar
♦ **come on I.** *vi* **1.** (*improve*) progredir **2.** (*begin: film, program*) começar; **what time does the news ~?** a que horas começa o noticiário? **II.** *vt insep* deparar **III.** *interj* (*hurry*) vamos; (*encouragement*) força; (*in disbelief*) ora, faça-me o favor

comeback ['kʌmbæk] *n* volta *f*; SPORTS retorno *m*; **to make a ~** voltar à cena; (*fashion*) voltar à moda

comedian [kə'miːdɪən] *n* comediante *mf*

comedienne *n* comediante *f*

comedy ['kɑːmədi, *Brit:* 'kɒm-] <-ies> *n* **1.** THEAT comédia *f* **2.** (*sth humorous*) cena *f* cômica

comet ['kɑːmɪt, *Brit:* 'kɒm-] *n* cometa *m*

comfort ['kʌmfərt, *Brit:* -fət] *n* conforto; (*relief*) consolo *m*; **in the ~ of one's home** no conforto do lar

comfortable ['kʌmfərtəbl, *Brit:* 'kʌmft-] *adj* **1.** (*physically*) cômodo, -a, acolhedor(a); **to make oneself ~** ficar à vontade **2.** (*financially*) em boa situação financeira; **~ life** vida *f* livre de problemas

comfortably *adv* **1.** (*physically*) confortavelmente **2.** (*financially*) **to live ~** ter uma boa situação financeira

comforter *n Am* (*quilt*) edredom *m*; *Brit* (*baby's dummy*) chupeta *f*

comforting *adj* (*thought, words*) reconfortante

comfy ['kʌmfi] <-ier, -iest> *adj inf* (*furniture, clothes*) confortável

comic ['kɑːmɪk, *Brit:* 'kɒm-] **I.** *n* **1.** (*magazine*) história *f* em quadrinhos **2.** (*person*) comediante *mf* **II.** *adj* cômico, -a; **~ play** comédia *f*

comical ['kɑːmɪkl, *Brit:* 'kɒm-] *adj* cômico, -a

coming *adj* próximo, -a; **the ~ year** o ano que vem

comma ['kɑːmə, *Brit:* 'kɒmə] *n* vírgula *f*

command [kə'mænd, *Brit:* -'mɑːnd] **I.** *vt* **1.** (*order*) **to ~ sb to do sth** ordenar que alguém faça a. c.; **to ~ attention/silence** pedir atenção/silêncio **2.** (*have command over*) comandar **II.** *n* **1.** (*order*) ordem *f*; **a ~ to do sth** uma ordem para fazer a. c.; **to obey a ~** obedecer a uma ordem **2.** (*control*) domínio *m*; **to be in ~ of sth** estar no comando de a. c.

commander [kə'mændər, *Brit:* -'mɑːndəʳ] *n* comandante *mf*

commanding *adj* dominante; **a ~ view of sth** uma vista privilegiada de a. c.

Commandment [kə'mændmənt, *Brit:* -'mɑːnd-] *n* **the Ten ~s** REL os Dez Mandamentos

commando [kə'mændoʊ, *Brit:* -'mɑːndəʊ] <-s *o* -es> *n* MIL comando *m*

commemorate [kə'meməreɪt] *vt* comemorar

commemoration [kə,memə'reɪʃn] *n no pl* comemoração *f*; **in ~ of ...** em comemoração a ...

commence [kə'mens] *vi form* dar início; **to ~ speaking** iniciar um discurso

commend [kə'mend] *vt* **1.** (*praise*) elogiar; **to ~ sth/sb (on sth)** elogiar a. c./alguém (por a. c.) **2.** (*entrust*) confiar; **to ~ sth to sb** confiar a. c. a alguém

comment ['kɑːment, *Brit:* 'kɒm-] **I.** *n* comentário *m*; **a ~ about sth** um comentário sobre a. c.; **no ~** sem comentários **II.** *vi* comentar; **to ~ on sth** comentar a. c.; **to ~ that ...** comentar que ...

commentary ['kɑːmənteri, *Brit:* 'kɒmntri] <-ies> *n* comentário *m*

commentator ['kɑːmənteɪtər, *Brit:* 'kɒmnteɪtəʳ] *n* TV, RADIO, POL comentarista *mf*

commerce ['kɑːmɜːrs, *Brit:* 'kɒmɜːs] *n no pl* comércio *m*

commercial [kə'mɜːrʃl, *Brit:* -'mɜːʃl] **I.** *adj* comercial **II.** *n* (*on radio, tv*) propaganda *f*; **a ~ for sth** uma propaganda de a. c.

commission [kə'mɪʃn] **I.** *vt* encomendar, encarregar **II.** *n* **1.** (*order*) encargo *m* **2.** (*system of payment, investigative body*) comissão *f*

commissioner [kə'mɪʃənər, *Brit:* -əʳ] *n* comissário, -a *m, f*, delegado, -a *m, f*

(de uma comissão)

commit [kə'mɪt] <-tt-> vt 1. (*carry out*) cometer; **to ~ suicide** cometer suicídio 2. (*institutionalize*) **to ~ sb to prison** pôr alguém na prisão; **to ~ sb to a hospital** internar alguém num hospital 3. (*promise*) **to ~ oneself to sth** comprometer-se com a. c.

commitment [kə'mɪtmənt] *n* compromisso *m*

committee [kə'mɪt̬i, *Brit:* -ti] *n* comitê *m*

commodity [kə'mɑ:dət̬i, *Brit:* -'mɒdəti] <-ies> *n* mercadoria *f*

common ['kɑ:mən, *Brit:* 'kɒm-] *adj* 1. comum, habitual; **a ~ disease** uma doença comum; **to be ~ knowledge** ser de domínio público 2. (*shared*) comum; **~ property** propriedade *f* conjunta; **by ~ assent** de comum acordo; **for the ~ good** para benefício geral; **what do they have in ~?** o que eles têm em comum? 3. (*vulgar*) vulgar

common law *n no pl* lei *f* consuetudinária

commonly *adv* (*often*) freqüentemente; (*usually*) geralmente

commonplace ['kɑ:mənpleɪs, *Brit:* 'kɒm-] *adj* comum; **it is ~ to see that ...** é comum ver que ... **common sense** *n no pl* bom senso *m*; **a common-sense approach** um enfoque criterioso

Commonwealth ['kɑ:mənwelθ, *Brit:* 'kɒm-] *n* **the ~** Comunidade *f* das Nações

Culture A **Commonwealth of Nations** (antes, **British Commonwealth**) é uma organização livre de Estados independentes, que começou a se desenvolver no **British Empire**. Foi fundada oficialmente em 1931 com base nos **Statute of Westminster**. Naquela época, Canadá, Austrália, África do Sul e Nova Zelândia já tinham conseguido sua independência e, com o Reino Unido, foram os primeiros membros. A maioria dos países do Império Britânico, ao conseguir sua independência, foram engrossando a lista dos países pertencentes a esta organização. Hoje ela trabalha para a colaboração econômica e cultural. Os chefes de Estado dos países integrantes da **Commonwealth** se reúnem duas vezes ao ano.

commotion [kə'moʊʃn, *Brit:* -'məʊ-] *n* alvoroço *m*

communal [kə'mju:nl, *Brit:* 'kɒmjʊnl] *adj* comum

commune ['kɑ:mju:n, *Brit:* 'kɒm-] *n* comuna *f*

communicate [kə'mju:nɪkeɪt] *vi, vt* comunicar

communication [kə,mju:nɪ'keɪʃn] *n* comunicação *f*

communicative [kə'mju:nəkeɪt̬ɪv, *Brit:* -nɪkətɪv] *adj* comunicativo, -a

communion [kə'mju:njən, *Brit:* -nɪən] *n no pl* comunhão *f*; **to take ~** comungar

communism ['kɑ:mjənɪzəm, *Brit:* 'kɒmjʊ-] *n no pl* comunismo *m*

communist ['kɑ:mjənɪst, *Brit:* 'kɒmjʊ-] *n* comunista *mf*

community [kə'mju:nət̬i, *Brit:* -ti] <-ies> *n* 1. (*of people*) comunidade *f*; **the local ~** a comunidade local 2. (*of animals, plants*) colônia *f* 3. (*of expatriates*) **the Italian ~** a comunidade italiana

commute [kə'mju:t] I. *vi* viajar diariamente para o trabalho II. *n* **it's a two-hour ~** é uma viagem de duas horas para ir ao trabalho

commuter [kə'mju:tər, *Brit:* -tər] *n* pessoa que viaja diariamente para ir ao trabalho

Comoran ['kɑ:mərən, *Brit:* 'kɒm-] *adj* comorense

Comoros ['kɑ:mərouz, *Brit:* 'kɒmərəʊz] *npl* **the ~** Ilhas *f* Comores

compact I. ['kɑ:mpækt, *Brit:* 'kɒm-] *adj* compacto, -a II. [kəm'pækt] *vt* compactar

compact disc *n* compact *m* disc

compact disc player *n* aparelho *m* de compact disc

companion [kəm'pænjən] *n* companheiro, -a *m, f*; **traveling ~** companheiro, -a de viagem

companionship *n no pl* companheirismo *m*

company ['kʌmpəni] <-ies> n **1.** (*firm, enterprise*) empresa *f*, companhia *f*; **Duggan and ~** Duggan e companhia **2.** *no pl* (*companionship*) companhia *f*; **you are in good ~** você está em boa companhia; **to keep sb ~** fazer companhia a alguém **3.** *no pl* (*guests*) visitas *fpl*

comparable ['kɑ:mpərəbl, *Brit:* 'kɒm-] *adj* comparável; **~ to** [*o* **with**] comparável a

comparative [kəm'perəṭɪv, *Brit:* -'pærətɪv] *adj* comparativo, -a

comparatively *adv* (*by comparison*) comparativamente; (*relatively*) relativamente

compare [kəm'per, *Brit:* -'peə^r] **I.** *vt* comparar; **to ~ sth/sb to** [*o* **with**] **sth/sb** comparar a. c./alguém a a. c./alguém **II.** *vi* comparar-se; **to ~ favorably with sth** ser melhor do que a. c.

comparison [kəm'perɪsn, *Brit:* -'pærɪsn] *n* comparação *f*; **by ~ with sb/sth** por comparação com alguém/a. c.; **in ~ to sth** em comparação a a. c.

compartment [kəm'pɑ:rtmənt, *Brit:* -'pɑ:t-] *n* compartimento *m*, divisão *f*; (*of train*) cabine *f*

compass ['kʌmpəs] <-ll-> *n* **1.** a. NAUT bússola *f* **2.** MAT compasso *m*

compassion [kəm'pæʃn] *n no pl* compaixão *f*

compassionate [kəm'pæʃənət] *adj* compassivo, -a

compatibility [kəm,pæṭə'bɪləṭi, *Brit:* -tə'brlətɪ] *n no pl a.* MED, INFOR compatibilidade *f*

compatible [kəm'pæṭəbl, *Brit:* -'pæt-] *adj a.* MED, INFOR compatível

compel [kəm'pel] <-ll-> *vt form* obrigar

compelling *adj* (*reason, argument*) convincente; (*film*) envolvente; (*need*) imperioso, -a

compensate ['kɑ:mpənseɪt, *Brit:* 'kɒm-] *vt* (*make up for*) compensar; (*for loss, damage*) indenizar; **to ~ sb for sth** indenizar alguém por a. c.

compensation [,kɑ:mpen'seɪʃn, *Brit:* ,kɒm-] *n no pl* (*award*) compensação *f*; (*for loss, damage*) indenização *f*

compete [kəm'pi:t] *vi* competir; **to ~ for sth** competir por a. c.; **to ~ against sb** competir com alguém

competence ['kɑ:mpɪtəns, *Brit:* 'kɒm-] *n no pl a.* LAW competência *f*

competent ['kɑ:mpɪṭənt, *Brit:* 'kɒmpɪt-] *adj* **1.** (*capable*) competente; **to be ~ at sth** ser competente em a. c. **2.** (*have authorization*) **to be ~ to do sth** ser apto para fazer a. c.

competition [,kɑ:mpə'tɪʃn, *Brit:* ,kɒm-] *n* **1.** (*state of competing*) competição *f*; **~ in sth** competição em a. c. **2.** (*contest*) concurso *m* **3.** COM **the ~** concorrência *f*

competitive [kəm'peṭəṭɪv, *Brit:* -'petətɪv] *adj* competitivo, -a; **~ sports** esportes *mpl* de competição

competitiveness *n no pl* competitividade *f*

competitor [kəm'peṭəṭər, *Brit:* -'petɪtə^r] *n* **1.** a. ECON concorrente *mf* **2.** SPORTS competidor(a) *m(f)*

compilation [,kɑ:mpə'leɪʃn, *Brit:* ,kɒmpɪ'-] *n* **1.** (*act of compiling*) compilação *f* **2.** (*sth compiled*) coletânea *f*

compile [kəm'paɪl] *vt* **1.** a. INFOR compilar **2.** (*collect*) coletar

complacence [kəm'pleɪsns(i)] *n*, **complacency** *n no pl* complacência *f*

complacent [kəm'pleɪsnt] *adj* complacente; **to be ~ about sth** ser complacente com a. c.

complain [kəm'pleɪn] *vi* reclamar, queixar-se; **to ~ to sb about sth/sb** reclamar com alguém sobre a. c./alguém; **to ~ that ...** queixar-se que ...

complaint [kəm'pleɪnt] *n* reclamação *f*, queixa *f*; **to lodge a ~ (against sb)** apresentar queixa (contra alguém)

complement ['kɑ:mplɪmənt, *Brit:* 'kɒm-] *vt* complementar

complementary [,kɑ:mplə'mentəri, *Brit:* ,kɒmplɪ'mentrɪ] *adj* complementar

complementary medicine *n no pl* medicina *f* suplementar

complete [kəm'pli:t] **I.** *vt* (*finish*) concluir; (*fill out: form*) preencher **II.** *adj* completo, -a

completely *adv* totalmente

completeness *n no pl* totalidade *f*

completion [kəm'pli:ʃn] *n no pl* conclusão *f*; **to be nearing ~** estar próximo do fim

complex ['kɑ:mpleks, *Brit:* 'kɒm-] **I.** *adj* complexo, -a **II.** <-es> *n* PSYCH, ARCHIT complexo *m*; **guilt/inferiority ~** complexo de inferioridade/culpa

complexion [kəm'plekʃn] *n* (*skin*) tez *f*; (*color*) cor *f* da pele

complexity [kəm'pleksəṭi, *Brit:* -tɪ] *n*

no pl complexidade *f*
compliance [kəm'plaɪəns] *n no pl* conformidade *f*; **to act in ~ with sth** agir de acordo com a. c.
complicate ['kɑːmpləkeɪt, *Brit:* 'kɒmplɪ-] *vt* complicar
complicated *adj* complicado, -a
complication [ˌkɑːmpləˈkeɪʃn, *Brit:* ˌkɒmplɪˈ-] *n a.* MED complicação *f*
compliment ['kɑːmpləmənt, *Brit:* 'kɒmplɪ-] I. *n* 1. (*expression of approval*) elogio *m*; (*flirt*) gentileza *f*; **to pay sb a ~** fazer um elogio a alguém 2. *pl* cumprimentos *mpl*; **with ~s** com os cumprimentos; **~s of the house** cortesia da casa II. *vt* **to ~ sb on sth** felicitar alguém por a. c.
complimentary• [ˌkɑːmpləˈmenteri, *Brit:* ˌkɒmplɪˈmentri] *adj* 1. (*praising*) lisonjeiro, -a; **to be ~ about sth** ser lisonjeiro sobre a. c. 2. (*free*) de cortesia, grátis
comply [kəm'plaɪ] <-ie-> *vi* cumprir; **to ~ with the law/the rules** respeitar as leis/as regras
component [kəm'poʊnənt, *Brit:* -'pəʊ-] *n* componente *mf*; **key ~** componente *m* principal
compose [kəm'poʊz, *Brit:* -'pəʊz] *vi, vt* compor; **to ~ oneself** recompor-se
composer [kəm'poʊzər, *Brit:* -'pəʊzə'] *n* compositor(a) *m(f)*
composition [ˌkɑːmpəˈzɪʃn, *Brit:* ˌkɒm-] *n* 1. (*piece of music, etc*) composição *f*; SCH redação *f* 2. *no pl* (*make-up*) constituição *f*
compost ['kɑːmpoʊst, *Brit:* 'kɒmpɒst] *n no pl* adubo *m* composto
composure [kəm'poʊʒər, *Brit:* -'pəʊʒə'] *n no pl* compostura *f*; **to lose/regain one's ~** perder/recuperar a compostura
compound ['kɑːmpaʊnd, *Brit:* 'kɒm-] I. *vt* combinar, compor II. *n* 1. CHEM composto *m* 2. (*combination*) combinação *f*
comprehend [ˌkɑːmprɪˈhend, *Brit:* ˌkɒm-] *vi, vt* abranger
comprehensible [ˌkɑːmprɪˈhensəbl, *Brit:* ˌkɒm-] *adj* compreensível; **to be ~ to sb** ser compreensível para alguém
comprehension [ˌkɑːmprɪˈhenʃn, *Brit:* ˌkɒm-] *n no pl* compreensão *f*
comprehensive [ˌkɑːmprɪˈhensɪv, *Brit:* ˌkɒmprɪˈ-] I. *adj* (*exhaustive*) abrangente; **~ coverage** cobertura *f* abrangente II. *n Brit* SCH escola para crianças maiores de 11 anos sem haver separação dos alunos por nível de aptidão

> **Culture** A **comprehensive school** é uma escola integrada para jovens de 11 a 18 anos. A **comprehensive school** é o resultado da unificação da **secondary modern school** e da **grammar school** (para alunos que passaram no **eleven-plus examination**), realizada nos anos 60 e 70.

compress [kəm'pres] *vt* comprimir, condensar
compressed *adj* comprimido, -a
compression [kəm'preʃn] *n a.* INFOR compressão *f*
compressor [kəm'presər, *Brit:* -ə'] *n* compressor *m*
comprise [kəm'praɪz] *vt* constituir; **to be ~d of** ser constituído de
compromise ['kɑːmprəmaɪz, *Brit:* 'kɒm-] I. *n* acordo *f*; **to make a ~** fazer uma concessão II. *vi* chegar a um acordo III. *vt* (*betray*) comprometer; **to ~ one's beliefs/principles** abandonar as próprias convicções/princípios
compromising *adj* comprometedor(a)
compulsion [kəm'pʌlʃn] *n no pl* compulsão *f*; **a ~ to do sth** uma compulsão para fazer a. c.
compulsive [kəm'pʌlsɪv] *adj* compulsivo, -a
compulsory [kəm'pʌlsəri] *adj* compulsório, -a, obrigatório, -a
computer [kəm'pjuːtər, *Brit:* -ə'] *n* computador *m*
computer game *n* jogo *m* de computador **computer graphics** *n + sing/pl vb* computação *f* gráfica **computer network** *n* rede *f* de computadores **computer programer** *n* programador(a) *m(f)* (de computador) **computer science** *n no pl* ciência *f* da computação
comrade ['kɑːmræd, *Brit:* 'kɒmreɪd] *n* 1. (*friend*) companheiro, -a *m, f* 2. POL camarada *mf*
con [kɑːn, *Brit:* kɒn] <-nn-> *vt inf* enganar, ludibriar; **to ~ sb (into doing sth)** ludibriar alguém (para que faça a. c.)
conceal [kən'siːl] *vt form* ocultar

concealment [kən'siːlmənt] *n no pl* ocultação *f*

concede [kən'siːd] *vt* 1. (*acknowledge*) reconhecer; **to ~ that** reconhecer que 2. (*surrender*) conceder

conceit [kən'siːt] *n no pl* (*vanity*) vaidade *f*; **to be full of ~** ter muita presunção

conceive [kən'siːv] I. *vt* 1. (*child, idea*) conceber 2. (*devise*) imaginar II. *vi* conceber; **to ~ of sth** [*o* **of doing sth**] imaginar a. c.; **she couldn't ~ of a life without him** ela não conseguia imaginar viver sem ele

concentrate ['kaːnsəntreɪt, *Brit:* 'kɒn-] I. *vi* concentrar-se; **to ~ on sth** concentrar-se em a. c. II. *vt* concentrar

concentrated *adj* concentrado, -a

concentration [ˌkaːnsn'treɪʃn, *Brit:* ˌkɒn-] *n no pl* concentração *f*; **~ on sth** concentração em a. c.

concept ['kaːnsept, *Brit:* 'kɒn-] *n* conceito *m*; **a ~ of sth** uma noção de a. c.; **to grasp a ~** captar uma idéia

conception [kən'sepʃn] *n* 1. (*idea*) idéia *f* 2. *no pl* BIO concepção *f*

conceptual [kən'septʃuəl] *adj* conceitual

concern [kən'sɜːrn, *Brit:* -'sɜːn] I. *vt* 1. (*apply to*) referir a; **to ~ oneself about sth** interessar-se por a. c.; **as far as I'm ~** no que me diz respeito 2. (*worry*) preocupar; **to be ~ed about sth** estar preocupado com a. c. II. *n* 1. (*matter of interest*) interesse *m*; **to be of ~ to sb** ser de interesse para alguém 2. (*worry*) preocupação *f*; **to have ~s about sth** ter preocupações sobre a. c.

concerning *prep* referente a, a respeito de

concert ['kaːnsərt, *Brit:* 'kɒnsət] *n* concerto *m*, show *m*; **~ hall** sala *f* de concertos

concerted *adj* (*action*) em conjunto

concerto [kən'tʃertoʊ, *Brit:* -'tʃeətəʊ] <-s *o* -ti> *n* MUS concerto *m*

concession [kən'seʃn] *n* concessão *f*

conciliation [kənˌsɪli'eɪʃn] *n no pl, form* conciliação *f*

concise [kən'saɪs] *adj* conciso, -a

conclude [kən'kluːd] I. *vi* (*finish*) concluir; **to ~ by doing sth** terminar fazendo a. c. II. *vt* 1. (*finish*) terminar; **to ~ sth with sth** terminar a. c. com a. c.; **to ~ a contract** firmar um contrato 2. (*infer*) **to ~ (from sth) that ...** deduzir (de a. c.) que ...

concluding *adj* final

conclusion [kən'kluːʒn] *n* conclusão *f*; **to come to a ~ about sb/sth** chegar a uma conclusão sobre alguém/a. c.

conclusive [kən'kluːsɪv] *adj* conclusivo, -a; (*argument*) decisivo, -a; (*evidence, proof*) definitivo, -a

concourse ['kaːnɔːrs, *Brit:* 'kɒŋkɔːs] *n* saguão *m*

concrete ['kaːnkriːt, *Brit:* 'kɒn-] I. *n no pl* concreto *m* II. *adj* concreto, -a

concurrent [kən'kʌrənt] *adj* concomitante

concussion [kən'kʌʃən] *n* abalo *m*

condemn [kən'dem] *vt* condenar; **to ~ sb for sth** condenar alguém por a. c.

condemnation [ˌkaːndem'neɪʃn, *Brit:* ˌkɒn-] *n* condenação *f*

condensation [ˌkaːnden'seɪʃn, *Brit:* ˌkɒn-] *n no pl* condensação *f*

condense [kən'dens] I. *vt* 1. (*concentrate*) **to ~ a liquid** condensar um líquido 2. (*version*) resumir II. *vi* condensar

condensed milk *n no pl* leite *m* condensado

condition [kən'dɪʃn] I. *n* 1. condição *f*; **in perfect ~** em perfeitas condições; **on the ~ that ...** com a condição de que ...; **on one ~** sob uma condição; **on no ~** de modo algum 2. *pl* circunstâncias *fpl* II. *vt* 1. (*influence*) impor condição 2. (*treat hair*) passar condicionador

conditional [kən'dɪʃənl] I. *adj* (*provisory*) condicional; **~ on sth** dependente de a. c. II. *n* LING **the ~** condicional

conditioner [kən'dɪʃənər, *Brit:* -ə'-] *n* condicionador *m* de cabelos

condom ['kaːndəm, *Brit:* 'kɒn-] *n* camisinha *f*, preservativo *m*

condominium [ˌkaːndə'mɪniəm, *Brit:* ˌkɒn-] *n* condomínio *m*

condone [kən'doʊn, *Brit:* -'dəʊn] *vt* tolerar

conduct I. [kən'dʌkt] *vt* 1. (*carry out*) realizar 2. (*behave*) **~ oneself** comportar-se 3. ELEC, PHYS conduzir II. [kən'dʌkt] *vi* MUS reger III. ['kaːndʌkt, *Brit:* 'kɒn-] *n no pl* conduta *f*, gestão *f*

conductor [kən'dʌktər, *Brit:* -tə'] *n*

1. (*director*) diretor(a) *m(f)* **2.** PHYS, ELEC condutor *m* **3.** (*of train*) cobrador(a) *m(f)* **4.** MUS regente *mf*

cone [koʊn, *Brit:* kəʊn] *n* **1.** *a.* MAT cone *m* **2.** (*for ice cream*) casquinha *f*

confectioner's sugar *n no pl* açúcar *m* de confeiteiro

confectionery [kən'fekʃənəri, *Brit:* -əri] *n no pl* confeitaria *f*

confederacy [kən'fedərəsi] <-ies> *n* + *sing/pl vb* (*union*) confederação *f*; **the Confederacy** *Am* HIST Confederação dos Estados sulistas durante a guerra civil dos Estados Unidos

confederation [kən,fedə'reɪʃn] *n* + *sing/pl vb* POL confederação *f*

> **Culture** O **Confederation Day** ou **Canada Day** é o feriado nacional do Canadá comemorado em 1º de julho.

confer [kən'fɜ:r, *Brit:* -'fɜ:ʳ] <-rr-> **I.** *vi* consultar; **to ~ with sb** consultar alguém **II.** *vt* conferir

conference ['ka:nfərəns, *Brit:* 'kɒn-] *n* (*meeting of specialists*) conferência *f*, congresso *m*

confess [kən'fes] **I.** *vi* confessar; **to ~ to a crime** confessar um crime **II.** *vt* confessar

confession [kən'feʃn] *n* confissão *f*

confidant [,ka:nfə'dænt, *Brit:* ,kɒnfɪ-] *n* confidente *mf*

confide [kən'faɪd] *vt* confiar; **to ~ (to sb) that ...** confidenciar (a alguém) que ...; **to ~ in sb** fazer confidências a alguém

confidence ['ka:nfədəns, *Brit:* 'kɒnfɪ-] *n* **1.** (*trust*) confiança *f*; **to place one's ~ in sb/sth** depositar a confiança em alguém/a. c.; **he certainly doesn't lack ~** confiança é o que não lhe falta **2.** *no pl* (*secrecy*) confidência *f*

confident ['ka:nfədənt, *Brit:* 'kɒnfɪ-] *adj* **1.** (*sure*) seguro, -a; **to be ~ about sth** estar seguro de a. c.; **to be ~ that ...** ter certeza de que ... **2.** (*self-assured*) confiante

confidential [,ka:nfə'denʃl, *Brit:* ,kɒnfɪ-] *adj* confidencial, sigiloso, -a

confine [kən'faɪn] *vt* **1.** (*limit*) **to ~ sth to sth** restringir a. c. a a. c.; **to be ~d to doing sth** restringir-se a fazer a. c. **2.** (*imprison*) confinar

confinement [kən'faɪnmənt] *n no pl* confinamento *m*

confirm [kən'fɜ:rm, *Brit:* -'fɜ:m] **I.** *vt* **1.** (*verify*) confirmar **2.** REL **to ~ sb's faith** confirmar a fé de alguém **II.** *vi* confirmar

confirmation [,ka:nfər'meɪʃn, *Brit:* ,kɒnfə'-] *n a.* REL crisma *f*

confiscate ['ka:nfəskeɪt, *Brit:* 'kɒnfɪ-] *vt* confiscar

conflict ['ka:nflɪkt, *Brit:* 'kɒn-] *n* conflito *m*; **a ~ over sth** um conflito por a. c.

conflicting *adj* conflitante

conform [kən'fɔ:rm, *Brit:* -'fɔ:m] *vi* adaptar-se; **to ~ to the law** estar de acordo com a lei

conformity [kən'fɔ:rməti, *Brit:* kən'fɔ:mɪti] *n no pl* conformidade *f*; **in ~ with sth** de acordo com a. c.

confront [kən'frʌnt] *vt* confrontar; **to be ~ed with sth** confrontar-se com a. c.

confrontation [,ka:nfrən'teɪʃn, *Brit:* ,kɒnfrʌn'-] *n* confrontação *f*

confuse [kən'fju:z] *vt* confundir

confused *adj* confuso, -a; **to be ~d about sth** estar desconcertado [*ou* confuso] com a. c.

confusing *adj* confuso, -a

confusion [kən'fju:ʒn] *n no pl* confusão *f*

congested [kən'dʒestɪd] *adj* congestionado, -a, apinhado, -a

congestion [kən'dʒestʃən] *n no pl* congestionamento *m*

conglomerate [kən'gla:mərət, *Brit:* -'glɒm-] *n* conglomerado *m*

Congo ['ka:ŋgoʊ, *Brit:* 'kɒŋgəʊ] **I.** *n* **the ~ Congo II.** *adj* congolês, -esa

Congolese [,ka:ŋgə'li:z, *Brit:* ,kɒŋgəʊ'-] *adj* congolês, -esa

congratulate [kən'grætʃəleɪt, *Brit:* -'grætʃʊ-] *vt* congratular; **to ~ sb (on sth)** congratular alguém (por a. c.)

congratulations [kən,grætʃə'leɪʃnz, *Brit:* -tʃʊ'-] *npl* ~! parabéns!

> **Grammar** **congratulations** (= felicidades, parabéns) é usado no plural: "Congratulations on passing the exam!"

congregate ['ka:ŋgrɪgeɪt, *Brit:* 'kɒŋ-] *vi* congregar-se, reunir-se

congregation [,ka:ŋgrɪ'geɪʃn, *Brit:*

congress ['kɑːŋgres, *Brit:* 'kɒŋ-] *n* congresso *m*

congressional [kənˈgreʃənəl, *Brit:* kəŋˈ-] *adj Am* de congresso

congressman *n* <-men> *Am* deputado *m* federal

congresswoman *n* <-women> *Am* deputada *f* federal

conifer ['kɑːnəfər, *Brit:* 'kɒnɪfə'] *n* conífera *f*

conjecture [kənˈdʒektʃər, *Brit:* -əʳ] *n* conjectura *f*

conjunction *n* **1.** LING conjunção *f* **2. in ~ with** junto com

connect [kəˈnekt] **I.** *vi* conectar-se; **to ~ to the Internet** conectar-se à Internet **II.** *vt* **1.** conectar; **to ~ the printer to the computer** conectar a impressora ao computador **2.** ligar; **the hall ~s the two rooms** o corredor liga os dois quartos **3.** (*on the phone*) **would you please ~ me with Jack Jones?** por favor, poderia me passar para Jack Jones? **4.** (*airplanes, buses, trains*) fazer conexão **5.** *fig* relacionar

connected *adj* conectado, -a, ligado, -a

connecting *adj* de ligação; **~ link** elo *m* de ligação; **~ trains/flights** trens/vôos de conexão

connection *n*, *Brit also* **connexion** [kəˈnekʃən] *n* **1.** conexão *f*; **a ~ to sth** uma conexão com a. c.; **in ~ with** em relação a **2.** *pl* (*special relationship*) contatos *mpl*; **to have ~s** ter contatos

connoisseur [ˌkɑːnəˈsɜːr, *Brit:* ˌkɒnəˈsɜːʳ] *n* conhecedor(a) *m(f)*; **art/wine ~** entendido, -a *m, f* em arte/vinho

connotation [ˌkɑːnəˈteɪʃn, *Brit:* ˌkɒn-] *n* conotação *f*

conquer ['kɑːŋkər, *Brit:* 'kɒŋkəʳ] *vt* conquistar

conqueror ['kɑːŋkərər, *Brit:* 'kɒŋkərəʳ] *n* a. HIST conquistador(a) *m(f)*

conquest ['kɑːnkwest, *Brit:* 'kɒn-] *n no pl, a.* (*iron*) conquista *f*

conscience ['kɑːnʃəns, *Brit:* 'kɒn-] *n* consciência *f*; **a clear ~** consciência limpa

conscious ['kɑːnʃəs, *Brit:* 'kɒn-] *adj* **1.** (*aware*) consciente; **fashion ~** a par da moda **2.** (*concentrated: effort*) deliberado, -a

consciousness *n no pl* **1.** (*mental state*) consciência *f* **2.** (*awareness*) ciência *f*; **political/social ~** consciência política/social

consecutive [kənˈsekjətɪv, *Brit:* -jutɪv] *adj* consecutivo, -a

consensus [kənˈsensəs] *n no pl* consenso *m*

consent [kənˈsent] **I.** *n* consentimento *m*; **by common ~** de comum acordo **II.** *vi* (*agree*) **to ~ to do sth** consentir em fazer a. c.

consequence ['kɑːnsɪkwəns, *Brit:* 'kɒn-] *n* conseqüência *f*; **as a ~** (**of sth**) como conseqüência (de a. c.); **in ~** em conseqüência

consequent ['kɑːnsɪkwənt, *Brit:* 'kɒn-] *adj*, **consequential** ['kɑːnsɪkwənʃl, *Brit:* 'kɒn-] *adj* conseqüente

consequently *adv* conseqüentemente

conservation [ˌkɑːnsərˈveɪʃn, *Brit:* ˌkɒnsə'-] *n no pl* conservação *f*; ECOL preservação *f*

conservation area *n* área *f* de preservação

conservationist *n* preservacionista *mf*

conservatism [kənˈsɜːrvətɪzəm, *Brit:* -ˈsɜːv-] *n no pl* conservadorismo *m*

conservative [kənˈsɜːrvətɪv, *Brit:* -ˈsɜːvətɪv] *adj* conservador(a)

Conservative Party *n* Partido *m* Conservador

conservatory [kənˈsɜːrvətɔːri, *Brit:* -ˈsɜːvətri] <-ies> *n* conservatório *m*

conserve [kənˈsɜːrv, *Brit:* -ˈsɜːv] *vt* conservar; **to ~ energy** economizar energia; **to ~ nature** preservar a natureza

consider [kənˈsɪdər, *Brit:* -əʳ] *vt* considerar; **to ~ doing sth** pensar bem em fazer a. c.

considerable [kənˈsɪdərəbl] *adj* considerável

considerate [kənˈsɪdərət] *adj* atencioso, -a; **to be ~ of sb** ser atencioso com alguém

consideration [kənˌsɪdəˈreɪʃn] *n no pl* consideração *f*; **~ of sth** consideração por a. c.; **to take sth into ~** levar a. c. em consideração; **the project is under ~** o projeto está sendo analisado

considering I. *prep* apesar de, tendo em vista; **~ the weather** apesar do tempo **II.** *conj* **~ (that)** ... considerando que ...

consignment [kənˈsaɪnmənt] *n* consignação *f*

consist [kənˈsɪst] *vi* **to ~ of sth** consistir em a. c.

consistency [kənˈsɪstənsi] *n no pl*

1. *(degree of firmness)* consistência *f* **2.** *(being coherent)* coerência *f*

consistent [kən'sɪstənt] *adj* *(degree of firmness)* consistente; *(being coherent)* coerente

consolation [ˌkɑːnsə'leɪʃn, *Brit:* ˌkɒn-] *n no pl* consolo *m;* **it was a ~ to him to know that ...** foi reconfortante para ele saber que ...

console[1] [kən'səʊl, *Brit:* -'səʊl] *vt* *(comfort)* consolar

console[2] ['kɑːnsəʊl, *Brit:* 'kɒnsəʊl] *n* *(switch panel)* console *m*

consolidate [kən'sɑːlədeɪt, *Brit:* -'sɒlɪ-] **I.** *vi* consolidar-se **II.** *vt* consolidar

consolidated *adj* consolidado, -a

consolidation [kənˌsɑːlə'deɪʃn, *Brit:* -ˌsɒlɪ-] *n no pl* **1.** *(gathering together)* fusão *f* **2.** ECON consolidação *f*

consonant ['kɑːnsənənt, *Brit:* 'kɒn-] *n no pl* consoante *f*

consortium [kən'sɔːrṭɪəm, *Brit:* -'sɔːt-] *n* <-tia *o* -s> consórcio *m;* **~ of companies** associação *f* de empresas

conspicuous [kən'spɪkjʊəs] *adj* chamativo, -a, notável; -a; **to be ~ by one's absence** *iron* ter a ausência notada

conspiracy [kən'spɪrəsi] <-ies> *n* conspiração *f;* **a ~ against sb** uma conspiração contra alguém

conspirator [kən'spɪrəṭər, *Brit:* -tər] *n* conspirador(a) *m(f)*

conspire [kən'spaɪər, *Brit:* -ər] *vi* conspirar; **to ~ to do sth** conspirar para fazer a. c.; **to ~ against sb** conspirar contra alguém

constable ['kɑːnstəbl, *Brit:* 'kʌn-] *n Brit* policial *mf*

constant ['kɑːnstənt, *Brit:* 'kɒn-] *adj* *(repeated)* contínuo, -a; **~ use** uso contínuo *m;* *(steady: rate, speed, value)* constante

constantly *adv* continuamente, constantemente

constipated ['kɑːnstəpeɪtɪd, *Brit:* 'kɒnstɪ-] *adj* com prisão de ventre

constipation [ˌkɑːnstə'peɪʃn, *Brit:* ˌkɒnstɪ-] *n* MED prisão *f* de ventre

constituency [kən'stɪtʃuənsi, *Brit:* -'stɪtjʊ-] *n* *(electoral district)* base *f* eleitoral; *(body of voters)* eleitorado *m*

constituent [kən'stɪtʃuənt, *Brit:* -'stɪtjʊ-] **I.** *n* eleitor(a) *m(f)* **II.** *adj* *(part)* componente

constitute ['kɑːnstətuːt, *Brit:* 'kɒnstɪtjuːt] *vt* constituir

constitution [ˌkɑːnstə'tuːʃn, *Brit:* ˌkɒnstɪ'tjuː-] *n* constituição *f*

constitutional [ˌkɑːnstə'tuːʃənl, *Brit:* ˌkɒnstɪ'tjuː-] *adj* constitucional; **~ law** lei constitucional

constrain [kən'streɪn] *vt* coagir

constraint [kən'streɪnt] *n* **1.** *no pl* *(compulsion)* coação *f;* **under ~** sob coação **2.** *(limit)* restrição *f;* **to impose ~s on sb/sth** impor restrições a alguém/a. c.

construct [kən'strʌkt] *vt* construir

construction [kən'strʌkʃn] *n* construção *f*

constructive [kən'strʌktɪv] *adj* construtivo, -a

constructor [kən'strʌktər, *Brit:* -ər] *n* construtor(a) *m(f)*

consul ['kɑːnsl, *Brit:* 'kɒn-] *n* cônsul, -esa *m, f*

consulate ['kɑːnsələt, *Brit:* 'kɒnsjʊ-] *n* consulado *m*

consult [kən'sʌlt] *vi, vt* consultar(-se); **to ~ (with) sb about sth** consultar alguém sobre a. c.

consultancy [kən'sʌltənsi] <-ies> *n* consultoria *f*

consultant [kən'sʌltənt] *n* **1.** ECON consultor(a) *m(f);* **management ~** consultor administrativo; **tax ~** consultor tributário **2.** *Brit* MED especialista *mf*

consultation [ˌkɑːnsʌl'teɪʃn, *Brit:* ˌkɒn-] *n* consulta *f;* **~ fee** preço da consulta

consume [kən'suːm, *Brit:* -'sjuːm] *vt* consumir

consumer [kən'suːmər, *Brit:* -'sjuːmər] *n* consumidor(a) *m(f);* **~ credit** crédito *m* ao consumidor

consumption [kən'sʌmpʃn] *n no pl* **1.** consumo *m* **2.** HIST, MED tuberculose *f*

contact ['kɑːntækt, *Brit:* 'kɒn-] *n* **1.** *(communication)* contato *m;* **to make ~ with sb** fazer contato com alguém **2.** *(connection)* relação *f;* **to have ~s** ter contatos **3.** ELEC contato *m*

contact lens *n* lente *f* de contato

contagious [kən'teɪdʒəs] *adj a. fig* contagioso, -a

contain [kən'teɪn] *vt* conter

container [kən'teɪnər, *Brit:* -ər] *n* recipiente *m*, contêiner *m*

container ship *n* navio *m* de carga

contaminate [kən'tæmɪneɪt] *vt* contaminar; **to ~ sth with sth** contaminar a. c. com a. c.

contamination [kənˌtæmɪ'neɪʃn] *n no*

pl contaminação *f*

contemplate ['kɑ:ntempleɪt, *Brit:* 'kɒn-] *vt* 1. (*consider*) considerar; **to ~ doing sth** pensar fazer a. c. 2. (*look*) contemplar 3. (*think*) pensar

contemplation [ˌkɑ:ntem'pleɪʃn, *Brit:* ˌkɒn-] *n no pl* reflexão *f*

contemporary [kən'pərəri, *Brit:* -'temprəri] I. *adj* contemporâneo, -a II. *n* contemporâneo *m*

contempt [kən'tempt] *n no pl* desprezo *m*; ~ **for sb** desprezo por alguém; ~ **of court** desacato à autoridade (do tribunal)

contemptuous [kən'temptʃʊəs] *adj* soberbo, -a; **to be ~ of sb** menosprezar alguém

contend [kən'tend] *vi* disputar; **to ~ for sth** disputar a. c.; **to have sb/sth to ~ with** ter que enfrentar alguém/a. c.

contender *n* rival *mf*, adversário, -a *m, f*

content[1] ['kɑ:ntent, *Brit:* 'kɒn-] *n* conteúdo *m*; *s.a.* **contents**

content[2] [kən'tent] I. *vt* contentar; **to ~ oneself with sth** contentar-se com a. c. II. *adj* satisfeito, -a III. *n* **to one's heart's ~** até não poder mais

contented *adj* satisfeito, -a

contention [kən'tenʃn] *n no pl* 1. (*disagreement*) discórdia *f* 2. (*competition*) **to be out of ~ for sth** ficar fora da disputa por a. c.

contentment [kən'tentmənt] *n no pl* contentamento *m*

contents ['kɑ:ntents, *Brit:* 'kɒn-] *n pl* conteúdo *m*; (*index*) índice *m*; **table of ~** índice

contest I. ['kɑ:ntest, *Brit:* 'kɒn-] *n* concurso *m*; **beauty ~** concurso *m* de beleza; *fig* disputa *f* II. [kən'test] *vt* 1. (*oppose*) contestar 2. LAW (*fine, suit, will*) impugnar

contestant [kən'testənt] *n* concorrente *mf*

context ['kɑ:ntekst, *Brit:* 'kɒn-] *n* contexto *m*

continent ['kɑ:ntnənt, *Brit:* 'kɒntɪn-] *n* 1. continente *m* 2. **the Continent** *Brit* (*Europe*) Europa *f* continental

continental [ˌkɑ:ntn̩'entl, *Brit:* ˌkɒntɪ'nentl] *adj* 1. continental; ~ **drift** deriva dos continentes 2. (*European*) europeu; ~ **breakfast** café da manhã continental

contingency [kən'tɪndʒənsi] <-ies> *n form* contingência *f*; ~ **plan** plano de emergência

contingent [kən'tɪndʒənt] I. *n* 1. (*part of a larger group*) delegação *f* 2. MIL contingente *m* II. *adj* eventual

continual [kən'tɪnjuəl] *adj* contínuo, -a

continually *adv* continuamente

continuation [kənˌtɪnju'eɪʃn] *n no pl* continuação *f*

continue [kən'tɪnju:] I. *vi* 1. (*persist*) continuar; **he ~d by saying that ...** ele prosseguiu dizendo que ...; **to ~ with sth** continuar com a. c. 2. (*remain unchanged*) permanecer; **to be ~d** segue II. *vt* continuar

continuous [kən'tɪnjuəs] *adj* ininterrupto, -a

continuously *adv* ininterruptamente

contour ['kɑ:ntʊr, *Brit:* 'kɒntʊə'] *n* contorno *m*

contraception [ˌkɑ:ntrə'sepʃn, *Brit:* ˌkɒn-] *n no pl* anticoncepção *f*

contraceptive [ˌkɑ:ntrə'septɪv, *Brit:* ˌkɒn-] *n* anticoncepcional *m*

contract[1] [kən'trækt] I. *vi* contrair II. *vt* 1. (*make shorter*) encolher 2. (*catch*) **to ~ chickenpox/AIDS/a cold** contrair catapora/AIDS/um resfriado

contract[2] ['kɑ:ntrækt, *Brit:* 'kɒn-] I. *n* contrato *m*; ~ **of employment** contrato de emprego II. *vt* contratar

contraction [kən'trækʃn] *n a.* MED, LING contração *f*

contractor ['kɑ:ntræktər, *Brit:* kən'træktə'] *n* empreiteiro, -a *m, f*

contradict [ˌkɑ:ntrə'dɪkt, *Brit:* ˌkɒn-] I. *vi* contradizer-se II. *vt* contradizer

contradiction [ˌkɑ:ntrə'dɪkʃn, *Brit:* ˌkɒn-] *n* contradição *f*

contradictory [ˌkɒntrə'dɪktəri, ˌkɑ:n-] *adj* contraditório, -a

contrary ['kɑ:ntrəri, *Brit:* 'kɒn-] *n no pl* **on the ~** pelo contrário

contrary to *prep* contrário a

contrast [kən'træst, *Brit:* -'trɑ:st] I. *n* contraste *m*; **by** [*o* **in**] **~** em contraste II. *vt* contrastar

contribute [kən'trɪbju:t] *vi, vt* contribuir; **to ~ (sth) to sth** contribuir (com a. c.) para a. c.

contribution [ˌkɑ:ntrɪ'bju:ʃn, *Brit:* ˌkɒn-] *n* contribuição *f*

contributor [kən'trɪbjətər, *Brit:* -'trɪbjʊtə'] *n* contribuinte *mf*, colaborador(a) *m(f)*

contrive [kən'traɪv] *vt* 1. (*plan*) arquitetar 2. (*manage*) **to ~ to do sth** conse-

guir fazer a. c.
contrived *adj* artificial, forçado, -a; (*plot*) inverossímil
control [kənˈtroʊl, *Brit:* -ˈtrəʊl] **I.** *n* controle *m;* **to be in** ~ estar no controle; **to be under** ~ estar sob controle; **to get** ~ **of oneself** controlar-se; **to have** ~ **of sth** controlar a. c.; **to go out of** ~ (*car*) ficar fora de controle; (*person*) descontrolar-se **II.** *vt* <-ll-> dominar; **to** ~ **oneself** controlar-se
control tower *n* torre *f* de controle
controversial [ˌkɑːntrəˈvɜːrʃl, *Brit:* ˌkɒntrəˈvɜːʃl] *adj* controverso, -a, polêmico, -a
controversy [ˈkɑːntrəvɜːrsi, *Brit:* ˈkɒntrəvɜːsi] *n* <-ies> controvérsia *f*, polêmica *f*; **to be beyond** ~ ser indiscutível; ~ **over sth** controvérsia a respeito de a. c.
convene [kənˈviːn] *vt* convocar
convenience [kənˈviːnjəns, *Brit:* -ˈviːnɪəns] *n no pl* conveniência *f*; **at one's** ~ quando for possível
convenience store *n* loja *f* de conveniências
convenient [kənˈviːnjənt, *Brit:* -ˈviːnɪənt] *adj* conveniente; **when is it** ~ **for you to come?** quando é conveniente para você vir?
convent [ˈkɑːnvənt, *Brit:* ˈkɒn-] *n* convento *m*
convention [kənˈvenʃn] *n* **1.** (*custom*) convenção *f*; ~ **dictates that** é costume que ... +*subj*; **social** ~ convenção social **2.** (*meeting*) **the annual** ~ **of the Democratic Party** a convenção anual do Partido Democrático **3.** (*agreement*) **the Geneva** ~ a convenção de Geneva
conventional [kənˈventʃənəl] *adj* convencional; ~ **wisdom** sabedoria popular
convention center *n* centro *m* de convenções
converge [kənˈvɜːrdʒ, *Brit:* -ˈvɜːdʒ] *vi a. fig* convergir; **to** ~ **on sth** convergir para a. c.
convergence [kənˈvɜːrdʒəns, *Brit:* -ˈvɜːdʒ-] *n* convergência *f*
conversation [ˌkɑːnvərˈseɪʃn, *Brit:* ˌkɒnvəˈ-] *n* conversa *f*; **to make** ~ conversar; **to strike up a** ~ **with sb** entabular uma conversa com alguém
converse[1] [kənˈvɜːrs, *Brit:* -ˈvɜːs] *vi form* **to** ~ **with sb** conversar com alguém
converse[2] [ˈkɑːnvɜːrs, *Brit:* ˈkɒnvɜːs] *n*

the ~ o inverso, o oposto
conversion [kənˈvɜːrʒn, *Brit:* -ˈvɜːʃn] *n a.* REL, POL conversão *f*
convert I. [ˈkɑːnvɜːrt, *Brit:* ˈkɒnvɜːt] *n* convertido, -a *m, f* **II.** [kənˈvɜːrt, *Brit:* -ˈvɜːt] *vi* REL, POL converter-se **III.** [kənˈvɜːrt, *Brit:* -ˈvɜːt] *vt a.* REL, INFOR converter
convertible *n* (*car*) carro *m* conversível
convey [kənˈveɪ] *vt* expressar, levar; **they have asked me to** ~ **their regards** eles me pediram para dar lembranças
convict I. [ˈkɑːnvɪkt, *Brit:* ˈkɒn-] *n* presidiário, -a *m, f*, condenado, -a *m, f* **II.** [kənˈvɪkt] *vt* condenar; **to** ~ **sb for sth** condenar alguém por a. c.
conviction [kənˈvɪkʃn] *n* **1.** LAW condenação *f* **2.** (*belief*) convicção *f*; **he lacks** ~ ele é pouco convincente
convince [kənˈvɪnts] *vt* convencer; **to** ~ **sb that ...** convencer alguém (de) que ...; **I'm not** ~**d** não estou convencido
convincing *adj* convincente
convoy [ˈkɑːnvɔɪ, *Brit:* ˈkɒn-] *n* comboio *m*; **in** [*o* **under**] ~ em comboio
cook [kʊk] GASTR **I.** *n* cozinheiro, -a *m, f*; **too many** ~**s spoil the broth** *prov* panela que muitos mexem, ou sai sem sal ou sai salgada demais *prov* **II.** *vi* (*person*) preparar a comida; (*food*) cozinhar **III.** *vt* cozinhar; **the carrots are** ~**ed** as cenouras estão cozidas
♦ **cook up** *vt* **to** ~ **an excuse** inventar uma desculpa
cookbook *n* livro *m* de culinária [*ou* de receitas]
cooker [ˈkʊkəʳ] *n Brit* (*stove*) fogão *m*
cookery [ˈkʊkəri] *n no pl, esp Brit* culinária *f*
cookie [ˈkʊki] *n Am* biscoito *m*
cooking *n no pl* **1.** arte *f* culinária; **she enjoys** ~ ela gosta de cozinhar **2.** GASTR comida *f*; (*preparation*) preparo da comida; **to do the** ~ preparar a comida
cool [kuːl] **I.** *adj* **1.** (*slightly cold*) fresco, -a **2.** (*unfriendly*) frio, -a; **to give sb a** ~ **reception** receber alguém com indiferença **3.** (*calm*) calmo, -a; **keep** ~ manter a calma **4.** *inf* (*fashionable*) **to be** ~ ser legal; **that disco is very** ~ aquela boate é bem bacana **II.** *interj inf* legal **III.** *vt* esfriar; **just** ~ **it** *inf* calma **IV.** *vi* (*become colder*) esfriar-se
♦ **cool down I.** *vi* (*person*) acalmar-se; (*thing*) esfriar-se **II.** *vt* esfriar

coop [ku:p] *n* gaiola *f*

cooperate [koʊˈɑːpəreɪt, *Brit*: kəʊˈɒp-əreɪt] *vi* cooperar; **to ~ with sb** cooperar com alguém

cooperation [koʊˌɑpəˈreɪʃn, *Brit*: kəʊˌɑːpə-] *n* cooperação *f*; **in ~ with sb** em cooperação com alguém

cooperative [koʊˈɑːpərətɪv, *Brit*: kəʊˈɒpərətɪv] **I.** *n* cooperativa *f* **II.** *adj* cooperativo, -a

coordinate[1] [koʊˈɔːrdɪneɪt, *Brit*: kəʊˈɔːd-] **I.** *vi* **1.** (*work together effectively*) coordenar **2.** (*match*) combinar **II.** *vt* coordenar

coordinate[2] [koʊˈɔːrdənət, *Brit*: kəʊˈɔːd-] *n* coordenada *f*

coordination [koʊˌɔːrdəˈneɪʃn, *Brit*: kəʊˌɔːdɪ-] *n* coordenação *f*

coordinator *n* coordenador(a) *m(f)*

cop [kɑːp, *Brit*: kɒp] *n inf* (*police officer*) tira *mf*

cope [koʊp, *Brit*: kəʊp] *vi* agüentar; **I can't ~** não dá para agüentar; **to ~ with sth** enfrentar a. c.

Copenhagen [ˈkoʊpənˌheɪgən, *Brit*: ˌkəʊpən-] *n* Copenhague *f*

copper [ˈkɑːpər, *Brit*: ˈkɒpəʳ] *n no pl* cobre *m*

copy [ˈkɑːpi, *Brit*: ˈkɒpi] *n* <-ies> *n* **1.** (*facsimile*) cópia *f* **2.** (*of a book*) exemplar *m*; (*of a magazine*) número *m* **3.** *no pl* (*text*) material *m* (para publicação) **II.** <-ie-> *vt* **1.** *a*. INFOR, MUS copiar **2.** (*imitate*) imitar

copyright *n* direitos *mpl* autorais; **to hold the ~ of sth** deter os direitos autorais de a. c.

coral [ˈkɔːrəl, *Brit*: ˈkɒr-] *n no pl* coral *m*

cord [kɔːrd, *Brit*: kɔːd] *n* **1.** (*rope*) corda *f*, cordão *m* **2.** *Am* ELEC fio *m*; **extension ~** fio de extensão **3.** ANAT **umbilical ~** cordão *m* umbilical **4.** FASHION veludo *m* cotelê

cordial [ˈkɔːrdʒəl, *Brit*: ˈkɔːdɪəl] *adj* cordial, amistoso, -a

core [kɔːr, *Brit*: kɔːʳ] *n* **1.** (*center*) centro *m*; **to be rotten to the ~** *fig* estar completamente podre **2.** (*of apple, pear*) caroço *m*

cork [kɔːrk, *Brit*: kɔːk] *n* rolha *f*; (*material*) cortiça *f*

corn [kɔːrn, *Brit*: kɔːn] *n no pl* **1.** *Am* milho *m*; **~ on the cob** espiga *f* de milho **2.** *Brit* (*grain*) cereal *m* **3.** MED calo *m*

corner [ˈkɔːrnər, *Brit*: ˈkɔːnəʳ] **I.** *n* **1.** (*of two roads*) esquina *f*; **to be around the ~** estar logo ali na esquina **2.** (*of a room*) canto *m* **3.** (*place*) **a distant ~ of the globe** um lugar no fim do mundo **4.** (*sports maneuver*) escanteio *m* **II.** *vt* **1.** (*hinder escape*) encurralar **2.** ECON **to ~ the market** monopolizar o mercado

cornerstone *n a. fig* alicerce *m*

cornflour *n Brit*, **cornstarch** *n Am* maisena®, f

Cornwall [ˈkɔːrnwɔːl] *n* Cornualha *f*

corny [ˈkɔːrni, *Brit*: ˈkɔːni] <-ier, -iest> *adj* **1.** *inf* brega; (*joke*) batido, -a **2.** (*emotive*) meloso, -a, piegas

coronary [ˈkɔːrəneri, *Brit*: ˈkɒrənri] *adj* coronário, -a

coronation [ˌkɔːrəˈneɪʃn, *Brit*: ˌkɒr-] *n* coroação *f*

coroner [ˈkɔːrənər, *Brit*: ˈkɒrənəʳ] *n* médico-legista, médica-legista *m, f*

corporal [ˈkɔːrpərəl, *Brit*: ˈkɔːp-] **I.** *n* MIL cabo *m* **II.** *adj* **~ punishment** castigo corporal

corporate [ˈkɔːrpərət, *Brit*: ˈkɔːp-] *adj* corporativo, -a, coletivo, -a; **~ capital** capital *m* social

corporation [ˌkɔːrpəˈreɪʃn, *Brit*: ˌkɔːp-] *n* + *sing/pl vb* **1.** (*business*) corporação *f*; **a public ~** *Brit* uma empresa pública **2.** (*local council*) câmara *f* municipal

corpse [kɔːrps, *Brit*: kɔːps] *n* cadáver *m*

correct [kəˈrekt] **I.** *vt* (*put right*) corrigir **II.** *adj* correto, -a

correction [kəˈrekʃən] *n* correção *f*

correlate [ˈkɔːrəlet, *Brit*: ˈkɒr-] **I.** *vt* correlacionar; **to ~ sth with sth** correlacionar a. c. com a. c. **II.** *vi* (*relate*) relacionar

correlation [ˌkɔːrəˈleɪʃn, *Brit*: ˌkɒr-] *n* correlação *f*; **a ~ with sth** uma correlação com a. c.

correspond [ˌkɔːrəˈspɑːnd, *Brit*: ˌkɒrɪˈspɒnd] *vi* **1.** (*be equal to*) equivaler **2.** (*write*) corresponder-se

correspondence [ˌkɔːrəˈspɑːndəns, *Brit*: ˌkɒrɪˈspɒn-] *n no pl* correspondência *f*, equivalência *f*

correspondent [ˌkɔːrəˈspɑːndənt, *Brit*: ˌkɒrɪˈspɒn-] *n* correspondente *mf*; **special ~** correspondente *m* especial

corresponding *adj* correspondente

corridor [ˈkɔːrədər, *Brit*: ˈkɒrɪdɔːʳ] *n* (*passage*) corredor *m*

corroborate [kəˈrɑːbəreɪt, *Brit*: -ˈrɒb-] *vt* corroborar

corrosion [kə'rouʒn, *Brit:* -'rəu-] *n no pl* corrosão *f*

corrugated *adj* ondulado, -a

corrupt [kə'rʌpt] **I.** *vt* corromper **II.** *adj* **1.** corrupto, -a, depravado, -a; ~ **practices** práticas *fpl* corruptas **2.** INFOR corrompido, -a

corruption [kə'rʌpʃn] *n no pl* corrupção *f*

Corsica ['kɔːrsɪkə, *Brit:* 'kɔːs-] *n* Córsega *f*

Corsican *adj* corso, -a

cosmetic [kɑːz'metɪk, *Brit:* kɒz'met-] **I.** *n* **1.** cosmético *m*; *fig* (*superficial*) superficialidade *f* **2.** ~**s** cosméticos *mpl* **II.** *adj* cosmético, -a, estético, -a; ~ **cream** creme *m* cosmético

cosmetic surgery *n no pl* cirurgia *f* estética

cosmic ['kɑːzmɪk, *Brit:* 'kɒz-] *adj fig* cósmico, -a; **of** ~ **proportions** de proporções astronômicas

cosmonaut ['kɑːzmənɑːt, *Brit:* 'kɒzmənɔːt] *n* astronauta *mf*

cosmopolitan [ˌkɑːzmə'pɑːlɪtən, *Brit:* ˌkɒzmə'pɒl-] *adj, n* cosmopolita *mf*

cost [kɑːst, *Brit:* kɒst] **I.** *vt* **1.** <cost, cost> (*amount to*) custar, valer; **to ~ a fortune** custar uma fortuna; **how much does it ~?** quanto custa? **2.** <costed, costed> (*calculate price*) **to ~** (**out**) calcular o preço de a. c. **II.** *n* **1.** (*price*) custo *m*, preço *m*; **at no extra ~** sem custos adicionais; **at all ~s** a todo custo **2.** *pl* (*expense*) despesa *f*

Costa Rica [ˌkoustə'riːkə, *Brit:* ˌkɒstə-] *n* Costa *f* Rica

Costa Rican *adj* costa-riquenho, -a

cost-effective *adj* vantajoso, -a, lucrativo, -a

costly ['kɑːstli, *Brit:* 'kɒst-] <-ier, -iest> *adj* dispendioso, -a; (*mistake*) caro, -a; **to prove** ~ *a. fig* sair caro

costume ['kɑːstuːm, *Brit:* 'kɒstjuːm] *n* **1.** (*decorative*) fantasia *f* **2.** (*national dress*) traje *m* típico; **to dress in** ~ vestir-se a caráter

cosy ['kəʊ-] <-ier, -iest> *adj Brit s.* **cozy**

cot [kɑːt, *Brit:* kɒt] *n Am* (*foldable bed*) cama *f* de armar; *Brit* (*baby bed*) berço *m*

cottage ['kɑːtɪdʒ, *Brit:* 'kɒt-] *n* chalé *m*; ~ **country** ~ casa *f* de campo

cottage cheese *n no pl* ricota *f*

cotton ['kɑːtn, *Brit:* 'kɒtn] *n* algodão *m*

couch [kaʊtʃ] <-es> *n* sofá *m*; **psychiatrist's** ~ divã *m*

cough [kɑːf, *Brit:* kɒf] **I.** *n* tosse *f*; **chesty** ~ tosse produtiva **II.** *vi* tossir

could [kʊd] *pt, pp of* **can²**

council ['kaʊnsl] *n + sing/pl vb* ADMIN **city** ~ câmara *f* municipal; MIL conselho *m*; **local** ~ conselho local; **the United Nations Security Council** Conselho de Segurança das Nações Unidas

councillor ['kaʊnsələr, *Brit:* -əʳ] *n*, **councilor** *n Am* conselheiro, -a *m, f*

counseling *n Am*, **counselling** *n no pl* assessoramento *m*, orientação *f* psicológica

counsellor ['kaʊnsələr, *Brit:* -əʳ] *n*, **counselor** *n Am* assessor(a) *m(f)*, advogado, -a *m, f*; **marriage guidance** ~ conselheiro, -a *m, f* matrimonial

count¹ [kaʊnt] *n* conde *m*

count² [kaʊnt] **I.** *vt* contar; **to ~ sth a success/failure** considerar a. c. um sucesso/fracasso; **to ~ sb in/out** contar/não contar com alguém **II.** *vi* **1.** contar **2.** (*depend*) **to ~ on sb** contar com alguém **III.** *n* contagem *f*; **a ~ of sth** contagem de a. c.

countdown *n* contagem *f* regressiva

countenance ['kaʊntənəns, *Brit:* -tɪ-] *n no pl*, *form* fisionomia *f*

counter ['kaʊntər, *Brit:* -təʳ] **I.** *n* **1.** (*service point*) balcão *m*; **over the** ~ sem receita médica; **under the** ~ *fig* ilegalmente **2.** (*in game*) ficha *f* **II.** *vt* (*reply*) contestar; (*attack*) responder a

counteract [ˌkaʊntərˈækt] *vt* opor-se a

counterattack ['kaʊntərətæk] **I.** *n* contra-ataque *m* **II.** *vt, vi* contra-atacar

counterfeit ['kaʊntərfɪt, *Brit:* -təfɪt] **I.** *adj* (*money*) falso, -a **II.** *vt* falsificar

counterpart ['kaʊntərpɑːrt, *Brit:* -təpɑːt] *n* contrapartida *f*; POL par *m*

counterproductive [ˌkaʊntərprəˈdʌktɪv, *Brit:* -təprə-] *adj* contraproducente

countess ['kaʊntɪs] *n* condessa *f*

country ['kʌntri] *n* <-ies> (*political unit*) país *m*; (*home*) pátria *f* **2.** *no pl* (*rural area*) **the** ~ o campo, o interior **3.** *no pl* (*area*) região *f*

country house *n* casa *f* de campo

countryside ['kʌntrisaɪd] *n no pl* campo *m*

county ['kaʊnti] <-ies> *n* condado *m*

coup [kuː] <coups> *n* êxito *m*; POL golpe *m*; **coup d'état** golpe de estado

couple ['kʌpl] *n* **1.** *no pl* dupla *f* **2.** dois, duas *m, f,* alguns, algumas; **the first ~ of weeks** as primeiras duas semanas; **in a ~ of weeks** dentro de algumas semanas **3.** + *sing/pl vb (two people)* par *m;* (*married*) casal *m*

coupon ['ku:pɑ:n, *Brit:* -pɒn] *n* **1.** (*voucher*) vale *m* **2.** (*return-slip of advertisement*) cupom *m*

courage ['kʌrɪdʒ] *n* coragem *f;* **to show great ~** mostrar grande coragem

courageous [kə'reɪdʒəs] *adj* corajoso, -a

courgette *n Brit* (*zucchini*) abobrinha *f*

courier ['kʊrɪər, *Brit:* -əʳ] *n* **1.** (*mail deliverer*) mensageiro, -a *m, f,* portador(a) *m(f)* de mensagens, encomendas) **2.** (*tour guide*) guia *mf* turístico

course [kɔ:rs, *Brit:* kɔ:s] *n* **1.** rota *f;* **to be off ~** *a. fig* desviar-se do rumo; **a ~ of action** uma linha de ação **2.** (*lessons*) curso *m*; **to take a ~ in sth** fazer um curso em a. c. **3.** (*of meal*) prato *m* **4.** (*racing*) pista *f; (golf)* campo *m* **5.** **of ~** claro

court [kɔ:rt, *Brit:* kɔ:t] I. *n* **1.** (*room*) tribunal *m* **2.** (*judicial body*) corte *f* de justiça **3.** (*in sports: tennis, basketball*) quadra *f* **4.** (*sovereign*) corte *f* real II. *vt* (*woman*) cortejar

courteous ['kɜ:rtɪəs, *Brit:* 'kɜ:t-] *adj* educado, -a

courtesy ['kɜ:rtəsi, *Brit:* 'kɜ:t-] <-ies> *f* cortesia *f,* gentileza *f;* **common ~** mera cortesia

courtroom *n* sala *f* de tribunal **courtship** *n* galanteio *m,* namoro *m* **courtyard** *n* pátio *m*

cousin ['kʌzn] *n* primo, -a *m, f*

cove [koʊv, *Brit:* kəʊv] *n* enseada *f*

covenant ['kʌvənənt] *n* pacto *m*

cover ['kʌvər, *Brit:* -əʳ] I. *n* **1.** (*top*) tampa *f* **2.** (*of a book, magazine*) capa *f* II. *vt* **1.** (*hide: eyes, ears*) tapar; (*head*) cobrir **2.** (*put over*) tampar **3.** (*with blanket*) cobrir **4.** (*deal with*) abranger
  ♦ **cover up** I. *vt* (*protect*) cobrir; (*hide*) esconder, encobrir II. *vi* **to ~ for sb** acobertar alguém

coverage ['kʌvərɪdʒ] *n no pl* cobertura *f*

covering *n* cobertura *f,* capa *f*

cow [kaʊ] *n* vaca *f*

coward ['kaʊərd, *Brit:* -əd] *n* covarde *mf*

cowardice ['kaʊərdɪs, *Brit:* -ədɪs] *n no pl* covardia *f*

cowardly I. *adj* covarde II. *adv* covardemente

cowboy ['kaʊbɔɪ] *n* caubói *m*

coy [kɔɪ] <-er, -est> *adj* recatado, -a

coyote [kaɪ'oʊt̬i, *Brit:* kɔɪ'əʊti] *n* coiote *m*

cozy ['koʊzi] *adj Am* (*armchair*) confortável; (*place, atmosphere*) acolhedor(a)

CPA *n abbr of* **Certified Public Accountant** contador licenciado, contadora licenciada *m, f*

crab [kræb] *n* caranguejo *m*

crack [kræk] I. *n* **1.** (*fissure*) rachadura *f*; **the door was opened a ~** havia uma fresta da porta aberta **2.** (*of thunder*) estrondo *m* **3.** *inf* (*drug*) crack *m* **4. at the ~ of dawn** no raiar do dia II. *adj* de primeira III. *vt* **1.** (*break*) rachar; (*nut*) quebrar; **~ed wheat** trigo moído **2.** *inf* (*a code*) decifrar **3.** *inf* (*joke*) fazer IV. *vi* rachar; (*paintwork*) lascar; (*voice*) falhar
  ♦ **crack down** *vi* **to ~ on sb/sth** agir com mão firme com alguém/a. c.

crackdown ['krækdaʊn] *n* medidas *fpl* enérgicas

cracked *adj* rachado, -a; *inf* (*crazy*) de miolo mole

cracker ['krækər, *Brit:* -əʳ] *n* **1.** (*wafer*) bolacha *f* de água e sal **2.** *Brit* (**Christmas**) **~** tubo de papelão decorado com uma surpresa dentro

crackle ['krækl] I. *vi* (*fire*) estalar, crepitar; (*telephone line*) chiar II. *n* (*of fire*) estalo *m;* (*of a telephone line*) chiado *m*

cradle ['kreɪdl] *n* (*baby's bed*) berço *m;* **from the ~ to the grave** a vida toda

craft [kræft, *Brit:* krɑ:ft] *n* **1.** *no pl* (*skill*) arte *f;* (*trade*) ofício *m* **2.** (*boat, plane, etc*) embarcação *f*

craftiness *n no pl* astúcia *f*

craftsman <-men> *n* artesão *m*

craftswoman *n* artesã *f*

crafty <-ier, -iest> *adj* astuto, -a

cram [kræm] <-mm-> I. *vt* abarrotar; **to ~ sth with** abarrotar a. c. de II. *vi inf* rachar (antes de uma prova)

cramp [kræmp] *n* cãibra *f,* cólica *f;* **stomach ~s** cólicas estomacais

cranberry ['krænberi, *Brit:* -,bəri] <-ies> *n* oxicoco *m,* mirtilo *m*

crane [kreɪn] *n* **1.** TECH guindaste *m* **2.** ZOOL grou, grua *m, f*

cranky *adj* mal-humorado, -a

crap [kræp] *n vulg* **1.** (*excrement*)

merda f **2.** (*nonsense*) asneira f
crappy *adj vulg* porcaria
crash [kræʃ] **I.** n <-es> **1.** (*accident*) acidente m; (*with car*) batida f **2.** (*noise*) estrondo m **3.** (*of stock market*) queda f, falência f **II.** vi **1.** (*have an accident*) bater; (*plane*) cair; **to ~ into sth** bater em a. c. **2.** (*make noise*) fazer um estrondo **3.** (*computer*) dar pau **4.** (*stock market*) sofrer queda **III.** vt colidir **IV.** adj (*course, diet*) intensivo, -a
crass [kræs] *adj* crasso, -a, grosseiro, -a
crate [kreɪt] n caixote m, engradado m
crater ['kreɪt̬ər, *Brit:* -tə'] n cratera f
crave [kreɪv] vt desejar intensamente, precisar muito de
craving n ânsia f; **to have a ~ for sth** ter uma vontade louca de a. c.
crawl [krɑ:l, *Brit:* krɔ:l] vi arrastar-se, engatinhar
crayon ['kreɪɑ:n, *Brit:* -ən] n creiom m, lápis m de cera
craze [kreɪz] n mania f
craziness ['kreɪzɪnɪs] n no pl loucura f
crazy ['kreɪzi] <-ier, -iest> *adj* louco, -a; **to go ~** enlouquecer
creak [kri:k] **I.** vi ranger **II.** n rangido m
cream [kri:m] **I.** n **1.** no pl (*dairy product*) creme m; **light** [o Brit **single**] **~** creme m de leite light; **heavy** [o Brit **double**] **~** creme m de leite, nata f **2.** (*cosmetic*) creme m **II.** vt (*butter*) bater
cream cheese n no pl queijo m cremoso
creamy <-ier, -iest> *adj* **1.** (*smooth*) cremoso, -a **2.** (*off-white*) cor champanhe
crease [kri:s] **I.** n (*paper*) dobra f; (*in trousers*) vinco m; (*in hat, skirt*) prega f **II.** vt preguear
create [kri:'eɪt] vt criar; **to ~ sth from sth** criar a. c. a partir de a. c.
creation [kri:'eɪʃn] n criação f
creative [kri:'eɪt̬ɪv, *Brit:* -tɪv] *adj* criativo, -a
creator [kri:'eɪt̬ər, *Brit:* -tə'] n criador(a) m(f)
creature ['kri:tʃər, *Brit:* -ə'] n criatura f, ser m humano/animal; **a ~ of habit** uma pessoa de costumes arraigados
crèche [kreɪʃ] n Brit, Aus creche f
credentials [krɪ'denʃlz] npl credenciais fpl, qualificações fpl
credibility [ˌkredə'bɪləti, *Brit:* -ɪ'bɪləti] n no pl credibilidade f
credible ['kredəbl] *adj* verossímil, digno, -a de crédito
credit ['kredɪt] n **1.** (*honor*) honra f; (*recognition*) mérito m; **to be a ~ to sb** ser motivo de orgulho para alguém; **your kind heart does you ~** você deve ser admirada por sua generosidade **2.** FIN (*loan, opposite of debit*) crédito m; **to buy sth on ~** comprar a. c. a crédito **3.** pl (*at end of movie*) créditos mpl
credit card n cartão m de crédito **credit limit** n limite m de crédito
creditor ['kredɪt̬ər, *Brit:* -tə'] n credor(a) m(f)
creed [kri:d] n credo m; **the Creed** o Credo
creek [kri:k] n **1.** Am, Aus (*stream*) córrego m; **to be up the ~ without a paddle** estar em um mato sem cachorro **2.** Brit (*narrow bay*) enseada f
creep [kri:p] **I.** <crept, crept> vi **1.** (*crawl*) arrastar-se **2.** (*move imperceptibly*) mover-se de mansinho **II.** n **1.** inf (*disgusting person*) puxa-saco mf **2.** (*pervert*) depravado, -a m, f **3.** the **~s** calafrios
♦ **creep up** vi **to ~ on sb** aproximar-se de fininho de alguém
crepe [kreɪp] n GASTR crepe m, panqueca f
crept [krept] pt, pp of **creep**
crescent ['kresnt] n (*moon*) quarto m crescente/minguante; (*pastry*) croissant m; (*street*) rua em meia-lua f
crest [krest] n crista f
crestfallen ['krestˌfɔ:lən] *adj* cabisbaixo, -a
Crete [kri:t] n Ilha f de Creta
crew [kru:] n + sing/pl vb NAUT, AVIAT tripulação f; **ground/cabin ~** tripulação de terra/bordo
crib [krɪb] **I.** n **1.** esp Am (*baby's bed*) berço m **2.** (*nativity scene*) manjedoura f **3.** inf SCH (*cheat sheet*) cola f **II.** <-bb-> vi inf SCH colar; **to ~ from sb** colar de alguém
cricket¹ ['krɪkɪt] n no pl SPORTS críquete m
cricket² n ZOOL grilo m
crime [kraɪm] n **1.** (*illegal act*) delito m; (*more serious*) crime m; **a ~ against humanity** um crime contra a humanidade **2.** no pl (*criminal activity*) criminalidade f; **~ rate** índice m de crimi-

nalidade; **to fight/stop ~** combater/acabar com a criminalidade
criminal ['krɪmɪnl] **I.** *n* (*offender*) delinqüente *mf*; (*more serious*) criminoso, -a *m*, *f* **II.** *adj* (*illegal*) ilícito, -a; (*more serious*) criminoso, -a
criminal record *n* antecedentes *mpl* criminais
crimson ['krɪmzn] *adj* (*color*) carmesim
cringe *vi* encolher-se (de medo ou vergonha)
cripple ['krɪpl] **I.** *n* aleijado, -a *m*, *f* **II.** *vt* aleijar; *fig* frustrar
crippling *adj* (*injury, illness*) incapacitante; *fig* (*fear, debt*) desgraçado, -a
crisis ['kraɪsɪs] <**crises**> *n* crise *f*; **to go through a ~** passar por uma crise
crisp [krɪsp] **I.** <-er, -est> *adj* **1.** (*bacon*) crocante; (*snow*) que se esfacela **2.** (*apple, lettuce*) fresco, -a; **a ~ new dollar bill** uma nota novinha de dólar **3.** (*sharp*) firme **4.** (*weather*) **~, cold air** ar frio e seco **II.** *n Brit pl* (*potato chips*) batata *f* frita (de pacote)
criterion [kraɪ'tɪriən, *Brit:* -'tɪər-] <-ria> *n* critério *m*
critic ['krɪtɪk, *Brit:* -tɪk] *n* crítica *f*; **a ~ of sth** uma crítica de a. c.
critical ['krɪtɪkl, *Brit:* 'krɪt-] *adj* crítico, -a; **to be ~ of sb** criticar alguém
criticism ['krɪtɪsɪzəm, *Brit:* 'krɪt-] *n* crítica *f*; **to take ~** aceitar críticas
criticize ['krɪtɪsaɪz, *Brit:* 'krɪt-] *vt, vi* criticar; **to ~ sb for sth** [*o for doing sth*] criticar alguém por (fazer) a. c.
croak [kroʊk, *Brit:* krəʊk] **I.** *vi* **1.** (*crow*) grasnar; (*frog*) coaxar **2.** *sl* (*die*) esticar as canelas **II.** *vt* falar com voz rouca **III.** *n* (*crow*) grasnido *m*; (*frog*) coaxo *m*
Croat ['kroʊæt, *Brit:* krəʊ-] *n* croata *mf*
Croatia [kroʊ'eɪʃə, *Brit:* krəʊ'eɪʃɪə] *n* Croácia *f*
Croatian *adj* croata
crochet *n* crochê *m*
crockery ['krɑːkəri, *Brit:* 'krɒk-] *n no pl, Brit* (*dishes*) louça *f*
crocodile ['krɑːkədaɪl, *Brit:* 'krɒk-] <-(s)> *n* crocodilo *m*
crocus <-es> *n* açafrão *m*
crook [krʊk] *n* **1.** *inf* (*criminal*) vigarista *mf* **2.** (*shepherd's staff*) cajado *m*
crooked ['krʊkɪd] *adj* **1.** (*not straight*) torto, -a **2.** *inf* (*dishonest*) desonesto, -a
crop [krɑːp, *Brit:* krɒp] **I.** *n* colheita *f*, plantio *m* **II.** *vi* **to ~ up** surgir

cross [krɑːs, *Brit:* krɒs] **I.** *vt* **1.** (*go across: road, threshold*) atravessar; (*desert, river, sea*) cruzar; **to ~ one's mind** *fig* passar pela cabeça **2.** (*place crosswise*) **to ~ one's legs** cruzar as pernas; **to ~ one's fingers** cruzar os dedos **3.** BIO cruzar; **to ~ sth with sth** cruzar a. c. com a. c. **4.** (*mark with a cross*) fazer uma cruz **II.** *vi* **1.** (*intersect*) cruzar **2.** (*go across*) atravessar **III.** *n* **1. a.** REL cruz *f* **2.** (*crossing: of streets, roads*) cruzamento *m* **3.** BIO cruzamento *m*; **a ~ between a donkey and a horse** um cruzamento entre um burro e um cavalo **4.** (*mixture*) misto *m* **IV.** *adj* bravo, -a; **to be ~ about sth** estar bravo [*ou* zangado] com a. c.
◆ **cross off** *vt* **to cross sth/sb off a list** riscar a. c./alguém de uma lista
crossbar *n* barra *f*; (*of goal*) travessão *m*; (*of bicycle*) quadro *m*
cross-country *adj* cross-country
cross-eyed *adj* vesgo, -a
crossing *n* cruzamento *m*, travessia *f*; **railroad** [*o Brit* **level**] **~** cruzamento *m* de nível; **border ~** (*place*) local para atravessar a fronteira; (*act*) cruzamento de fronteiras; **pedestrian ~** faixa de pedestre
cross purposes *n* **at ~** não se entender direito
cross-reference *n* referência *f* cruzada
crossroads *n inv* encruzilhada *f* cruzadas
cross-section *n* corte *m* transversal; (*in statistics*) amostra *f* representativa
crossword (**puzzle**) *n* palavras *fpl* cruzadas
crotch [krɑːtʃ, *Brit:* krɒtʃ] <-es> *n* **1.** virilha *f* **2.** (*in trousers*) fundilhos *mpl*
crouch [kraʊtʃ] *vi* **to ~ (down)** agachar-se; **to be ~ing** estar agachado
crow [kroʊ, *Brit:* krəʊ] *n* corvo *m*; **as the ~ flies** *fig* em linha reta
crowbar *n* pé-de-cabra *m*
crowd [kraʊd] **I.** *n* + *sing/pl vb* **1.** (*many people*) multidão *f*; **~s of people attended** uma multidão de pessoas esteve presente; **there was quite a ~** havia uma multidão e tanto **2.** (*audience*) público *m* **3. the ~** *pej* (*average people*) a massa *f*; **to stand out from the ~** *fig* destacar-se na multidão **II.** *vt* aglomerar; **to ~ the streets/a stadium** tomar as ruas/um estádio

crowded *adj* repleto, -a; ~ **together** aglomerados; **the bar was** ~ o bar estava apinhado de gente

crown [kraʊn] **I.** *n* coroa *f*; **the Crown** (*monarchy*) a Coroa **II.** *vt* coroar; **to** ~ **sb queen** coroar alguém rainha

crucial ['kruʃl] *adj* (*decisive*) crucial; (*moment*) decisivo, -a; **it is** ~ **that ...** é fundamental que ... +*subj*

crucifix [,kru:sɪ'fɪks] <-es> *n* crucifixo *m*

crucifixion [,kru:sɪ'fɪkʃn] *n* crucificação *f*

crucify ['kru:sɪfaɪ] <-ie-> *vt* crucificar

crude [kru:d] *adj* **1.** (*unrefined*) bruto, -a; (*oil*) cru(a) **2.** (*vulgar*) grosseiro, -a

cruel [kruəl] <-(l)ler, -(l)lest> *adj* cruel; **to be** ~ **to sb** ser cruel com alguém

cruelty ['kruəlti] <-ies> *n* crueldade *f*; ~ **to** [*o* **towards**] **sb/sth** crueldade com alguém/a. c.

cruise [kru:z] **I.** *n* cruzeiro *m*; ~ **ship** navio *m* de cruzeiro **II.** *vi* fazer um cruzeiro; (*in car*) circular lentamente

cruiser ['kru:zər, *Brit*: -ə^r] *n* **1.** (*warship*) cruzador *m* **2.** (*pleasure boat*) cruzeiro *m*

crumb [krʌm] **I.** *n* **1.** (*of bread*) miolo *m* de pão **2.** (*small amount*) migalha *f*; **a small** ~ **of ...** um pouco de ... **II.** *interj* droga!

crumble ['krʌmbl] **I.** *vt* **1.** (*bread, cookie*) esfarelar **2.** (*stone, cheese*) esfacelar **II.** *vi* (*empire*) desmoronar; (*plaster, stone*) esfacelar-se

crumbly *adj* que se esfarela fácil

crumple ['krʌmpl] *vt* amarrotar; **to** ~ **sth up** amassar a. c.

crunch [krʌntʃ] **I.** *vt* **1.** (*in mouth*) mastigar (com barulho) **2.** (*grind*) moer **II.** *vi* moer

crunchy <-ier, -iest> *adj* crocante

crusade [kru:'seɪd] *n* **1.** REL, HIST cruzada *f* **2.** *fig* cruzada *f*; **a** ~ **for/against sth** uma cruzada por/contra a. c.

crush [krʌʃ] **I.** *vt* **1.** (*compress*) esmagar; **to be** ~**ed together** ser espremido junto; **to be** ~**ed to death** morrer esmagado **2.** (*grind*) moer; ~**ed ice** gelo picado **3.** (*shock severely*) arrasar **4.** (*revolt*) reprimir **II.** <-es> *n* **1.** *no pl* (*throng*) aglomeração *f*; **there was a great** ~ havia uma grande aglomeração **2.** *inf* (*infatuation*) atração *f*; **to have a** ~ **on sb** ter uma atração por alguém

crushing I. *n* compressão *f* **II.** *adj* arrasador(a)

crust [krʌst] *n* GASTR, BOT (*a. external layer*) crosta *f*; (*of bread*) casca *f*; **a** ~ **of ice/dirt** uma crosta de gelo/sujeira; ~ **of the Earth** GEO crosta *f* terrestre

crutch [krʌtʃ] <-es> *n* MED muleta *f*

cry [kraɪ] **I.** <-ie-> *vi* **1.** (*weep*) chorar; **to** ~ **for joy** chorar de alegria **2.** (*shout*) gritar; (*animal*) uivar; **to** ~ **for help** gritar por socorro **II.** <-ie-> *vt* gritar **III.** *n* **1.** *no pl* (*weeping*) choro *m*; **to have a** ~ chorar; **to** ~ **one's eyes** [*o* **heart**] **out** chorar até não poder mais **2.** (*shout*) grito *m* **3.** ZOOL uivo *m*

cry-baby *n* chorão, -ona *m, f*

crypt [krɪpt] *n* cripta *f*

cryptic ['krɪptɪk] *adj* enigmático, -a

crystal ['krɪstl] **I.** *n* cristal *m* **II.** *adj* cristalino, -a

cub [kʌb] *n* filhote *m*

Cuba ['kju:bə] *n* Cuba *f*

Cuban *adj* cubano, -a

cube [kju:b] *n* cubo *m*; **ice** ~ cubo *m* de gelo; **sugar** ~ torrão *m* de açúcar

cubic ['kju:bɪk] *adj* cúbico, -a

cubicle ['kju:bɪkl] *n* (*in shops*) provador *m*; (*in bathroom*) boxe *m*

Cub Scout *n* lobinho *m*

cuckoo ['kuku:, *Brit*: 'kʊku:] *n* cuco *m*

cucumber ['kju:kʌmbər, *Brit*: -ə^r] *n* pepino *m*; (**as**) **cool as a** ~ *inf* ter sangue de barata

cuddle ['kʌdl] **I.** *vt* abraçar; **to** ~ **with sb** aconchegar-se a alguém **II.** *n* aconchego *m*; **to give sb a** ~ dar um afago em alguém

cuddly <-ier, -iest> *adj* mimoso, -a; ~ **toy** bichinho *m* de pelúcia

cue [kju:] *n* **1.** THEAT deixa *f* **2.** (*billiards*) taco *m*; ~ **ball** bola *f* branca

cuff [kʌf] **I.** *n* **1.** (*on sleeve*) punho *m*; **off the** ~ *fig* de improviso **2.** (*slap*) tapinha *m* **II.** *vt* (*slap playfully*) dar um tapinha

Cuisinart® *n* processador *m* de alimentos

cuisine [kwɪ'zi:n] *n no pl* culinária *f*

cul-de-sac ['kʌldəsæk] <-s *o* culs-de-sac> *n a. fig* beco *m* sem saída

culinary ['kʌləneri, *Brit*: -lɪ-] *adj* culinário, -a

culprit ['kʌlprɪt] *n* culpado, -a *m, f*

cult [kʌlt] *n* **1.** (*worship*) culto *m*; **fitness** ~ culto ao corpo **2.** (*sect*) seita *f*

cultivate ['kʌltəveɪt, *Brit*: -tɪ-] *vt a. fig*

cultivated 87 **cut**

cultivar

cultivated adj 1. AGR cultivado, -a 2. (person) culto, -a

cultivation [ˌkʌltəˈveɪʃn, Brit: -ɪ'-] n no pl 1. AGR cultivo m; **to be under ~** estar em cultivo 2. (of a person) refinamento m

cultural [ˈkʌltʃərəl] adj cultural

culture [ˈkʌltʃər, Brit: -əʳ] I. n 1. (way of life) cultura f; **corporate ~** cultura empresarial 2. no pl (arts) cultura f 3. AGR cultivo m II. vt cultivar

cultured adj 1. **~ pearl** pérola cultivada 2. (intellectual) culto, -a

culture schock n no pl choque m cultural

cumbersome [ˈkʌmbəsəm] adj (hard to carry) volumoso, -a; (slow) pesadão; (too complicated: phrase, procedure, method) enrolado, -a

cunning [ˈkʌnɪŋ] I. adj engenhoso, -a II. n no pl esperteza f

cunt [kʌnt] n vulg 1. boceta f 2. (despicable person) escroto, -a m, f

cup [kʌp] n 1. (container) xícara f; **egg ~** porta-ovo m; **paper ~** copo m de papel; **that's not my ~ of tea** não é a minha praia, não faz o meu gênero 2. (trophy) taça f; **the World Cup** Copa do Mundo

cupboard [ˈkʌbərd, Brit: -əd] n armário m; **built-in ~** armário embutido

curator [ˈkjʊreɪtər, Brit: kjʊəˈreɪtə] n curador(a) m(f)

curb [kɜːrb, Brit: kɜːb] I. n Am meio-fio m II. vt conter

cure [kjʊr, Brit: kjʊəʳ] I. vt 1. MED, GASTR curar 2. (leather) curtir II. vi curar; (meat, fish) defumar III. n cura f

curfew [ˈkɜːrfjuː, Brit: ˈkɜːf-] n toque m de recolher

curiosity [ˌkjʊriˈɑːsəti, Brit: ˌkjʊəriˈɒsəti] <-ies> n curiosidade f; **~ killed the cat** prov a curiosidade matou o gato

curious [ˈkjʊriəs, Brit: ˈkjʊər-] adj curioso, -a; **it is ~ that** é curioso que +subj

curl [kɜːrl, Brit: kɜːl] I. n cacho m II. vt cachear, enrolar; **to ~ oneself up** sentar-se encolhido

curly [ˈkɜːrli] <-ier, -iest> adj (hair) encaracolado, -a

currant [ˈkɜːrənt, Brit: ˈkʌr-] n groselha f; **black ~** cassis m

currency [ˈkɜːrənsi, Brit: ˈkʌr-] <-ies> n 1. FIN moeda f; **foreign ~** moeda f estrangeira; **hard ~** moeda f forte 2. no pl (acceptance) aceitação f

current [ˈkɜːrənt, Brit: ˈkʌr-] I. adj atual II. n a. ELEC corrente f

current affairs npl atualidades fpl

currently adv 1. (at present) atualmente 2. (commonly) correntemente, habitualmente

curriculum [kəˈrɪkjələm] <-a o -s> n currículo m escolar

curry¹ [ˈkɜːri, Brit: ˈkʌri] <-ies> n curry m

curry² vt **to ~ favor with sb** bajular alguém

curse [kɜːrs, Brit: kɜːs] I. vi 1. (swear) xingar 2. (blaspheme) rogar pragas II. vt 1. (swear at) xingar; **to ~ sb out** inf xingar alguém 2. (damn) amaldiçoar; **~ it!** maldito! III. n 1. (oath) praga f; **to let out a ~** rogar uma praga 2. (evil spell) maldição f; **to put a ~ on sb** amaldiçoar alguém

curtain [ˈkɜːrtn, Brit: ˈkɜːtn] n a. fig a. THEAT cortina f; **to draw the ~s** fechar as cortinas; **to raise/lower the ~** levantar/baixar a cortina

curve [kɜːrv, Brit: kɜːv] I. n a. MAT curva f II. vi curvar(-se); (path, road) fazer uma curva; **to ~ around to the left** dobrar para a esquerda

cushion [ˈkʊʃn] n almofada f

cushy [ˈkʊʃi] <-ier, -iest> adj inf muito fácil; **a ~ job** uma sopa

custard [ˈkʌstərd, Brit: -təd] n no pl GASTR creme m (de baunilha)

custody [ˈkʌstədi] n no pl LAW 1. (care, guardianship) custódia f, guarda f, tutela f; **to be in the ~ of sb** estar sob a tutela de alguém; **~ of one's child** guarda do filho 2. (prison) **the suspect is in ~** o suspeito está preso

custom [ˈkʌstəm] n 1. (tradition) costume m 2. no pl, Brit (clientele) clientela f

customary [ˈkʌstəmeri, Brit: -məri] adj 1. (traditional) consuetudinário, -a, habitual; **it is ~ to** +infin é costume +infin 2. (usual) habitual

customer [ˈkʌstəmər, Brit: -əʳ] n cliente mf; **regular ~** cliente habitual

cut [kʌt] I. n 1. (incision) a. FASHION corte m 2. (gash, wound) corte m 3. (decrease) redução f; **a ~ in staff** um corte de pessoal II. adj cortado, -a; (glass, diamond) lapidado, -a III. <cut, cut, -tt-> vt 1. (make an incision) cor-

tar; **to have one's hair ~** cortar o cabelo 2. (*saw down: trees*) derrubar 3. (*decrease: jobs, prices*) reduzir 4. (*cease*) parar; **~ all this noise!** chega deste barulho! **IV.** <cut, cut, -tt-> *vi Am* **to ~** (**in line**) furar a fila
◆ **cut back** *vt* 1. fazer cortes; **to ~** (**on**) **sth** fazer cortes em a. c. 2. (*expenses*) reduzir
◆ **cut down I.** *vt* 1. (*tree*) derrubar 2. (*reduce*) reduzir; **to ~ expenses** reduzir as despesas **II.** *vi* **to ~ on sth** diminuir a. c.; **to ~ on smoking** fumar menos
◆ **cut in** *vi* (*interrupt*) **to ~** (**on sb**) interromper (alguém)
◆ **cut off** *vt* 1. (*sever*) *a.* ELEC, TEL cortar 2. (*amputate*) amputar 3. (*stop talking*) interromper 4. (*separate, isolate*) isolar; **to be ~ by the snow** ficar ilhado pela neve 5. (*with car, bike*) dar uma fechada
◆ **cut out** *vt* **cut it/that out!** pára com isso!
cute [kju:t] *adj inf* fofinho, -a, gracinha; (*f*)
cutlery ['kʌtləri] *n no pl* talheres *fpl*
cutlet *n* costeleta *f*
cutthroat competition *n* competição *f* feroz
cutting I. *n* 1. *pl* partes *fpl* cortadas 2. (*from plant*) muda *f*; *Brit* (*from newspaper*) recorte *m* **II.** *adj* mordaz
CV [ˌsiːˈviː] *n abbr of* **curriculum vitae** CV *m*
cybercafé ['saɪbər-, *Brit:* -bə'-] *n* cibercafé *m* **cybercash** *n no pl* pagamento *m* digital **cybermall** ['saɪbərˌmɔːl, *Brit:* 'saɪbə-] *n no pl* shopping center *m* virtual **cyberspace** *n no pl* ciberespaço *m*, espaço *m* virtual **cybersquatter** ['saɪbərˌskwɑːtər, *Brit:* 'saɪbəˈskwɒtəʳ] *n pej* COMPUT cibergrileiro, -a *m, f* **cyberworld** ['saɪbərwɜːrld, *Brit:* 'saɪbəwɜːld] *n no pl, inf* COMPUT (*the Internet*) mundo *m* virtual
cycle[1] ['saɪkl] **I.** *n* bicicleta *f* **II.** *vi* andar de bicicleta
cycle[2] *n* ciclo *m*
cyclic ['saɪklɪk] *adj*, **cyclical** ['saɪklɪkl] *adj* cíclico, -a
cycling *n no pl* SPORTS ciclismo *m*
cyclist *n* SPORTS ciclista *mf*
cyclone ['saɪkloʊn, *Brit:* -kləʊn] *n* METEO ciclone *m*
cylinder ['sɪlɪndər, *Brit:* -əʳ] *n* cilindro *m*
cymbals ['sɪmblz] *n pl* pratos *mpl*
cynic ['sɪnɪk] *n* cínico, -a *m, f*
cynical ['sɪnɪkl] *adj* cínico, -a
cynicism ['sɪnɪsɪzəm] *n no pl* cinismo *m*
Cypriot ['sɪprɪət] *adj* cipriota
Cyprus ['saɪprəs] *n* GEO Chipre *m*
cyst *n* cisto *m*
czar [zɑːr, *Brit:* zɑːʳ] *n Am* czar *m*
Czech [tʃek] *adj* tcheco, -a
Czech Republic *n* República *f* Tcheca

D

D, d [diː] *n* 1. (*letter*) d *m*; **~ as in dog** *Am*, **~ for David** *Brit* d de dado 2. MUS ré *m*
DA [ˌdiːˈeɪ] *n Am abbr of* **District Attorney** promotor(a) , -a público *m*
dab [dæb] <-bb-> *vt* tocar [*ou* bater] de leve; **~ a paintbrush against the surface** bater o pincel de leve na superfície; **I ~bed on some perfume** eu passei um pouco de perfume; **she ~bed a bit of powder on her nose** ela passou um pouco de pó-de-arroz no nariz
dabble ['dæbl] <-ling> *vi* **to ~ in sth** dedicar-se superficialmente a a. c.
dad [dæd] *n inf* papai *m*
daddy ['dædi] *n childspeak, inf* papai *m*
daffodil ['dæfədɪl] *n* narciso *m*
daft [dæft, *Brit:* dɑːft] *adj esp Brit, inf* idiota; **to be ~ about sth** ficar [*ou* ser] bobo com a. c.
dagger ['dægər, *Brit:* -əʳ] *n* adaga *f*, punhal *m*; **to look ~s at sb** olhar alguém com raiva
dahlia ['dæljə, *Brit:* 'deɪliə] *n* dália *f*

> **Culture** O **Dáil** é a câmara baixa do **Oireachtas**, o parlamento da **Irish Republic**. Tem 166 deputados, eleitos democraticamente para um mandato de cinco anos. A câmara alta, o **Seanad** (Senado),

> consta de 60 senadores, dos quais 11 são nomeados pelo **taoiseach** (primeiro- ministro), 6 pelas universidades irlandesas e outros 43 são indicados de forma que todos os interesses profissionais, culturais e econômicos estejam representados.

daily ['deɪli] I. *adj* diário, -a; **on a ~ basis** diariamente; **to earn one's ~ bread** *inf* ganhar o pão de cada dia II. *adv* diariamente; **twice ~** duas vezes ao dia III. <-ies> *n* PUBL diário *m*
dainty ['deɪnti] <-ier, -iest> *adj* (*child*) delicado, -a; (*dish*) refinado, -a
dairy ['deri, *Brit:* 'deəri] *n* 1. *Am* (*farm*) (fazenda) *f* de gado leiteiro 2. *Brit* (*shop*) leiteria *f*
dairy products *npl* laticínios *mpl*
daisy ['deɪzi] <-ies> *n* margarida *f*; **to smell as fresh as a ~** cheirar a rosas
dally ['dæli] <-ie-> *vi* perder tempo, flertar; **to ~ over sth** perder tempo com a. c.; **to ~ with sb** flertar com alguém
dam [dæm] I. *n* represa *f* II. <-mm-> *vt* represar
damage ['dæmɪdʒ] I. *vt* (*building, object*) danificar; (*health, reputation*) prejudicar II. *n no pl* 1. (*harm: to environment*) prejuízo *m*; (*to objects*) estrago *m*; (*to pride, reputation*) dano *m* 2. *pl* LAW perdas *f* e danos
dame [deɪm] *n* 1. *Am*, *pej*, *inf* (*woman*) dama *f*, senhora *f* 2. *Brit* (*title*) Dama *f*
damn [dæm] *inf* **I.** *interj* droga! II. *adj* maldito, -a; **to be a ~ fool** ser um grande idiota III. *vt* 1. (*curse*) praguejar; **~ it!** droga! *inf* 2. REL amaldiçoar, condenar; **~ every man to be the slave of fear** condenar todos os homens a serem escravos do medo IV. *adv* ~ **all** *Brit* danem-se *inf*; **to be ~ lucky** ter a maior sorte V. *n no pl* **I don't give a ~!** não estou nem aí!, estou me lixando! *inf*
damnation [dæm'neɪʃn] *n no pl a.* REL condenação *f*; (*eternal*) danação *f*
damned [dæmd] *adj inf* danado, -a
damp [dæmp] I. *adj* úmido, -a II. *n no pl, Brit, Aus* umidade *f*, neblina *f* III. *vt* 1. (*make wet*) umedecer 2. (*extinguish*) **to ~ a fire** extinguir o fogo
dampen ['dæmpən] *vt* 1. (*moisten*) umedecer 2. (*deaden*) **to ~ sb's**

enthusiasm refrear o entusiasmo de alguém, jogar água fria (no entusiasmo de alguém) *inf*; **to ~ sth down** abafar a. c.
dampness *n no pl* umidade *f*
dance [dænts, *Brit:* dɑːnts] I. <-cing> *vi, vt* dançar; **to ~ with joy** pular de alegria II. *n* dança *f*, baile *m*
dance music *n no pl* música *f* para dançar
dancer ['dæntsər, *Brit:* 'dɑːntsəʳ] *n* dançarino, -ina *m*, *f*
dancing *n no pl* dança *f*; **to go ~** ir dançar
dandelion ['dændəlaɪən, *Brit:* -dɪ-] *n* dente-de-leão *m*
dandruff ['dændrəf, *Brit:* -drʌf] *n no pl* caspa *f*
dandy ['dændi] I. <-ies> *n* dândi *m* II. <-ier, -iest> *adj Am* excelente
Dane [deɪn] *n* dinamarquês, -esa *m*, *f*
danger ['deɪndʒər, *Brit:* -əʳ] *n* perigo *m*; **~ to sb/sth** perigo para alguém/a. c.; **to be in ~** estar em perigo; **to be in ~ of (doing) sth** correr o risco de (fazer) a. c.
dangerous ['deɪndʒərəs] *adj* perigoso, -a; **~ to sb/sth** perigoso para alguém/a. c.
dangle ['dæŋgl] I. <-ling> *vi* pender; **she had big earrings dangling from her ear** grandes brincos pendiam de suas orelhas II. <-ling> *vt fig* **to ~ sth before sb** tentar alguém com a. c.
Danish ['deɪnɪʃ] *adj* dinamarquês, -esa
dank [dæŋk] *adj* frio e úmido, -a
Danube ['dænjuːb] *n* Danúbio *m*
dapper ['dæpər, *Brit:* -əʳ] *adj* garboso, -a
dare [der, *Brit:* deəʳ] <-ring> *vt* 1. (*risk doing*) **don't you ~!** não se atreva!; **how ~ you!** como se atreve!; **to (not) ~ to do sth** (não) atrever-se a fazer a. c. 2. (*challenge*) **~ sb (to do sth)** desafiar alguém (a fazer a. c.) 3. **I ~ say** devo dizer que
daring I. *adj* 1. (*courageous*) audacioso, -a 2. (*provocative: dress*) provocante *m* II. *n no pl* audácia *f*
dark [dɑːrk, *Brit:* dɑːk] I. *adj* 1. (*without light, black*) escuro, -a; **~ chocolate** *Am*, *Aus* chocolate *m* preto; **to look on the ~ side of things** ver o lado pior das coisas 2. (*complexion*) moreno, -a; (*hair*) escuro, -a 3. (*color*) **~ blue** azul-escuro 4. *fig* secreto, -a II. *n no pl* escuro *m*; **to be afraid of the ~** ter medo

da escuridão; **to do sth after** ~ fazer a. c. depois que o dia escurece; **to keep sb in the** ~ **about sth** manter alguém desinformado de a. c.

Dark Ages *npl* HIST **the** ~ a Idade *f* Média *(de 500 d.C. a 1000 d.C.)*; *fig* idade *f* da ignorância

darken ['dɑːrkən, *Brit:* 'dɑːk-] *vi* escurecer; *(sky)* anuviar-se; *fig* entristecer(-se)

darkness *n no pl* escuridão *f*

darkroom *n* câmara *f* escura

darling ['dɑːrlɪŋ, *Brit:* 'dɑːl-] *n* 1. *(dear)* querido, -a *m, f;* **oh** ~, **I love you** minha querida, eu te amo 2. *(favorite)* favorito, -a *m, f;* **the king's** ~ o favorito do rei

darn [dɑːrn, *Brit:* dɑːn] *vt* **to** ~ **a sock/hole** remendar uma meia/um buraco

dart [dɑːrt, *Brit:* dɑːt] I. *n* 1. *(arrow)* dardo *m;* **to play** ~**s** jogar dardos 2. *(movement)* **to make a** ~ **for sth** disparar em direção a a. c. II. *vi* **to** ~ **for sth** precipitar-se em direção a a. c.

dash [dæʃ] I. <-es> *n* 1. *(rush)* **to make a** ~ **for it** precipitar-se em direção a a. c. 2. *(pinch)* **a** ~ **of color** uma pincelada *f* de cor; **a** ~ **of rain** uma pancada *f* de chuva 3. TYP travessão *m* II. *vi* 1. *(move quickly)* disparar; ~ **upstairs** disparar escada acima 2. *(hit)* chocar-se; **waves** ~**ed against the breakwater** as ondas chocavam-se contra o quebra-mar III. *vt* 1. *(thrust)* arremessar; **the wave** ~**ed the ship against the rocks** a onda arremessou o navio contra as rochas 2. *fig (hopes)* frustrar 3. *(do quickly)* **to** ~ **off a letter** rabiscar uma carta

dashboard *n* painel *m* de instrumentos

dashing *adj* arrojado, -a

DAT [dæt] *n abbr of* **digital audio tape** DAT *m*

data ['deɪtə, *Brit:* 'deɪtə] *n* + *sing/pl vb* a. INFOR dados *mpl*

database *n* banco *m* de dados **data cable** *n* COMPUT cabo *m* de dados **data processing** *n no pl* processamento *m* de dados

date¹ [deɪt] I. *n* 1. *(calendar day)* data *f;* **to be out of** ~ estar fora de moda [*ou* desatualizado]; **to be up to** ~ estar atualizado; **what** ~ **is it today?** que dia é hoje? 2. *(appointment)* encontro *m;* **to make a** ~ **with sb** marcar um encontro com alguém 3. *Am, inf (person)* namorado, -a *m, f* II. *vt* 1. *(recognize age of)* datar 2. *Am, inf (have relationship with)* **to** ~ **sb** namorar alguém III. *vi* **to** ~ **back to** datar de

date² *n (fruit)* tâmara *f;* *(tree)* tamareira *f*

dated ['deɪtɪd, *Brit:* -tɪd] *adj* obsoleto, -a

daub [dɑːb, *Brit:* dɔːb] *vt* **to** ~ **a wall with plaster** rebocar uma parede; **to** ~ **his fingers with ink** borrar os dedos com tinta

daughter ['dɑːtər, *Brit:* 'dɔːtə] *n* filha *f*

daughter-in-law <daughters-in-law> *n* cunhada *f*

daunting [dɑːntɪŋ, *Brit:* dɔːn-] *adj* assustador(a)

dawdle ['dɑːdl, *Brit:* 'dɔː-] *vi (time)* perder tempo; *(movement)* flanar

dawn [dɑːn, *Brit:* dɔːn] I. *n* madrugada *f,* aurora *f; fig* começo *m;* **at** ~ de madrugada II. *vi* 1. *(grow light)* amanhecer 2. *fig (become known)* ocorrer, dar-se conta (de que ...); **it** ~**ed on him that** ... ocorreu-lhe que ..., ele se deu conta de que ...

day [deɪ] *n* dia *m;* *(working period)* dia *m* útil; ~ **after** ~, ~ **by** ~ dia a dia; ~ **in** ~ **out** dia após dia; **all** ~ **(long)** o dia inteiro; **any** ~ **now** qualquer dia desses; **by** ~ de dia; **from one** ~ **to the next** de um dia para o outro; **from that** ~ **on(wards)** daquele dia em diante; **in the (good) old** ~**s** nos velhos (bons) tempos; **in this** ~ **and age** atualmente; **the** ~ **after tomorrow** depois de amanhã; **the** ~ **before yesterday** anteontem; **to call it a** ~ parar de fazer a. c.; **to have a** ~ **off** ter um dia de folga; **to have seen better** ~**s** ter tido uma vida melhor; **two** ~**s ago** dois dias atrás

daybreak *n no pl* aurora *f*

daydream I. *vi* sonhar acordado II. *n* devaneio *m*

daylight *n* 1. *no pl* luz *f* do dia; **in broad** ~ em plena luz do dia 2. *fig, inf* **to scare the living** ~**s out of sb** apavorar alguém

daytime *n* dia *m;* **in the** ~ de dia

day-to-day *adj (events)* cotidiano, -a, do dia a dia; **life lived on a** ~ **basis** vida vivida no dia a dia

daze [deɪz] I. *n* **to be in a** ~ estar atordoado, -a II. *vt* atordoar

dazzle ['dæzl] *vt* deslumbrar; **to** ~ **sb with sth** deixar alguém deslumbrado

com a. c.; (*brightness*) ofuscar
dB *abbr of* **decibel** db.
deacon ['di:kən] *n* diácono *m*
dead [ded] **I.** *adj* **a.** *fig* (*a. town*) morto, -a; (*fire*) extinto, -a; (*numb*) mudo, -a; **as ~ as a doornail** mortinho da Silva *inf;* **she wouldn't be seen ~ wearing that** *inf* nem morta ela usaria isso; **to be a ~ loss** ser uma perda total **II.** *n* **in the ~ of night** no meio da noite; **the ~** os mortos *mpl* **III.** *adv inf* **to be ~ set on sth** estar totalmente fixado em a. c.
deaden ['dedən] *vt* (*noise*) abafar; (*pain*) aliviar
dead-end *n* beco *m* sem saída; **~ job** emprego *m* sem perspectivas
deadline *n* prazo *m*
deadlock *n* **to reach a ~** chegar a um impasse
deadly ['dedli] <-ier, -iest> *adj* **1.** mortal **2.** *inf* **~ boring** chato de doer *inf*
Dead Sea *n* Mar *m* Morto
deaf [def] **I.** *adj* surdo, -a; **to be ~ to sth** *fig* ser insensível a a. c.; **to go ~** ficar surdo **II.** *npl* **the ~** os surdos *mpl*
deafen ['defən] *vt* ensurdecer
deafening *adj* ensurdecedor(a)
deaf-mute *n* surdo-mudo, -a *m, f*
deafness *n no pl* surdez *f*
deal[1] ['di:l] *n no pl* (*large amount*) quantidade *f;* **a great ~ of effort** bastante esforço; **a great ~ (of sth)** uma grande quantidade (de a. c.)
deal[2] **I.** *n* **1.** (*agreement*) acordo *m;* COM negócio *m;* **it's no big ~!** *fig, inf* não é nada demais!; **to make a ~ (with sb)** fazer um trato com alguém **2.** (*of cards*) rodada *f,* mão *f* **II.** <dealt, dealt> *vi* **to ~ in sth** negociar a. c. **III.** <dealt, dealt> *vt* (*cards*) dar as cartas; **to ~ sb a blow** dar um golpe em alguém
♦ **deal with** *vt* (*person*) lidar com; (*problem*) resolver
dealer ['di:lər, *Brit:* -əʳ] *n* **1.** COM negociante *mf;* **drug ~** traficante *mf* **2.** GAMES (*in cards*) carteador(a) *m(f)*
dealing *n* COM negócio *m;* **to have ~s with sb** *fig* fazer negócios com alguém
dealt [delt] *pt, pp of* **deal**
dean [di:n] *n* **1.** UNIV reitor(a) *m(f)* **2.** REL deão *m*
dear [dɪr, *Brit:* dɪəʳ] **I.** *adj* **1.** (*much loved*) querido, -a; (*in letters*) caro, -a *form,* prezado, -a **2.** (*expensive*) caro, -a **II.** *interj inf* **oh ~!** ah, meu Deus!
dearly *adv* **1.** (*very*) muito **2.** *fig* **he paid ~ for his success** ele pagou caro pelo sucesso
dearth [dɜːrθ, *Brit:* dɜːθ] *n no pl* escassez *f*
death [deθ] *n* morte *f;* **to be at ~'s door** estar à beira da morte; **to be bored to ~ with sth** estar morrendo de tédio com a. c.; **to put sb to ~** executar alguém
deathbed *n* leito *m* de morte **death certificate** *n* certidão *f* de óbito **death penalty** *n* pena *f* de morte **death row** *n Am* corredor *m* da morte (*celas dos condenados*) **death sentence** *n* pena *f* de morte **death squad** *n* esquadrão *m* da morte
debacle [dɪ'bɑːkl, *Brit:* deɪ'-] *n* débâcle *f*
debar [dɪ'bɑːr, *Brit:* -'bɑːʳ] <-rr-> *vt* excluir; **custom ~s certain persons from marriage** os costumes excluem algumas pessoas do casamento, proibir; **you are ~red from holding public offices** você está proibido de exercer cargos públicos
debase [dɪ'beɪs] *vt* degradar
debatable [dɪ'beɪtəbl, *Brit:* -təbl] *adj* discutível
debate [dɪ'beɪt] **I.** *n no pl* debate *m* **II.** *vt, vi* debater
debauchery [dɪ'bɔːtʃəri, *Brit:* 'bɔː-] *n no pl* libertinagem *f*
debilitate [dɪ'bɪlɪteɪt] *vt* debilitar
debilitating *adj* debilitante
debility [dɪ'bɪləti, *Brit:* -ti] *n no pl* debilidade *f*
debit ['debɪt] *n* débito *m*
debris [də'briː, *Brit:* 'deɪbriː] *n no pl* escombros *mpl*
debt [det] *n* dívida *f;* **to be in ~** estar devendo; **to be in ~ to sb, in sb's ~** dever um favor a alguém
debtor ['detər, *Brit:* 'detəʳ] *n* devedor(a) *m(f)*
debug [ˌdiː'bʌg] <-gg-> *vt* INFOR depurar
debunk [diː'bʌŋk] *vt* desmascarar
debut [deɪ'bjuː, *Brit:* 'deɪbjuː] *n* estréia *f;* **to make one's ~** fazer a estréia
decade ['dekeɪd] *n* década *f*
decadence ['dekədəns] *n no pl* decadência *f*
decadent ['dekədənt] *adj* decadente
decaffeinated [ˌdiː'kæfɪneɪtɪd] *adj* descafeinado, -a
decanter [dɪ'kæntər, *Brit:* -əʳ] *n* recipiente *m* para decantação (*garrafa de*

decapitate

vidro ou cristral usada para servir vinhos, licores, etc)
decapitate [dɪˈkæpɪteɪt] *vt* decapitar
decathlon [dɪˈkæθlɑːn, *Brit:* -lən] *n* decatlo *m*
decay [dɪˈkeɪ] I. *n no pl* 1. (*of food*) deterioração *f* 2. (*dental*) cárie *f* II. *vi* (*building, intellect*) deteriorar; (*food*) apodrecer; (*teeth*) cariar
deceased [dɪˈsiːst] *n* falecido, -a *m, f*
deceit [dɪˈsiːt] *n* fraude *f*
deceitful [dɪˈsiːtfəl] *adj* (*attempt*) fraudulento, -a
deceive [dɪˈsiːv] *vt* enganar; **to ~ oneself** enganar a si mesmo, tapear *gír;* **to ~ sb into doing sth** tapear alguém para que faça a. c.
December [dɪˈsembər, *Brit:* -əˈ] *n* dezembro *m; s.a.* **March**
decency [ˈdiːsəntsi] *n* 1. *no pl* (*respectability*) decência *f* 2. *pl* (*approved behavior*) decoro *m*
decent [ˈdiːsənt] *adj* 1. (*socially acceptable*) decente 2. *inf* (*kind*) gentil
decentralize [diːˈsentrəlaɪz] *vt* descentralizar
deception [dɪˈsepʃn] *n* fraude *m*, trapaça, *f*
deceptive [dɪˈseptɪv] *adj* enganador, -a; **~ appearance** aparência enganadora
decibel [ˈdesɪbel] *n* decibel *m*
decide [dɪˈsaɪd] *vi, vt* decidir; **to ~ against** (**doing**) **sth** decidir contra (fazer) a. c./alguém; **to ~ not to do sth** decidir não fazer a. c.; **to ~ on sth** escolher a. c.
decided [dɪˈsaɪdɪd] *adj* (*person, manner*) decidido, -a; (*improvement*) evidente; (*preference*) inegável
deciduous [dɪˈsɪdʒuəs, *Brit:* -ˈsɪdjʊ-] *adj* (*leaves*) caduco, -a
decimal [ˈdesɪml] *adj* decimal
decimate [ˈdesɪmeɪt] *vt* dizimar
decipher [dɪˈsaɪfər, *Brit:* -əˈ] *vt* decifrar
decision [dɪˈsɪʒən] *n* 1. (*choice*) decisão *f;* **a ~ against sth/sb** decisão contra a. c./alguém; **to make a ~ (about** [*o* **on**] **sb/sth**) tomar uma decisão (sobre alguém/a. c.) 2. LAW decisão *f* judicial 3. *no pl* (*resoluteness*) firmeza *f*
decision-making process *n* processo *m* decisório
decisive [dɪˈsaɪsɪv] *adj* (*action, battle, step*) decisivo, -a; (*tone*) categórico, -a
deck [dek] I. *n* 1. (*of ship*) convés *m; to*

decrepit

clear the **~s** *fig* preparar; **to go below ~s** ir para o convés inferior 2. (*of bus*) andar *m* 3. (*cards*) baralho *m* II. *vt* decorar; **the room was ~ed with flowers** a sala estava decorada com flores; **to ~ oneself out** enfeitar-se
deckchair *n* espreguiçadeira *f*
declamatory [dɪˈklæmətɔːri, *Brit:* -təri] *adj form* bombástico, -a
declaration [ˌdekləˈreɪʃn] *n* declaração *f*
declare [dɪˈkler, *Brit:* -əˈ] I. *vt* declarar; **to ~ war on sb** declarar guerra a alguém II. *vi* declarar-se; **to ~ for sb** declarar-se a favor de alguém
decline [dɪˈklaɪn] I. *vi* 1. (*go down: civilization*) decair; (*power, influence*) diminuir; (*price*) baixar 2. (*refuse*) recusar; **to ~ to do sth** recusar-se a fazer a. c. II. *n no pl* 1. (*in price, power*) redução *f;* (*of civilization*) declínio *m;* **to be in ~** estar em decadência *f* 2. MED enfraquecimento *m* III. *vt* rejeitar; **he ~d the unwanted manuscript** ele rejeitou o manuscrito indesejado
decode [ˌdiːˈkoʊd, *Brit:* -ˈkəʊd] *vi, vt* decodificar
decompose [ˌdiːkəmˈpoʊz, *Brit:* -ˈpəʊz] *vi* decompor-se
decontaminate [ˌdiːkənˈtæmɪneɪt] *vt* descontaminar
decor [ˈdeɪkɔːr, *Brit:* ˈdeɪkɔːˈ] *n* decoração *f*
decorate [ˈdekəreɪt] *vt* 1. (*adorn*) enfeitar; **to ~ sth with sth** enfeitar a. c. com a. c. 2. (*paint*) pintar 3. (*honor*) condecorar
decoration [ˌdekəˈreɪʃn] *n* 1. (*ornament*) decoração *f* 2. (*medal*) condecoração *f*
decorative [ˈdekərətɪv, *Brit:* -trɪv] *adj* decorativo, -a
decorator [ˈdekəreɪtər, *Brit:* -təˈ] *n Am* (*interior designer*) decorador(a) *m(f)*
decorum [dɪˈkɔːrəm] *n no pl* decoro *m*
decoy [ˈdiːkɔɪ] *n a. fig* chamariz *m*
decrease I. [dɪˈkriːs] *vi* (*prices*) diminuir II. [ˈdiːkriːs] *n* queda *f;* **a ~ in price/in popularity/in number** uma queda no preço/na popularidade/no número, redução *f;* **a ~ in time/in income** uma redução de tempo/da renda
decree [dɪˈkriː] I. *n* decreto *m* II. *vt* decretar
decrepit [dɪˈkrepɪt] *adj* decrépito, -a